Le Calvaire

Octave Mirbeau

Edition : Culturea (culurea.fr), 34 Hérault
Contact : infos@culturea.fr
Impression : BOD, Norderstedt (Allemagne)
ISBN : 9791041838721
Date de publication : juillet 2023
Mise en page et maquettage : https://reedsy.com/
Cet ouvrage a été composé avec la police Bauer Bodoni

LE CALVAIRE

I

Je suis né, un soir d'Octobre, à Saint-Michel-les-Hêtres, petit bourg du département de l'Orne, et je fus aussitôt baptisé aux noms de Jean-François-Marie Mintié. Pour fêter, comme il convenait, cette entrée dans le monde, mon parrain, qui était mon oncle, distribua beaucoup de bonbons, jeta beaucoup de sous et de liards aux gamins du pays, réunis sur les marches de l'église. L'un d'eux, en se battant avec ses camarades, tomba sur le coupant d'une pierre, si malheureusement qu'il se fendit le crâne et mourut le lendemain. Quant à mon oncle, rentré chez lui, il prit la fièvre typhoïde et trépassa quelques semaines après. Ma bonne, la vieille Marie, m'a souvent conté ces incidents, avec orgueil et admiration.

Saint-Michel-les-Hêtres est situé à l'orée d'une grande forêt de l'État, la forêt de Tourouvre. Bien qu'il compte quinze cents habitants, il ne fait pas plus de bruit que n'en font, dans la campagne, par une calme journée, les arbres, les herbes et les blés. Une futaie de hêtres géants, qui s'empourprent à l'automne, l'abrite contre les vents du Nord, et les maisons, aux toits de tuile, vont, descendant la pente du coteau, gagner la vallée large et toujours verte, où l'on voit errer les bœufs, par troupeaux. La rivière d'Huisne, brillante sous le soleil, festonne et se tord capricieusement dans les prairies, que séparent l'une de l'autre des rangées de hauts peupliers. De pauvres tanneries, de petits moulins s'échelonnent sur son cours, clairs, parmi les bouquets d'aulnes. De l'autre côté de la vallée, ce sont les champs, avec les lignes géométriques de leurs haies et leurs pommiers qui vagabondent. L'horizon s'égaie de petites fermes roses, de petits villages qu'on aperçoit, de-ci, de-là, à travers des verdures presque noires. En toutes saisons, dans le ciel, à cause de la proximité de la forêt, vont et viennent les corbeaux et les choucas au bec jaune.

Ma famille habitait, à l'extrémité du pays, en face de l'église, très ancienne et branlante, une vieille et curieuse maison qu'on appelait le Prieuré,— dépendance d'une abbaye qui fut détruite parla Révolution et dont il ne restait que deux ou trois pans de murs croulants, couverts de lierre. Je revois sans attendrissement, mais avec netteté, les moindres détails de ces lieux où mon enfance s'écoula. Je revois la grille toute déjetée qui s'ouvrait, en grinçant, sur une grande cour qu'ornaient une pelouse teigneuse, deux sorbiers chétifs, hantés des merles, des marronniers très vieux et si gros de tronc que les bras de quatre hommes—disait orgueilleusement mon père, à chaque visiteur,—

n'eussent point suffi à les embrasser. Je revois la maison, avec ses murs de brique, moroses, renfrognés, son perron en demi-cercle où s'étiolaient des géraniums, ses fenêtres inégales qui ressemblaient à des trous, son toit très en pente, terminé par une girouette qui ululait à la brise comme un hibou. Derrière la maison, je revois le bassin où baignaient des arums bourbeux, où se jouaient des carpes maigres, aux écailles blanches; je revois le sombre rideau de sapins qui cachait les communs, la basse-cour, l'étude que mon père avait fait bâtir en bordure d'un chemin longeant la propriété, de façon que le va-et-vient des clients et des clercs ne troublât point le silence de l'habitation. Je revois le parc, ses arbres énormes, bizarrement tordus, mangés de polypes et de mousses, que reliaient entre eux les lianes enchevêtrées, et les allées, jamais ratissées, où des bancs de pierre effritée se dressaient, de place en place, comme de vieilles tombes. Et je me revois aussi, chétif, en sarrau de lustrine, courir à travers cette tristesse des choses délaissées, me déchirer aux ronces, tourmenter les bêtes dans la basse-cour, ou bien suivre, des journées entières, au potager, Félix, qui nous servait de jardinier, de valet de chambre et de cocher.

Les années et les années ont passé; tout est mort de ce que j'ai aimé; tout s'est renouvelé de ce que j'ai connu; l'église est rebâtie, elle a un portail ouvragé, des fenêtres en ogive, de riches gargouilles qui figurent des gueules embrasées de démons; son clocher de pierre neuve rit gaîment dans l'azur; à la place de la vieille maison, s'élève un prétentieux chalet, construit par le nouvel acquéreur, qui a multiplié, dans l'enclos, les boules de verre colorié, les cascades réduites et les Amours en plâtre encrassés par la pluie. Mais les choses et les êtres me restent gravés dans le souvenir, si profondément, que le temps n'a pu en user l'agate dure.

Je veux, dès maintenant, parler de mes parents, non tels que je les voyais enfant, mais tels qu'ils m'apparaissent aujourd'hui, complétés par le souvenir, humanisés par les révélations et les confidences, dans toute la crudité de lumière, dans toute la sincérité d'impression que redonnent, aux figures trop vite aimées et de trop près connues, les leçons inflexibles de la vie.

Mon père était notaire. Depuis un temps immémorial, cela se passait ainsi chez les Mintié. Il eût semblé monstrueux et tout à fait révolutionnaire qu'un Mintié osât interrompre cette tradition familiale, et qu'il reniât les panonceaux de bois doré, lesquels se transmettaient, pareils à un titre de noblesse, de génération en génération, religieusement. A Saint-Michel-les-Hêtres, et dans les contrées avoisinantes, mon père occupait une situation que les souvenirs laissés par ses ancêtres, ses allures rondes de bourgeois campagnard, et surtout, ses vingt mille francs de rentes, rendaient importante, indestructible. Maire de Saint-Michel, conseiller général, suppléant du juge de paix, vice-président du comice agricole, membre de nombreuses sociétés agronomiques et forestières, il ne négligeait aucun de ces petits et ambitionnés honneurs de la vie provinciale qui donnent le prestige et déterminent l'influence. C'était un excellent homme, très honnête et très doux, et qui avait la manie de tuer. Il ne pouvait voir un oiseau, un chat, un insecte, n'importe quoi de vivant, qu'il ne fût pris aussitôt du désir étrange de le détruire. Il faisait aux merles, aux chardonnerets, aux pinsons et aux bouvreuils une chasse impitoyable, une guerre acharnée de trappeur. Félix était chargé de le prévenir, dès qu'apparaissait un oiseau dans le parc et mon père quittait tout, clients, affaires, repas, pour massacrer l'oiseau. Souvent, il s'embusquait, des heures entières, immobile, derrière un arbre où le jardinier lui avait signalé une petite mésange à tête bleue. A la promenade, chaque fois qu'il apercevait un oiseau sur une branche, s'il n'avait pas son fusil, il le visait avec sa canne et ne manquait jamais de dire: «Pan! il y était, le mâtin!» ou bien: «Pan! je l'aurais raté, pour sûr, c'est trop loin.» Ce sont les seules réflexions que lui aient jamais inspirées les oiseaux.

Les chats aussi étaient une de ses grandes préoccupations. Quand, sur le sable des allées, il reconnaissait un piquet de chat, il n'avait plus de repos qu'il ne l'eût découvert et occis. Quelquefois, la nuit, par les beaux clairs de lune, il se levait et restait à l'affût jusqu'à l'aube. Il fallait le voir, son fusil sur l'épaule, tenant par la queue un cadavre de chat, sanglant et raide. Jamais je n'admirai rien de si héroïque, et David, ayant tué Goliath, ne dut pas avoir l'air plus enivré de triomphe. D'un geste auguste, il jetait le chat aux pieds de la cuisinière, qui disait: «Oh! la sale bête!» et, aussitôt, se mettait à le dépecer, gardant la viande pour les mendiants, faisant sécher, au bout d'un bâton, la peau qu'elle vendait aux Auvergnats. Si j'insiste autant sur des détails en apparence insignifiants, c'est que, pendant toute ma vie, j'ai été obsédé, hanté par les histoires de chats de mon enfance. Il en est une, entre autres, qui fit sur mon esprit une telle impression que, maintenant encore, malgré les années enfuies et les douleurs subies, pas un jour ne se passe, que je n'y songe tristement.

Une après-midi, nous nous promenions dans le jardin, mon père et moi. Mon père avait à la main une longue canne, terminée par une brochette de fer, au moyen de laquelle il enfilait les escargots et les limaces, mangeurs de salades. Soudain, au bord du bassin, nous vîmes un tout petit chat, qui buvait; nous nous dissimulâmes derrière une touffe de seringas.

—Petit, me dit mon père, très bas: va vite me chercher mon fusil ... fais le tour ... prends bien garde qu'il ne te voie.

Et, s'accroupissant, il écarta, avec précaution, les brindilles du seringa, de manière à suivre tous les mouvements du chat qui, arc-bouté sur ses pattes de devant, le col étiré, frétillant de la queue, lapait l'eau du bassin et relevait la tête, de temps en temps, pour se lécher les poils et se gratter le cou.

—Allons, répéta mon père, déguerpis.

Ce petit chat me faisait grand'pitié. Il était si joli avec sa fourrure fauve, rayée de noir soyeux, ses mouvements souples et menus, et sa langue, pareille à un pétale de rose, qui pompait l'eau! J'aurais voulu désobéir à mon père, je songeais même à faire du bruit, à tousser, à froisser rudement les branches, pour avertir le pauvre animal du danger. Mais mon père me regarda avec des yeux si sévères que je m'éloignai dans la direction de la maison. Je revins bientôt avec le fusil. Le petit chat était toujours là, confiant et gai. Il avait fini de boire. Assis sur son derrière, les oreilles dressées, les yeux brillants, le corps frissonnant, il suivait dans l'air le vol d'un papillon. Oh! ce fut une minute d'indicible angoisse. Le cœur me battait si fort que je crus que j'allais défaillir.

—Papa! papa! criai-je.

En même temps, le coup partit, un coup sec qui claqua comme un coup de fouet.

—Sacré matin! jura mon père.

Il avait visé de nouveau. Je vis son doigt presser la gâchette; vite, je fermai les yeux et me bouchai les oreilles.... Pan!... Et j'entendis un miaulement d'abord plaintif, puis douloureux,—ah! si douloureux!—on eût dit le cri d'un enfant. Et le petit chat bondit, se tordit, gratta l'herbe et ne bougea plus.

D'une absolue insignifiance d'esprit, d'un cœur tendre, bien qu'il semblât indifférent à tout ce qui n'était pas ses vanités locales et les intérêts de son étude, prodigue de conseils, aimant à rendre service, conservateur, bien portant et gai, mon père jouissait, en toute justice, de l'universel respect. Ma mère, une jeune fille noble des environs, ne lui apporta en dot aucune fortune, mais des relations plus solides, des alliances plus étroites avec la petite aristocratie du pays, ce qu'il jugeait aussi utile qu'un surcroît d'argent ou qu'un agrandissement de territoire. Quoique ses facultés d'observation fussent très bornées, qu'il ne se piquât point d'expliquer les âmes, comme il expliquait la valeur d'un contrat de mariage et les qualités d'un testament, mon père comprit vite toute la différence de race, d'éducation et de sentiment, qui le séparait de sa femme. S'il en éprouva de la tristesse, d'abord, je ne sais; en tout cas, il ne la fit point paraître. Il se résigna. Entre lui, un peu lourdaud, ignorant, insouciant, et elle, instruite, délicate, enthousiaste, il y avait un abîme qu'il n'essaya pas un seul instant de combler, ne s'en reconnaissant ni le désir ni la force. Cette situation morale de deux êtres, liés ensemble pour toujours, que ne rapproche aucune communauté de pensées et d'aspirations, ne gênait nullement mon père qui, vivant beaucoup dans son étude, se tenait pour satisfait, s'il trouvait la maison bien dirigée, les repas bien ordonnés, ses habitudes et ses manies strictement respectées: en revanche, elle était très pénible, très lourde au cœur de ma mère.

Ma mère n'était pas belle, encore moins jolie: mais il y avait tant de noblesse simple en son attitude, tant de grâce naturelle dans ses gestes, une si grande bonté sur ses lèvres un peu pâles et, dans ses yeux qui, tour à tour, se décoloraient comme un ciel d'avril et se fonçaient comme le saphir, un sourire si caressant, si triste, si vaincu, qu'on oubliait le front trop haut, bombant sous des mèches de cheveux irrégulièrement plantés, le nez trop gros, et le teint gris, métallisé, qui, parfois, se plaquait de légères couperoses. Auprès d'elle, m'a dit souvent un de ses vieux amis, et je l'ai, depuis, bien douloureusement compris, auprès d'elle, on se sentait pénétré, puis peu à peu envahi, puis irrésistiblement dominé par un sentiment d'étrange sympathie, où se confondaient le respect attendri, le désir vague, la compassion et le besoin de se dévouer. Malgré ses imperfections physiques, ou plutôt à cause de ses imperfections mêmes, elle avait le charme amer et puissant qu'ont certaines créatures privilégiées du malheur, et autour desquelles flotte on ne sait quoi d'irrémédiable. Son enfance et sa première jeunesse avaient été souffrantes et marquées de quelques incidents nerveux inquiétants. Mais on avait espéré que le mariage, modifiant les conditions de son existence, rétablirait une santé que les médecins disaient seulement atteinte par une sensitivité excessive. Il n'en fut rien. Le mariage ne fit, au contraire, que développer les germes morbides qui étaient en elle, et la sensibilité s'exalta au point que ma pauvre mère, entre autres phénomènes alarmants, ne pouvait supporter la moindre odeur, sans qu'une crise ne se déclarât, qui se terminait toujours par un évanouissement. De quoi souffrait-elle donc? Pourquoi ces mélancolies, ces prostrations qui la courbaient, de longs jours, immobile et farouche, dans un fauteuil, comme une vieille paralytique? Pourquoi ces larmes qui, tout à coup, lui secouaient la gorge à l'étouffer et, pendant des heures, tombaient de ses yeux en pluie brûlante? Pourquoi ces dégoûts de toute chose, que rien ne pouvait vaincre, ni les distractions ni les prières? Elle n'eût pu le dire, car elle ne le savait pas. De ses douleurs physiques, de ses tortures morales, de ses hallucinations qui lui faisaient monter du cœur au cerveau les ivresses de mourir, elle ne savait rien. Elle ne savait pas pourquoi un soir, devant l'âtre, où brûlait un grand feu, elle eut subitement la tentation horrible de se rouler sur le brasier, de livrer son corps aux baisers de la flamme qui l'appelait, la fascinait, lui chantait des hymnes d'amour inconnu. Elle ne savait pas pourquoi, non plus, un autre jour, à la promenade, apercevant, dans un pré à moitié fauché, un homme qui marchait, sa faux sur l'épaule, elle courut vers lui, tendant les bras, criant: «Mort, ô mort bienheureuse, prends-moi, emporte-moi!» Non, en vérité, elle ne le savait pas. Ce qu'elle savait, c'est qu'en ces moments, l'image de sa mère, de sa mère morte, était là, toujours devant elle, de sa mère qu'elle-même, un dimanche matin, elle avait trouvée pendue au lustre du salon. Et elle revoyait le cadavre, qui oscillait légèrement dans le vide, cette face toute noire, ces yeux tout blancs, sans prunelles, et jusqu'à ce rayon de soleil qui, filtrant à travers les persiennes closes, éclaboussait d'une lumière tragique la langue pendante et les lèvres boursouflées. Ces souffrances, ces égarements, ces enivrements de la mort, sa mère, sans doute, les lui avait donnés en lui donnant la vie; c'est au flanc de sa mère qu'elle avait puisé, du sein de sa mère qu'elle avait aspiré le poison, ce poison qui, maintenant, emplissait ses veines, dont les chairs étaient imprégnées, qui grisait son cerveau, rongeait son âme. Dans les intervalles de calme, plus rares, à mesure que les jours s'écoulaient, et les mois et les années, elle pensait souvent à ces choses, et, en analysant son existence, en remontant des plus lointains souvenirs aux heures du présent, en comparant les ressemblances physiques qu'il y avait, entre la mère morte volontairement et la fille qui voulait mourir, elle sentait peser davantage sur elle le poids de ce lugubre héritage. Elle s'exaltait, s'abandonnait à cette idée qu'il ne lui était pas possible de résister aux fatalités de sa race, qui lui apparaissait alors, ainsi qu'une longue chaîne de suicidés, partie de la nuit profonde, très loin, et se déroulant à travers les âges, pour aboutir ... où? A cette question, ses yeux devenaient troubles, ses tempes s'humectaient d'une moiteur froide et ses mains se crispaient autour de sa gorge, comme pour en arracher la corde imaginaire dont elle sentait le nœud lui meurtrir le cou et l'étouffer. Chaque objet était, à ses yeux, un instrument de la mort fatale, chaque chose lui renvoyait son image décomposée et sanglante; les branches des arbres se dressaient, pour elle, comme autant de sinistres gibets, et, dans l'eau verdie des étangs, parmi les roseaux et les nénuphars, dans la rivière aux longs herbages, elle distinguait sa forme flottante, couverte de limon.

Pendant ce temps, mon père, accroupi derrière un massif de seringas, le fusil au poing, guettait un chat, ou bombardait une fauvette vocalisant, furtive, sous les branches. Le soir, pour toute consolation, il disait doucement:—«Eh bien, ma chérie, cette santé, ça ne va toujours pas? Des amers, vois-tu, prends des amers. Un verre le matin, un verre le soir.... Il n'y a que cela.» Il ne se plaignait pas, ne s'emportait jamais. S'asseyant devant son bureau, il passait en revue les paperasses que lui avait apportées, dans la journée, le secrétaire de la mairie, et il les signait rapidement, d'un air de dédain:—«Tiens! s'écriait-il alors, c'est comme cette sale administration, elle ferait bien mieux de s'occuper du cultivateur, au lieu de nous embêter avec toutes ses histoires.... En voilà des bêtises!» Puis, il allait se coucher, répétant d'une voix tranquille:—«Des amers, prends des amers.»

Cette résignation la troublait comme un reproche. Bien que mon père fût médiocrement élevé, qu'elle ne trouvât en lui aucun des sentiments de tendresse mâle ni la poésie chimérique qu'elle avait rêvés, elle ne pouvait nier son activité physique et cette sorte de santé morale que, parfois, elle enviait, tout en en méprisant l'application à des choses qu'elle jugeait petites et basses. Elle se sentait coupable envers lui, coupable envers elle-même, coupable envers la vie, si stérilement gaspillée dans les larmes. Non seulement elle ne se mêlait plus aux affaires de son mari, mais, peu à peu, elle se désintéressait de ses propres devoirs de femme de ménage, laissait la maison aller au caprice des domestiques, se négligeait au point que sa femme de chambre, la bonne et vieille Marie, qui l'avait vue naître, était obligée souvent, en la grondant affectueusement, de la prendre, de la soigner, de lui donner à manger, comme on fait d'un petit enfant au berceau. En son besoin d'isolement, elle en arriva à ne plus pouvoir supporter la présence de ses parents, de ses amis, lesquels, gênés, rebutés par ce visage de plus en plus morose, cette bouche d'où ne sortait jamais une parole, ce sourire contraint que crispait aussitôt un involontaire tremblement des lèvres, espacèrent leurs visites et finirent par oublier complètement le chemin du Prieuré. La religion lui devint, comme le reste, une lassitude. Elle ne mettait plus les pieds à l'église, ne priait plus, et deux Pâques se succédèrent, sans qu'on la vît s'approcher de la sainte table.

Alors, ma mère se confina dans sa chambre, dont elle fermait les volets et tirait les rideaux, épaississant autour d'elle l'obscurité. Elle passait là ses journées, tantôt étendue sur une chaise longue, tantôt agenouillée dans un coin, la tête au mur. Et elle s'irritait, dès que le moindre bruit du dehors, un claquement de porte, un glissement de savates le long du corridor, le hennissement d'un cheval dans la cour, venaient troubler son noviciat du néant. Hélas! que faire à tout cela? Pendant longtemps, elle avait lutté contre le mal inconnu, et le mal, plus fort qu'elle, l'avait terrassée. Maintenant, sa volonté était paralysée. Elle n'était plus libre de se relever ni d'agir. Une force mystérieuse la dominait, qui lui faisait les mains inertes, le cerveau brouillé, le cœur vacillant comme une petite flamme fumeuse, battue des vents; et, loin de se défendre, elle recherchait les occasions de s'enfoncer plus avant dans la souffrance, goûtait, avec une sorte d'exaltation perverse, les effroyables délices de son anéantissement.

Dérangé dans l'économie de son existence domestique, mon père se décida, enfin, à s'inquiéter des progrès d'une maladie qui passait son entendement. Il eut toutes les peines du monde à faire accepter à ma mère l'idée d'un voyage à Paris, afin de «consulter les princes de la science». Le voyage fut navrant. Des trois médecins célèbres, chez lesquels il la conduisit, le premier déclara que ma mère était anémique, et prescrivit un régime fortifiant; le second, qu'elle était atteinte de rhumatismes nerveux, et ordonna un régime débilitant. Le troisième affirma «que ce n'était rien» et recommanda de la tranquillité d'esprit.

Personne n'avait vu clair dans cette âme. Elle-même s'ignorait. Obsédée par le cruel souvenir auquel elle rattachait tous ses malheurs, elle ne pouvait débrouiller, avec netteté, ce qui s'agitait confusément dans le secret de son être, ni ce qui, depuis son enfance, s'y était amassé d'ardeurs vagues, d'aspirations prisonnières, de rêves captifs. Elle était pareille au jeune oiseau qui, sans rien démêler à l'obscur et nostalgique besoin qui le pousse vers les grands cieux, dont il ne se souvient pas, se meurtrit la tête et se casse les ailes aux barreaux de la cage. Au lieu d'aspirer à la mort, ainsi qu'elle le croyait, comme l'oiseau qui a faim du ciel inconnu, son âme, à elle, avait faim de la vie, de la vie rayonnante de tendresse, gonflée d'amour, et, comme l'oiseau, elle mourait de cette faim inassouvie. Enfant, elle s'était donnée, avec toute l'exagération de sa nature passionnée, à l'amour des choses et des bêtes; jeune fille, elle s'était livrée, avec emportement, à l'amour des rêves impossibles; mais ni les choses ne lui furent un apaisement, ni les rêves ne prirent une forme consolante et précise. Autour d'elle, personne pour la guider, personne pour redresser ce jeune cerveau, déjà ébranlé par des secousses intérieures; personne pour ouvrir aux salutaires réalités la porte de ce cœur, déjà gardée par les chimères aux yeux vides; personne en qui verser le trop-plein des pensées, des tendresses, des désirs qui, ne trouvant pas d'issue à leur expansion, s'amoncelaient, bouillonnaient, prêts à faire éclater l'enveloppe fragile, mal défendue par des nerfs trop bandés. Sa mère, toujours malade, absorbée uniquement en ces mélancolies qui devaient bientôt la tuer, était incapable d'une direction intelligente et ferme; son père, à peu près ruiné, réduit aux expédients, luttait, pied à pied, pour conserver à sa famille la maison séculaire menacée, et, parmi les jeunes gens qui passaient, gentilshommes futiles, bourgeois vaniteux, paysans avides, aucun ne portait sur le front l'étoile magique qui la conduirait jusqu'au dieu. Tout ce qu'elle entendait, tout ce qu'elle voyait, lui semblait en désaccord avec sa manière de comprendre et de sentir. Pour elle, les soleils n'étaient pas assez rouges, les nuits assez pâles, les ciels assez infinis. Sa conception des êtres et des choses, indéterminée, flottante, la condamnait fatalement aux perversions des sens, aux égarements de l'esprit, et ne lui laissait que le supplice du rêve jamais atteint, des désirs qui jamais ne s'achèvent. Et plus tard, son mariage, qui avait été plus qu'un sacrifice, un marché, un compromis pour sauver la situation embarrassée de son père! Et ses dégoûts, et ses révoltes de se sentir, morceau de chair avili, la proie, l'instrument passif des plaisirs d'un homme! S'être envolée si haut et retomber si bas! Avoir rêvé de baisers célestes, d'enlacements mystiques, de possessions idéales, et puis.... ce fut fini! Au lieu des espaces éblouissants de lumière, où son imagination se complaisait, parmi des vols d'anges pâmés et de colombes éperdues, la nuit vint, la nuit sinistre et pesante, que hanta seul le spectre de la mère, trébuchant sur des croix et sur des tombes, la corde au cou.

Le Prieuré se fit bientôt silencieux. On n'entendit plus crier, sur le sable des allées, les roues des charrettes et des cabriolets, amenant les amis du voisinage devant le perron garni de géraniums. On verrouilla la grande grille, afin d'obliger les voitures à passer par la basse-cour. A la cuisine, les domestiques se parlaient bas et marchaient sur la pointe du pied, comme on fait dans la maison d'un mort. Le jardinier, d'après l'ordre de ma mère, qui ne pouvait supporter le bruit des brouettes et le grattement des râteaux sur la terre, laissait les sauvageons pomper la sève des rosiers jaunis, l'herbe étouffer les corbeilles de fleurs et verdir les allées. Et la maison, avec le noir rideau de sapins, pareil à un catafalque, qui l'abritait à l'ouest; avec ses fenêtres toujours closes; avec le cadavre vivant qu'elle gardait enseveli sous ses murs carrés de vieille brique, ressemblait à un immense caveau funéraire. Les gens du pays qui, le dimanche, allaient se promener en forêt, ne passaient plus devant le Prieuré qu'avec une sorte de terreur superstitieuse, comme si cette demeure était un lieu maudit, hanté des fantômes. Bientôt même, une légende s'établit; un bûcheron raconta qu'une nuit, rentrant de son ouvrage, il avait vu Mme Mintié, toute blanche, échevelée, qui traversait le ciel, très haut, en se frappant la poitrine à coups de crucifix.

Mon père se renferma davantage dans son étude, évitant, autant qu'il le pouvait, de rester à la maison, où il n'apparaissait guère qu'aux heures des repas. Il prit aussi l'habitude des foires lointaines, se multiplia aux comités, aux associations qu'il présidait, s'ingénia à se créer des distractions nouvelles, des occupations éloignées. Le conseil général, le comice agricole, le jury de la cour d'assises lui étaient de grandes ressources. Lorsqu'on lui parlait de sa femme, il répondait, hochant la tête:

—Hé! je suis très inquiet, très tourmenté.... Comment ça finira-t-il?... Je vous l'avoue, je crains que la pauvre femme ne devienne folle....

Et comme on se récriait:

—Non, non, je ne plaisante pas ... Vous savez bien que, dans la famille, on n'a pas la tête si solide!

Jamais un reproche, d'ailleurs, bien qu'il constatât, tous les jours, le préjudice que cette situation causait à ses affaires, et qu'il ne comprît rien à l'irritante obstination de ma mère, de ne vouloir rien tenter pour sa guérison.

C'est dans ce milieu attristé que je grandis. J'étais venu au monde, malingre et chétif. Que de soins, que de tendresses farouches, que d'angoisses mortelles! Devant le pauvre être que j'étais, animé d'un souffle de vie si faible qu'on eût dit plutôt un râle, ma mère oublia ses propres douleurs. La maternité redressa en elle les énergies abattues, réveilla la conscience des devoirs nouveaux, des responsabilités sacrées, dont elle avait maintenant la charge. Quelles nuits ardentes, quels jours enfiévrés elle connut, penchée sur le berceau où quelque chose, détaché de sa chair et de son âme, palpitait!... De sa chair et de son âme!... Ah! oui!... Je lui appartenais à elle, à elle seule; ce n'était point de sa soumission conjugale que j'étais né; je n'avais pas, comme les autres fils des hommes, la souillure originelle; elle me portait dans ses flancs depuis toujours et, semblable à Jésus, je sortais d'un long cri d'amour. Ses troubles, ses terreurs, ses détresses anciennes, elle les comprenait maintenant; c'est qu'un grand mystère de création s'était accompli dans son être.

Elle eut beaucoup de peines à m'élever et, si je vécus, on peut dire que ce fut un miracle de l'amour. Plus de vingt fois, ma mère m'arracha des bras de la mort. Aussi quelle joie et quelle récompense, quand elle put voir ce petit corps plissé se remplir de santé, ce visage fripé se colorer de nacre rose, ces yeux s'ouvrir gaîment au sourire, ces lèvres remuer, avides, chercheuses, et pomper gloutonnement la vie au sein nourricier! Ma mère goûta quelques mois d'un bonheur complet et sain. Un besoin d'agir, d'être bonne et utile, de s'occuper sans cesse les mains, le cœur et l'esprit, de vivre enfin, la reprenait, et elle trouva, jusque dans les détails les plus vulgaires de son ménage, un intérêt nouveau, passionnant, qui se doublait d'une paix profonde. La gaîté lui revint, une gaîté naturelle et douce, sans saccades violentes. Elle faisait des projets, envisageait l'avenir avec confiance, et, bien des fois, elle s'étonna de ne plus songer au passé, ce mauvais rêve évanoui. Je me développais: «On le voit pousser tous les jours,» disait la bonne. Et, avec une émotion délicieuse, ma mère suivait le secret travail de la nature, qui polissait l'ébauche de chair, lui donnait des formes plus souples, des traits plus fermes, des mouvements mieux réglés, et coulait, dans le cerveau obscur, à peine sorti du néant, les primitives lueurs de l'instinct. Oh! comme toutes choses lui semblaient, aujourd'hui, revêtues de couleurs charmantes et légères! Ce n'étaient que musiques de bienvenue, bénédictions d'amour, et les arbres eux-mêmes, jadis si pleins d'effrois et de menaces, étendaient au-dessus d'elle leurs feuilles, comme autant de mains protectrices. On put espérer que la mère avait sauvé la femme. Hélas! cette espérance fut de courte durée.

Un jour, elle remarqua chez moi une prédisposition aux spasmes nerveux, des contractions maladives des muscles, et elle s'inquiéta. Vers l'âge d'un an, j'eus des convulsions qui faillirent m'emporter. Les crises furent si violentes que ma bouche, longtemps après, demeura comme paralysée, tordue en une laide grimace. Ma mère ne se dit pas qu'au moment des croissances rapides, la plupart des enfants subissent de ces accidents. Elle vit là un fait particulier à elle et à sa race, les premiers symptômes du mal héréditaire, du mal terrible, qui allait se continuer en son fils. Pourtant, elle se raidit contre les pensées qui revenaient en foule; elle employa ce qu'elle avait retrouvé d'énergie et d'activité à les dissiper, se réfugiant en moi, comme en un asile inviolable, à l'abri des fantômes et des démons. Elle me tenait serré contre sa poitrine, me couvrant de baisers, disant:

—Mon petit Jean, ce n'est pas vrai, dis? Tu vivras et tu seras heureux?... Réponds-moi.... Hélas! tu ne peux parler, pauvre ange!... Oh! ne crie pas, ne crie jamais, Jean, mon Jean, mon cher petit Jean!...

Mais elle avait beau m'interroger, elle avait beau sentir mon cœur battre contre le sien, mes mains maladroites lui griffer les mamelles, mes jambes s'agiter joyeusement, hors des langes dénoués: sa confiance était partie, les doutes triomphaient. Un incident, qu'on m'a conté bien des fois, avec une sorte d'épouvante religieuse, vint ramener le désordre dans l'âme de ma mère.

Elle était au bain. Dans la salle, dallée de carreaux noirs et blancs, Marie, penchée sur moi, surveillait mes premiers pas hésitants. Tout à coup, fixant un carreau noir, je parus très effrayé. Je poussai un cri, et tout tremblant, comme si j'avais vu quelque chose de terrible, je me cachai la tête dans le tablier de ma bonne.

—Qu'y a-t-il donc? interrogea vivement ma mère.

—Je ne sais pas, répondit la vieille Marie ... on dirait que M. Jean a peur d'un pavé.

Elle me ramena à l'endroit même où ma figure avait si subitement changé d'expression.... Mais, à la vue du pavé, je criai de nouveau; tout mon corps frissonna.

—Il y a quelque chose, s'écria ma mère.... Marie, vite, vite, mon linge.... Mon Dieu! qu'a-t-il vu?

Sortie du bain, elle ne voulut pas attendre qu'on l'essuyât, et, à peine couverte de son peignoir, elle se baissa sur le carreau, l'examina.

—C'est singulier, murmura-t-elle. Et pourtant il a vu!... mais quoi?... Il n'y a rien.

Elle me prit dans ses bras, me berça. Maintenant, je souriais, bégayais de vagues syllabes, jouais avec les cordons du peignoir.... Elle me mit à terre.... Marchant de mon pas raide et chancelant, les deux bras en avant, je ronronnais comme un jeune chat. Aucun des pavés devant lesquels je m'arrêtai ne me causa le moindre effroi. Arrivé devant le pavé fatal, ma figure encore exprima la terreur et, tout agité, tout pleurant, je me retournai brusquement vers ma mère.

—Je vous dis qu'il y a quelque chose, s'écria-t-elle.... Appelez Félix ... qu'il vienne avec des outils, un marteau ... vite, vite ... Prévenez Monsieur aussi....

—C'est tout de même bien curieux, affirmait Marie qui, bouche béante, yeux écarquillés, considérait le mystérieux pavé.... C'est donc qu'il est sorcier!

Félix souleva le carreau, le regarda dans tous les sens, creusa le plâtre en dessous.

—Enlevez l'autre; commandait ma mère.... Allons et celui-là, encore, et ... tous, tous. Je veux qu'on trouve.... Et Monsieur qui ne vient pas!

Dans l'emportement de ses gestes, oubliant qu'un homme était là, elle se découvrait et montrait la nudité de son corps. A genoux sur les dalles, Félix continuait de les soulever. Il les prenait une à une dans ses grosses mains, branlait la tête.

—Si Madame veut que je lui dise.... D'abord, Monsieur est dans le fond du parc, en train d'affûter un pic-vert.... Et puis, il n'y a rien du tout ... les carreaux sont des carreaux, censément des pavés, voilà!... Madame peut être sûre.... Seulement, ça se pourrait bien que ça soit dans l'imagination de M. Jean.... Madame sait que les enfants c'est pas comme les grandes personnes, et que ça voit des choses!... Mais pour ce qui est de ces carreaux, c'est des carreaux, ni plus, ni moins.

Ma mère était devenue pâle, hagarde.

—Taisez-vous, ordonna-t-elle, et allez-vous en, tous.

Et, sans attendre l'exécution de son ordre, elle m'emporta. Dans l'escalier et les corridors, ses cris retentissaient, coupés par les claquements de porte.

Elle n'avait pas pensé, la pauvre chère créature, à donner de l'incident de la salle de bains une explication toute naturelle cependant. On lui eût démontré que ce qui m'avait si fort effrayé, c'était peut-être le reflet mouvant d'une serviette sur la surface humide du dallage, peut-être l'ombre d'une feuille, projetée du dehors, à travers la croisée, qu'elle n'eût certainement voulu admettre rien de semblable. Son esprit, nourri de rêves, tourmenté par les exagérations pessimistes, instinctivement porté vers le mystérieux et le fantastique, acceptait, avec une dangereuse crédulité, les raisons les plus vagues, subissait les plus troublantes suggestions. Elle imagina que ses caresses, ses baisers, ses bercements me communiquaient les germes de son mal, que les crises nerveuses dont j'avais failli mourir, les hallucinations qui m'avaient mis, dans les yeux, l'éclair sombre d'une folie, lui étaient comme un avertissement du ciel, et, dans cette minute même, la dernière espérance mourut en son cœur.

Marie retrouva sa maîtresse demi-nue, qui se tordait sur le lit.

—Mon Dieu! mon Dieu! gémissait-elle, c'est fini.... Mon pauvre petit Jean!... Toi aussi, ils te prendront!... Mon Dieu, ayez pitié de lui!... Est-ce que ce serait possible?... Si petit, si faible!...

Et, tandis que Marie ramenait sur elle les couvertures tombées, essayait de la calmer:

—Ma bonne Marie, balbutiait-elle, écoute-moi. Promets-moi, oui, promets-moi de faire ce que je te demanderai.... Tu as vu, tout à l'heure, tu as vu, n'est-ce pas?... Eh bien, prends Jean ... élève-le, parce que moi, vois-tu, il ne faut plus.... Je le tuerais.... Tiens, tu viendras habiter dans cette chambre, tout près, avec lui.... Tu le soigneras bien, et puis, tu me raconteras ce qu'il aura fait.... Je le sentirai là; je l'entendrai ... mais tu comprends, il ne faut pas qu'il me voie.... C'est moi qui le rends comme ça!...

Marie me tenait dans ses bras.

—Voyons, Madame, ça n'est pas raisonnable, disait-elle, et vous mériteriez bien qu'on vous gronde, par exemple!... Mais regardez-le, votre petit Jean.... Il se porte comme une caille.... Dites, mon petit Jean, que vous êtes vaillant!... Tenez, le voilà qui rit, le mignon.... Allons, embrassez-le, Madame.

—Non, non, s'écria violemment ma mère.... Il ne faut pas. Plus tard.... Emporte-le....

Et, le visage contre l'oreiller, épouvantée, elle sanglota.

Il fut impossible de lui faire abandonner ce projet. Marie comprenait bien que, si sa maîtresse avait quelques chances de revenir à la vie normale, de se guérir «de ses humeurs noires», ce n'était point en se séparant de son enfant. Dans le triste état où ma mère se trouvait, elle n'avait qu'une chance de salut, et voilà qu'elle la rejetait, poussée par on ne savait quelle folie nouvelle. Tout ce qu'un petit être met de joies, d'inquiétudes, d'activité, de fièvres, d'oubli de soi-même au cœur des mères, c'était cela qu'il lui fallait, et elle disait:

—Non! non! il ne faut pas.... Plus tard! Emporte-le....

En ce familier et rude langage, que son long dévoûment autorisait, la vieille domestique fit valoir à sa maîtresse toutes les bonnes raisons, tous les arguments dictés par son esprit pratique et son cœur simple de paysanne; elle lui reprocha même de déserter ses devoirs; parla d'égoïsme et déclara qu'une bonne mère qui avait de la religion, qu'une bête sauvage même, n'agiraient pas comme elle.

—Oui, conclut-elle, c'est mal ... vous n'avez point déjà été si tendre avec votre mari, le pauvre homme! S'il faut, maintenant, que vous fassiez le malheur de votre enfant!

Mais ma mère, toujours sanglotant, ne put que répéter:

—Non! non! il ne faut pas!.... Plus tard.... Emporte-le....

Ce que fut mon enfance? Un long engourdissement. Séparé de ma mère que je ne voyais que rarement, fuyant mon père que je n'aimais point, vivant presque exclusivement, misérable orphelin, entre la vieille Marie et Félix, dans cette grande maison lugubre et dans ce grand parc désolé, dont le silence et l'abandon pesaient sur moi comme une nuit de mort, je m'ennuyais! Oui, j'ai été cet enfant rare et maudit, l'enfant qui s'ennuie! Toujours triste et grave, ne parlant presque jamais, je n'avais aucun des emportements, des curiosités, des folies de mon âge; on eût dit que mon intelligence sommeillait toujours dans les limbes de la gestation maternelle. Je cherche à me souvenir, je cherche à retrouver une de mes sensations d'enfant: en vérité, je crois bien que je n'en eus aucune. Je me traînais, tout vague, abêti, sans savoir à quoi occuper mes jambes, mes bras, mes yeux, mon pauvre petit corps qui m'importunait comme un compagnon irritant, dont on désire se débarrasser. Pas un spectacle, pas une impression ne me retenaient quelque part. J'eusse voulu être là où je n'étais pas, et les jouets, aux bonnes odeurs de sapin, s'amoncelaient autour de moi, sans que je songeasse seulement à y toucher. Jamais je ne rêvai d'un couteau, d'un cheval de bois, d'un livre d'images. Aujourd'hui, lorsque, sur les pelouses des jardins et le sable des grèves, je vois des babys courir, gambader, se poursuivre, je fais aussitôt un pénible retour vers les premières années mornes de ma vie et, en écoutant ces clairs rires qui sonnent l'angelus des aurores humaines, je me dis que tous mes malheurs me sont venus de cette enfance solitaire et morte, sur laquelle aucune clarté ne se leva.

J'avais douze ans à peine quand ma mère mourut. Le jour que ce malheur arriva, le bon curé Blanchetière, qui nous aimait beaucoup, me serra contre sa poitrine, puis il me considéra longuement, et, des larmes plein les yeux, il murmura plusieurs fois: «Pauvre petit diable!» Je pleurai très fort, et c'était surtout de voir pleurer le bon curé, car je ne voulais pas me faire à l'idée que ma mère fût morte et que, plus jamais, elle ne reviendrait. Durant sa maladie, on m'avait défendu de pénétrer dans sa chambre et elle était partie sans que je l'eusse embrassée!... Pouvait-elle donc m'avoir ainsi quitté?... Vers l'âge de sept ans, comme je me portais bien, elle avait consenti à me reprendre davantage dans sa vie. C'est à partir de ce moment, surtout, que je compris que j'avais une mère et que je l'adorais. Et toute ma mère—ma mère douloureuse—ce fut pour moi ses deux yeux, ses deux grands yeux ronds, fixes, cerclés de rouge, qui pleuraient toujours sans un battement des paupières, qui pleuraient comme pleure le nuage et comme pleure la fontaine. J'avais ressenti, tout d'un coup, une douleur aiguë aux douleurs de ma mère et c'est par cette douleur que je m'étais éveillé à la vie. Je ne savais de quoi elle souffrait, mais je savais que son mal devait être horrible, à la façon dont elle m'embrassait. Elle avait eu des rages de tendresse qui m'effrayaient et m'effraient encore. En m'étreignant la tête, en me serrant le cou, en promenant ses lèvres sur mon front, mes joues, ma bouche, ses baisers s'exaspéraient et se mêlaient aux morsures, pareils à des baisers de bête; à m'embrasser, elle mettait vraiment une passion charnelle d'amante, comme si j'eusse été l'être chimérique, adoré de ses rêves, l'être qui n'était jamais venu, l'être que son âme et que son corps désiraient. Était-il donc possible qu'elle fût morte?

J'implorai, avec ferveur, la belle image de la Vierge, à laquelle, tous les soirs, avant de me coucher, j'adressais ma prière: «Sainte Vierge, accordez une bonne santé et une longue vie à ma mère chérie.» Mais, le matin, mon père, silencieux et tout pâle, avait reconduit le médecin jusqu'à la grille; et tous deux avaient une figure si grave qu'il était facile de voir qu'une chose irréparable s'était accomplie. Et puis les domestiques pleuraient. Et de quoi eussent-ils pleuré, sinon d'avoir perdu leur maîtresse? Et puis le curé ne venait-il pas de me dire: «Pauvre petit diable!» d'un ton d'irrémédiable pitié? Et de quoi m'eût-il plaint de la sorte, sinon d'avoir perdu ma mère? Je me souviens, comme si c'était hier, des moindres détails de l'affreuse journée. De la chambre, où j'étais enfermé avec la vieille Marie, j'avais entendu des allées et venues, des bruits inaccoutumés, et, le front contre la vitre, à travers les persiennes fermées, je regardais les pauvresses s'accroupir sur la pelouse et marmotter des oraisons, un cierge à la main; je regardais les gens entrer dans la cour, les hommes en habit sombre, les femmes long voilées de noir: «Ah! voilà M. Bacoup!... Tiens, c'est Mme Provost.» Je remarquai que tous avaient des figures désolées, tandis que, près de la grille grande ouverte, des enfants de chœur, des chantres embarrassés dans leurs chapes noires, des frères de charité avec leurs dalmatiques rouges, dont l'un portait une bannière et l'autre la lourde croix d'argent, riaient en dessous, s'amusaient à se bourrer le dos de coups de poing. Le bedeau, agitant ses tintenelles, refoulait, dans le chemin, les mendiants curieux, et une voiture de foin, qui s'en revenait, fut contrainte de s'arrêter et d'attendre. En vain, je cherchai des yeux le petit Sorieul, un enfant estropié, de mon âge, à qui, tous les samedis, je donnais une miche de pain; je ne l'aperçus point, et cela me fit de la peine. Et tout à coup, les cloches, au clocher de l'église, tintèrent. Ding! deng! dong! Le ciel était d'un bleu profond, le soleil flambait. Lentement, le cortège se mit en marche; d'abord les charitons et les chantres, la croix qui brillait, la bannière qui se balançait, le curé en surplis blanc, s'abritant la tête de son psautier, puis quelque chose de lourd et de long, très fleuri de bouquets et de couronnes, que des hommes portaient en vacillant sur leurs jarrets; puis la foule, une foule grouillante, qui emplit la cour, ondula sur la route, une foule, dans laquelle bientôt je ne distinguai plus que mon cousin Mérel, qui s'épongeait le crâne avec un mouchoir à carreaux. Ding! deng! dong! Les cloches tintèrent longtemps, longtemps; ah! le triste glas! Ding! deng! dong! Et, pendant que les cloches tintaient, tintaient, trois pigeons blancs ne cessèrent de voleter et de se poursuivre autour de l'église qui, en face de moi, montrait son toit gauchi et sa tour d'ardoise, mal d'aplomb au-dessus d'un bouquet d'acacias et de marronniers roses.

La cérémonie terminée, mon père entra dans ma chambre. Il se promena quelques minutes, de long en large, sans parler, les mains croisées derrière le dos.

—Ah! mon pauvre monsieur, gémissait la vieille Marie, quel grand malheur!

—Oui, oui, répondait mon père, c'est un grand, bien grand malheur!

Il s'affaissa dans un fauteuil en poussant un soupir. Je le vois encore, avec ses paupières boursouflées, son regard accablé, ses bras qui pendaient. Il avait un mouchoir à la main et, de temps en temps, il tamponnait ses yeux rougis de larmes.

—Je ne l'ai peut-être pas assez bien soignée, vois-tu, Marie?... Elle n'aimait point que je fusse près d'elle.... Pourtant, j'ai fait ce que j'ai pu, tout ce que j'ai pu.... Comme elle était effrayante, toute rigide sur son lit!... Ah! Dieu! je la verrai toujours comme ça!... Tiens, elle aurait eu trente et un ans après demain!...

Mon père m'attira près de lui, et me prit sur ses genoux.

—Tu m'aimes bien, tout de même, mon petit Jean? me demanda-t-il en me berçant.... Tu m'aimes bien, dis? Je n'ai plus que toi....

Se parlant à lui-même, il disait:

—Peut-être vaut-il mieux qu'il en soit ainsi!... Que serait-il arrivé, plus tard!... Oui, cela vaut peut-être mieux.... Ah! pauv'petit, regarde-moi bien!...

Et comme si, à cet instant même, dans mes yeux qui ressemblaient aux yeux de ma mère, il eût deviné toute une destinée de souffrance, il m'étreignit avec force contre sa poitrine et fondit en larmes.

—Mon petit Jean!... ah! mon pauv'petit Jean!

Vaincu par l'émotion et par la fatigue des nuits passées, il s'endormit, me tenant dans ses bras. Et moi, envahi tout à coup par une immense pitié, j'écoutai ce cœur inconnu qui, pour la première fois, battait près du mien.

Il avait été décidé, quelques mois auparavant, qu'on ne m'enverrait pas au collège et que j'aurais un précepteur. Mon père n'approuvait pas ce genre d'éducation, mais il s'était heurté à de telles crises, qu'il avait pris le parti de ne plus résister, et, de même qu'il avait sacrifié sa domination de mari sur sa femme, il sacrifia ses droits de père sur moi. J'eus un précepteur, mon père voulant rester fidèle, même dans la mort, aux désirs de ma mère. Et je vis arriver, un beau matin, un monsieur très grave, très blond, très rasé, qui portait des lunettes bleues. M. Jules Rigard avait des idées très arrêtées sur l'instruction, une raideur de pion, une importance sacerdotale qui, loin de m'encourager à apprendre, me dégoûtèrent vite de l'étude. On lui avait dit, sans doute, que mon intelligence était paresseuse et tardive, et, comme je ne compris rien à ses premières leçons, il s'en tint à ce premier jugement et me traita ainsi qu'un enfant idiot. Jamais il ne lui vint à l'esprit de pénétrer dans mon jeune cerveau, d'interroger mon cœur; jamais il ne se demanda si, sous ce masque triste d'enfant solitaire, il n'y avait pas des aspirations ardentes, devançant mon âge, toute une nature passionnée et inquiète, ivre de savoir, qui s'était intérieurement et mal développée dans le silence des pensées contenues et des enthousiasmes muets. M. Rigard m'abrutit de grec et de latin, et ce fut tout. Ah! combien d'enfants qui, compris et dirigés, seraient de grands hommes peut-être, s'ils n'avaient été déformés pour toujours par cet effroyable coup de pouce au cerveau du père imbécile ou du professeur ignorant. Est-ce donc tout, que de vous avoir bestialement engendré, un soir de rut, et ne faut-il donc pas continuer l'œuvre de vie en vous donnant la nourriture intellectuelle pour la fortifier, en vous armant pour la défendre? La vérité est que mon âme se sentait seule, davantage, auprès de mon père qu'auprès de mon professeur. Pourtant, il faisait tout ce qu'il pouvait pour me plaire, il s'acharnait à m'aimer stupidement. Mais, lorsque j'étais avec lui, il ne trouvait jamais rien à me dire que des contes bleus, de sottes histoires de croquemitaine, des légendes terrifiantes de la révolution de 1848, qui lui avait laissé dans l'esprit une épouvante invincible, ou bien le récit des brigandages d'un nommé Lebecq, grand républicain, qui scandalisait le pays par son opposition acharnée au curé, et son obstination, les jours de Fête-Dieu, à ne pas mettre de draps fleuris le long de ses murs. Souvent, il m'emmenait dans son cabriolet, lorsqu'il avait affaire au dehors, et si, troublé par ce mystère de la nature qui s'élargissait, chaque jour, autour de moi, je lui adressais une question, il ne savait comment y répondre et s'en tirait ainsi: «Tu es trop petit pour que je t'explique ça! Quand tu seras plus grand.» Et, tout chétif, à côté du gros corps de mon père qui oscillait suivant les cahots du chemin, je me rencognais au fond du cabriolet, tandis que mon père tuait, avec le manche de son fouet, les taons qui s'abattaient sur la croupe de notre jument. Et il disait chaque fois: «Jamais je n'ai vu autant de ces vilaines bêtes, nous aurons de l'orage, c'est sûr.»

Dans l'église de Saint-Michel, au fond d'une petite chapelle, éclairée par les lueurs rouges d'un vitrail, sur un autel orné de broderies et de vases pleins de fleurs en papier, se dressait une statue de la Vierge. Elle avait les chairs roses, un manteau bleu constellé d'argent, une robe lilas dont les plis retombaient chastement sur des sandales dorées. Dans ses bras, elle portait un enfant rose et nu, à la tête nimbée d'or, et ses yeux reposaient, extasiés, sur l'enfant. Pendant plusieurs mois, cette Vierge de plâtre fut ma seule amie, et tout le temps que je pouvais dérober à mes leçons, je le passais en contemplation devant cette image, aux couleurs si tendres. Elle me paraissait si belle, et si bonne, et si douce, qu'aucune créature humaine n'eût pu rivaliser de beauté, de bonté et de douceur avec ce morceau de matière inerte et peinte qui me parlait un langage inconnu et délicieux, et d'où m'arrivait comme une odeur grisante d'encens et de myrrhe. Près d'elle, j'étais vraiment un autre enfant; je sentais mes joues devenir plus roses, mon sang battait plus fort dans mes veines, mes pensées se dégageaient plus vives et légères; il me semblait que le voile noir, qui pesait sur mon intelligence, se levait peu à peu, découvrant des clartés nouvelles. Marie s'était faite la complice de mes échappées vers l'église; elle me conduisait souvent à la chapelle, où je restais des heures à converser avec la Vierge, tandis que la vieille bonne, à genoux sur les marches de l'autel, récitait dévotement son chapelet. Il fallait qu'elle m'arrachât de force à cette extase, car je n'eusse point songé, je crois bien, à retourner à la maison, enlevé que j'étais en des rêves qui me transportaient au ciel. Ma passion pour cette Vierge devint si forte, que, loin d'elle, j'étais malheureux, que j'eusse voulu ne la quitter jamais: «Bien sûr que monsieur Jean se fera prêtre,» disait la vieille Marie. C'était comme un besoin de possession, un désir violent de la prendre, de l'enlacer, de la couvrir de baisers. J'eus l'idée de la dessiner: avec quel amour, il est impossible de vous l'imaginer! Lorsque, sur mon papier, elle eut pris un semblant de forme grossière, ce furent des joies sans bornes. Tout ce que je pouvais dépenser d'efforts, je l'employai, dans ce travail que je jugeais admirable et surhumain. Plus de vingt fois, je recommençai le dessin, m'irritant contre mon crayon qui ne se pliait point à la douceur des lignes, contre mon papier où l'image n'apparaissait pas vivante et parlante, comme je l'eusse désiré. Je m'acharnai. Ma volonté se tendait vers ce but unique. Enfin, je parvins à donner une idée à peu près exacte, et combien naïve, de la Vierge de plâtre. Et brusquement je n'y pensai plus. Une voix intérieure m'avait dit que la nature était plus belle, plus attendrie, plus splendide, et je me mis à regarder le soleil qui caressait les arbres, qui jouait sur les tuiles des toits, dorait les herbes, illuminait les rivières, et je me mis à écouter toutes les palpitations de vie dont les êtres sont gonflés et qui font battre la terre comme un corps de chair.

Les années s'écoulèrent ennuyeuses et vides. Je restais sombre, sauvage, toujours renfermé en dedans de moi-même, aimant à courir les champs, à m'enfoncer en plein cœur de la forêt. Il me semblait que là, du moins, bercé par la grande voix des choses, j'étais moins seul et que je m'écoutais mieux vivre. Sans être doué de ce don terrible qu'ont certaines natures de s'analyser, de s'interroger, de chercher sans cesse le pourquoi de leurs actions, je me demandais souvent qui j'étais et ce que je voulais. Hélas! je n'étais personne et ne voulais rien. Mon enfance s'était passée dans la nuit, mon adolescence se passa dans le vague; n'ayant pas été un enfant, je ne fus pas davantage un jeune homme. Je vécus en quelque sorte dans le brouillard. Mille pensées s'agitaient en moi, mais si confuses que je ne pouvais en saisir la forme; aucune ne se détachait nettement de ce fond de brume opaque. J'avais des aspirations, des enthousiasmes, mais il m'eût été impossible de les formuler, d'en expliquer la cause et l'objet; il m'eût été impossible de dire dans quel monde de réalité ou de rêve ils m'emportaient; j'avais des tendresses infinies où mon être se fondait, mais pour qui et pour quoi? Je l'ignorais. Quelquefois, tout d'un coup, je me mettais à pleurer abondamment; mais la raison de ces larmes? En vérité, je ne la savais pas. Ce qu'il y a de certain, c'est que je n'avais de goût à rien, que je n'apercevais aucun but dans la vie, que je me sentais incapable d'un effort. Les enfants se disent: «Je serai général, évêque, médecin, aubergiste.» Moi, je ne me suis rien dit de semblable, jamais: jamais je ne dépassai la minute présente; jamais je ne risquai un coup d'œil sur l'avenir. L'homme m'apparaissait ainsi qu'un arbre qui étend ses feuilles et pousse ses branches dans un ciel d'orage, sans savoir quelles fleurs fleuriront à son pied, quels oiseaux chanteront à sa cime, ou quel coup de tonnerre viendra le terrasser. Et, pourtant, le sentiment de la solitude morale où j'étais, m'accablait et m'effrayait. Je ne pouvais ouvrir mon cœur ni à mon père, ni à mon précepteur, ni à personne; je n'avais pas un camarade, pas un être vivant en état de me comprendre, de me diriger, de m'aimer. Mon père et mon précepteur se désolaient de mon «peu de dispositions» et, dans le pays, je passais pour un maniaque et un faible d'esprit. Malgré tout, je fus reçu à mes examens, et, bien que ni mon père ni moi n'eussions l'idée de la carrière que je pourrais embrasser, j'allai faire mon droit à Paris. «Le droit mène à tout», disait mon père.

Paris m'étonna. Il me fit l'effet d'un grand bruit et d'une grande folie. Les individus et les foules passaient bizarres, incohérents, effrénés, se hâtant vers des besognes que je me figurais terribles et monstrueuses. Heurté par les chevaux, coudoyé par les hommes, étourdi par le ronflement de la ville, en branle comme une colossale et démoniaque usine, aveuglé par l'éclat des lumières inaccoutumées, je marchais en un rêve inexplicable de dément. Cela me surprit beaucoup d'y rencontrer des arbres. Comment avaient-ils pu germer là, dans ce sol de pavés, s'élever parmi cette forêt de pierres, au milieu de ce grouillement d'hommes, leurs branches fouettées par un vent mauvais? Je fus très longtemps à m'habituer à cette existence qui me paraissait le renversement de la nature; et, du sein de cet enfer bouillonnant, ma pensée retournait souvent à ces champs paisibles de là-bas, qui soufflaient à mes narines la bonne odeur de la terre remuée et féconde; à ces coins de bois verdissants, où je n'entendais que le léger frisson des feuilles et, de temps en temps, dans les profondeurs sonores, les coups sourds de la cognée et la plainte presque humaine des vieux chênes. Cependant, la curiosité de connaître me chassait de la petite chambre que j'habitais, rue Oudinot, et j'arpentais les rues, les boulevards, les quais, emporté dans une marche fiévreuse, les doigts agacés, le cerveau, pour ainsi dire, écrasé par la gigantesque et nerveuse activité de Paris, tous les sens en quelque sorte déséquilibrés par ces couleurs, par ces odeurs, par ces sons, par la perversion et par l'étrangeté de ce contact si nouveau pour moi. Plus je me jetais dans les foules, plus je me grisais du tapage, plus je voyais ces milliers de vies humaines passer, se frôler, indifférentes l'une à l'autre, sans un lien apparent; puis d'autres surgir, disparaître et se renouveler encore, toujours ... et plus je ressentais l'accablement de mon inexorable solitude. A Saint-Michel, si j'étais bien seul, du moins j'y connaissais les êtres et les choses. J'avais, partout, des points de repère qui guidaient mon esprit; un dos de paysan, penché sur la glèbe, une masure au détour d'un chemin, un pli de terrain, un chien, une marnière, une trogne de charme; tout m'y était familier, sinon cher. A Paris, tout m'était inconnu et hostile. Dans l'effroyable hâte où ils s'agitaient, dans l'égoïsme profond, dans le vertigineux oubli les uns des autres, où ils étaient précipités, comment retenir, un seul instant, l'attention de ces gens, de ces fantômes, je ne dis pas l'attention d'une tendresse ou d'une pitié, mais d'un simple regard!... Un jour, je vis un homme qui en tuait un autre: on l'admira et son nom fut aussitôt dans toutes les bouches; le lendemain, je vis une femme qui levait ses jupes en un geste obscène: la foule lui fit cortège.

Étant gauche, ignorant des usages du monde, très timide, j'eus difficulté à me créer des relations. Je ne mis pas, une seule fois, les pieds dans les maisons où j'étais recommandé, de crainte qu'on ne m'y trouvât ridicule. J'avais été invité à dîner chez une cousine de ma mère, riche, qui menait grand train. La vue de l'hôtel, les valets de pied dans le vestibule, les lumières, les tapis, le parfum lourd des fleurs étouffées, tout cela me fit peur et je m'enfuis, bousculant dans l'escalier une femme en manteau rouge, qui montait et se prit à rire de ma mine effarée. La gaîté bruyante de ces jeunes gens—mes camarades d'école,— que je rencontrais au cours, au restaurant, dans les cafés, me déplut aussi: la grossièreté de leurs plaisirs me blessa, et les femmes, avec leurs yeux bistrés, leurs lèvres trop peintes, avec le cynisme et le débraillé de leurs propos et de leur tenue, ne me tentèrent point. Pourtant, un soir, énervé, poussé par un rut subit de la chair, j'entrai dans une maison de débauche, et j'en ressortis, honteux, mécontent de moi, avec un remords et la sensation que j'avais de l'ordure sur la peau. Quoi! c'était de cet acte imbécile et malpropre que les hommes naissaient! A partir de ce moment, je regardai davantage les femmes, mais mon regard n'était plus chaste et, s'attachant sur elles, comme sur des images impures, il allait chercher le sexe et la nudité sous l'ajustement des robes. Je connus alors des plaisirs solitaires qui me rendirent plus morne, plus inquiet, plus vague encore. Une sorte de torpeur crapuleuse m'envahit. Je restais couché plusieurs jours de suite, m'enfonçant dans l'abrutissement des sommeils obscènes, réveillé, de temps en temps, par des cauchemars subits, par des serrées violentes au cœur qui me faisaient couler la sueur sur la peau. Dans ma chambre, aux rideaux fermés, j'étais ainsi qu'un cadavre qui aurait eu conscience de sa mort et qui, du fond de la tombe, dans le noir effrayant, entend, au-dessus de lui, rouler le piétinement d'un peuple, et gronder les rumeurs d'une ville. Quelquefois, m'arrachant à cet anéantissement, je sortais. Mais que faire? Où donc aller? Tout m'était indifférent, et je n'avais aucun désir, aucune curiosité. Le regard fixe, la tête pesante, le sang lourd, je marchais au hasard, devant moi, et je finissais par m'écrouler, dans le Luxembourg, sur un banc, sénilement tassé sur moi-même, immobile, pendant de longues heures, sans rien voir, sans rien entendre, sans me demander pourquoi des enfants étaient là qui couraient, pourquoi des oiseaux étaient là qui chantaient, pourquoi des couples passaient..... Naturellement, je ne travaillais pas et je ne songeais à rien.... La guerre vint, puis la défaite.... Malgré les résistances de mon père, malgré les supplications de la vieille Marie, je m'engageai.

II

Notre régiment était ce qu'on appelait alors un régiment de marche. Il avait été formé au Mans, péniblement, de tous les débris de corps, des éléments disparates qui encombraient la ville. Des zouaves, des moblots, des francs-tireurs, des gardes forestiers, des cavaliers démontés, jusques à des gendarmes, des Espagnols et des Valaques; il y avait de tout, et ce tout était commandé par un vieux capitaine d'habillement promu, pour la circonstance, au grade de lieutenant-colonel. En ce temps-là, ces avancements n'étaient point rares; il fallait bien boucher les trous creusés dans la chair française par les canons de Wissembourg et de Sedan. Plusieurs compagnies manquaient de capitaine. La mienne avait à sa tête un petit lieutenant de mobiles, jeune homme de vingt ans, frêle et pâle, et si peu robuste, qu'après quelques kilomètres, il s'essoufflait, tirait la jambe et terminait l'étape dans un fourgon d'ambulance. Le pauvre petit diable! Il suffisait de le regarder en face pour le faire rougir, et jamais il ne se fût permis de donner un ordre, dans la crainte de se tromper et d'être ridicule. Nous nous moquions de lui, à cause de sa timidité et de sa faiblesse, et sans doute aussi parce qu'il était bon et qu'il distribuait quelquefois aux hommes des cigares et des suppléments de viande. Je m'étais fait rapidement à cette vie nouvelle, entraîné par l'exemple, surexcité par la fièvre du milieu. En lisant les récits navrants de nos batailles perdues, je me sentais emporté comme dans une ivresse, sans cependant mêler à cette ivresse l'idée de la patrie menacée. Nous restâmes un mois, dans Le Mans, à nous équiper, à faire l'exercice, à courir les cabarets et les maisons de femmes. Enfin, le 3 octobre, nous partîmes.

Ramassis de soldats errants, de détachements sans chefs, de volontaires vagabonds, mal équipés, mal nourris—et le plus souvent, pas nourris du tout,—sans cohésion, sans discipline, chacun ne songeant qu'à soi, et poussés par un sentiment unique d'implacable, de féroce égoïsme; celui-ci, coiffé d'un bonnet de police, celui-là, la tête entortillée d'un foulard, d'autres vêtus de pantalons d'artilleurs et de vestes de tringlots, nous allions par les chemins, déguenillés, harassés, farouches. Depuis douze jours que nous étions incorporés à une brigade de formation récente, nous roulions à travers la campagne, affolés, et pour ainsi dire, sans but. Aujourd'hui à droite, demain à gauche, un jour fournissant des étapes de quarante kilomètres, le jour suivant, reculant d'autant, nous tournions sans cesse dans le même cercle, pareils à un bétail débandé qui aurait perdu son pasteur. Notre exaltation était bien tombée. Trois semaines de souffrances avaient suffi pour cela. Avant que nous eussions entendu gronder le canon et siffler les balles, notre marche en avant ressemblait à une retraite d'armée vaincue, hachée par les charges de cavalerie, précipitée dans le délire des bousculades, le vertige des sauve-qui-peut. Que de fois j'ai vu des soldats se débarrasser de leurs cartouches qu'ils semaient au long des routes!

—A quoi ça me sert-il? disait l'un d'eux, je n'en ai besoin que d'une seule pour casser la gueule du capitaine, la première fois que nous nous battrons.

Le soir, au camp, accroupis autour de la marmite, ou bien allongés sur la bruyère froide, la tête sur le sac, ils pensaient à la maison d'où on les avait arrachés violemment. Tous les jeunes gens, aux bras robustes, étaient partis du village: beaucoup déjà dormaient dans la terre, là-bas, éventrés par les obus; les autres, les reins cassés, erraient, spectres de soldats, par les plaines et par les bois, attendant la mort. Dans les campagnes en deuil, il ne restait que des vieux, davantage courbés, et des femmes qui pleuraient. L'aire des granges où l'on bat le blé était muette et fermée; dans les champs déserts où poussaient les herbes stériles, on n'apercevait plus, sur la pourpre du couchant, la silhouette du laboureur qui rentrait à la ferme, au pas de ses chevaux fatigués. Et des hommes, avec de grands sabres, venaient, qui prenaient, un jour, les chevaux, qui, un autre jour, vidaient l'étable, au nom de la loi; car il ne suffisait pas à la guerre qu'elle se gorgeât de viande humaine, il fallait qu'elle dévorât les bêtes, la terre, tout ce qui vivait dans le calme, dans la paix du travail et de l'amour.... Et au fond du cœur de tous ces misérables soldats, dont les feux sinistres du camp éclairaient les figures amaigries et les dos avachis, une même espérance régnait, l'espérance de la bataille prochaine, c'est-à-dire la fuite, la crosse en l'air et la forteresse allemande.

Pourtant, nous préparions la défense des pays que nous traversions et qui n'étaient point encore menacés. Nous imaginions pour cela d'abattre les arbres et de les jeter sur les routes; nous faisions sauter les ponts, nous profanions les cimetières à l'entrée des villages, sous prétexte de barricades, et nous obligions les habitants, baïonnettes aux reins, à nous aider dans la dévastation de leurs biens. Puis nous repartions, ne laissant derrière nous que des ruines et que des haines. Je me souviens qu'il nous fallut, une fois, raser, jusqu'au dernier baliveau, un très beau parc, afin d'y établir des gourbis que nous n'occupâmes point. Nos façons n'étaient point pour rassurer les gens. Aussi, à notre approche, les maisons se fermaient, les paysans enterraient leurs provisions: partout des visages hostiles, des bouches hargneuses, des mains vides. Il y eut entre nous des rixes sanglantes pour un pot de rillettes découvert dans un placard, et le général fit fusiller un vieux bonhomme qui avait caché, dans son jardin, sous un tas de fumier, quelques kilogrammes de lard salé.

Le 1er novembre, nous avions marché toute la journée et, vers trois heures, nous arrivions à la gare de la Loupe. Il y eut d'abord un grand désordre, une inexprimable confusion. Beaucoup, abandonnant les rangs, se répandirent dans la ville, distante d'un kilomètre, se dispersèrent dans les cabarets voisins. Pendant plus d'une heure, les clairons sonnèrent le ralliement. Des cavaliers furent envoyés à la ville pour en ramener les fuyards et s'attardèrent à boire. Le bruit courait qu'un train formé à Nogent-le-Rotrou devait nous prendre et nous conduire à Chartres, menacé par les Prussiens lesquels avaient, disait-on, saccagé Maintenon, et campaient à Jouy. Un employé, interrogé par notre sergent, répondit qu'il ne savait pas, qu'il n'avait entendu parler de rien. Le général, petit vieux, gros, court et gesticulant, qui pouvait à peine se tenir à cheval, galopait de droite et de gauche, voltait, roulait comme un tonneau sur sa monture et, la face violette, la moustache colère, répétait sans cesse:

—Ah! bougre!... Ah! bougre de bougre!...

Il mit pied à terre, aidé par son ordonnance, s'embarrassa les jambes dans les courroies de son sabre qui traînait sur le sol, et, appelant le chef de gare, il engagea un colloque des plus animés avec celui-ci dont la physionomie s'ahurissait.

—Et le maire? criait le général.... Où est-il ce bougre-là? qu'on me l'amène!... Est-ce qu'on se fout de moi, ici?

Il soufflait, bredouillait des mots inintelligibles, frappait la terre du pied, invectivait le chef de gare. Enfin, tous les deux, l'un la mine très basse, l'autre faisant des gestes furieux, finirent par disparaître dans le bureau du télégraphe qui ne tarda pas à nous envoyer le bruit d'une sonnerie folle, acharnée, vertigineuse, coupée de temps en temps par les éclats de voix du général. On se décida enfin à nous faire ranger sur le quai, par compagnies, et on nous laissa là, sacs à terre, immobiles, devant les faisceaux formés. La nuit était venue, la pluie tombait, lente et froide, achevant de traverser nos capotes, déjà mouillées par les averses. De-ci, de-là, la voie s'éclairait de petites lumières pâles, rendant plus sombres les magasins et la masse des wagons que des hommes poussaient au garage. Et le monte-charges, debout sur sa plate-forme tournante, profila dans le ciel son long cou de girafe effarée.

A part le café, rapidement avalé, le matin, nous n'avions rien mangé de la journée et bien que la fatigue nous eût brisé le corps, bien que la faim nous tenaillât le ventre, nous nous disions, consternés, qu'il faudrait encore se passer de soupe aujourd'hui. Nos gourdes étaient vides, épuisées nos provisions de biscuit et de lard, et les fourgons de l'intendance, égarés depuis la veille, n'avaient pas rejoint la colonne. Plusieurs d'entre nous murmurèrent, prononcèrent à haute voix des paroles de menace et de révolte; mais les officiers qui se promenaient, mornes aussi, devant la ligne des faisceaux, ne semblèrent pas y faire attention. Je me consolai, en pensant que le général avait peut-être réquisitionné des vivres dans la ville. Vain espoir! Les minutes s'écoulaient; la pluie toujours chantait sur les gamelles creuses, et le général continuait d'injurier le chef de gare, qui continuait à se venger sur le télégraphe, dont les sonneries devenaient de plus en plus précipitées et démentes.... De temps en temps, des trains s'arrêtaient, bondés de troupes. Des mobiles, des chasseurs à pied, débraillés, tête nue, la cravate pendante, quelques-uns ivres et le képi de travers, s'échappaient des voitures où ils étaient parqués, envahissaient la buvette, ou bien se soulageaient en plein air, impudemment. De ce fourmillement de têtes humaines, de ce piétinement de troupeau sur le plancher des wagons partaient des jurons, des chants de Marseillaise, des refrains obscènes qui se mêlaient aux appels des hommes d'équipe, au tintement de la clochette, à l'essoufflement des machines. Je reconnus un petit garçon de Saint-Michel, dont les paupières enflées suintaient, qui toussait et crachait le sang. Je lui demandai où ils allaient ainsi. Ils n'en savaient rien. Partis du Mans, ils étaient restés douze heures à Connerré, à cause de l'encombrement de la voie, sans manger, trop tassés pour pouvoir s'allonger et dormir. C'était tout ce qu'il savait. A peine s'il avait la force de parler. Il était allé à la buvette afin de tremper ses yeux dans un peu d'eau tiède. Je lui serrai la main, et il me dit qu'à la première affaire, il espérait bien que les Prussiens le feraient prisonnier.... Et le train s'ébranlait, se perdait dans le noir, emmenant toutes ces figures hâves, tous ces corps déjà vaincus, vers quelles inutiles et sanglantes boucheries?

Je grelottais. Sous la pluie glacée qui me coulait sur la peau, le froid m'envahissait, il me semblait que mes membres s'ankylosaient. Je profitai d'un désarroi causé par l'arrivée d'un train pour gagner la barrière ouverte et m'enfuir sur la route, cherchant une maison, un abri, où je pusse me réchauffer, trouver un morceau de pain, je ne savais quoi. Les auberges et cabarets, près de la gare, étaient gardés par des sentinelles qui avaient ordre de ne laisser entrer personne.... A trois cents mètres de là, j'aperçus des fenêtres qui luisaient doucement dans la nuit. Ces lumières me firent l'effet de deux bons yeux, de deux yeux pleins de pitié qui m'appelaient, me souriaient, me caressaient.... C'était une petite maison isolée à quelques enjambées de la route.... J'y courus.... Un sergent, accompagné de quatre hommes, était là qui vociférait et sacrait. Près de l'âtre sans feu, je vis un vieillard, assis sur une chaise de paille très basse, les coudes sur les genoux, la tête dans les mains. Une chandelle, qui brûlait dans un chandelier de fer, éclairait la moitié de son visage, creusé, raviné par des rides profondes.

—Nous donneras-tu du bois, enfin? cria le sergent

—J'ons point d'bouè, répondit le vieillard.... V'la huit jours qu'la troupe passe, j'vous dis.... M'ont tout pris.

Il se tassa sur sa chaise et, d'une voix faible, il murmura.

—J'ons ren ... ren ... ren!...

Le sergent haussa les épaules:

—Ne fais donc pas le malin, vieille canaille.... Ah! tu caches ton bois pour chauffer les Prussiens! Eh bien, je vais t'en fiche, moi, des Prussiens ... attends!

Le vieillard branla la tête.

—Pisque j'ons point d'bouè....

D'un geste colère, le sergent commanda aux hommes de fouiller la maison. Du cellier au grenier, ils passèrent tout en revue. Il n'y avait rien, rien que des traces de violence, des meubles brisés. Dans le cellier, humide de cidre répandu, les tonneaux étaient défoncés, et partout s'étalaient de hideuses et puantes ordures. Cela exaspéra le sergent, qui frappa le carreau de la crosse de son fusil.

—Allons, s'écria-t-il, allons, vieux salaud, dis-nous où est ton bois?

Et il secoua rudement le vieillard, qui chancela et faillit tomber la tête contre le landier de fer de la cheminée.

—J'ons point d'bouè, répéta simplement le pauvre homme.

—Ah! tu t'entêtes!... Ah! tu n'as point de bois!... Eh bien, tu as des chaises, un buffet, une table, un lit ... si tu ne me dis pas où est ton bois, je fais une flambée de tout ça.

Le vieillard ne protesta pas. Il répéta de nouveau, hochant sa vieille tête blanche:

—J'ons point d'boué.

Je voulus m'interposer, et balbutiai quelques mots; mais le sergent ne me laissa pas achever, il m'enveloppa des pieds à la tête d'un regard méprisant.

—Et qu'est-ce tu fous ici, toi, espèce de galopin? me dit-il ... qu'est-ce qui t'a permis de quitter les rangs, sale morveux!... allons, demi-tour, et au pas de gymnastique!... Ta ra ta ta ra, ta ta ra!...

Alors, il donna un ordre. En quelques minutes, chaises, table, buffet, lit, furent mis en pièces. Le bonhomme se leva avec effort, se rencogna dans le fond de la chambre et pendant que flambait le feu, pendant que le sergent, dont la capote et le pantalon fumaient, se chauffait en riant devant le brasier crépitant, le vieux regardait brûler ses derniers meubles, d'un œil stoïque, et ne cessait de répéter avec obstination.

—J'ons point d'boué!

Je regagnai la gare.

Le général était sorti du bureau du télégraphe, plus animé, plus rouge, plus colère que jamais. Il bredouilla quelque chose, et aussitôt il se fit un grand remuement. On entendait des cliquetis de sabre; des voix s'appelaient, se répondaient; des officiers couraient dans toutes les directions. Et le clairon sonna. Sans rien comprendre à ce contre-ordre, il nous fallut remettre sac au dos et fusil sur l'épaule.

—En avant!... marche!...

Les membres raidis par l'immobilité, la tête bourdonnante, nous heurtant l'un à l'autre, nous reprîmes notre course haletante, sous la pluie, dans la boue, à travers la nuit. A droite et à gauche, des champs s'étendaient, noyés d'ombre, d'où s'élevaient des tignasses de pommiers, qui semblaient se tordre sur le ciel. Parfois, très loin, un chien aboyait.... Puis c'étaient des bois profonds, de sombres futaies, qui montaient, de chaque côté de la route, comme des murailles. Puis des villages endormis où nos pas résonnaient plus lugubrement, ou, par les fenêtres vite ouvertes et vite refermées, apparaissait la vision vague d'une forme blanche, terrifiée.... Et encore des champs, et encore des bois, et encore des villages.... Pas une chanson, pas une parole, un silence énorme rythmé par un sourd piétinement. Les courroies du sac m'entraient dans la chair, le fusil me faisait l'effet d'un fer rouge sur l'épaule.... Un moment, je crus que j'étais attelé à une grosse voiture embourbée, chargée de pierres de taille et que des charretiers me cassaient les jambes à coups de fouet. M'arc-boutant sur mes pieds, l'échiné pliée en deux, le cou tendu, étranglé par le licol, la poitrine sifflante, je tirais, je tirais.... Il arriva bientôt que je n'eus plus conscience de rien. Je marchais, machinalement, engourdi, comme dans un rêve.... D'étranges hallucinations passaient devant mes yeux.... Je voyais une route de lumière, qui s'enfonçait au loin, bordée de palais et d'éclatantes girandoles.... De grandes fleurs écarlates balançaient, dans l'espace, leurs corolles au haut de tiges flexibles, et une foule joyeuse chantait devant des tables couvertes de boissons fraîches et de fruits délicieux.... Des femmes, dont les jupes de gaze bouffaient, dansaient sur les pelouses illuminées, au son d'une multitude d'orchestres, tapis dans des bosquets, aux feuilles retombantes, étoilées de jasmins, rafraîchies par les jets d'eau.

—Halte! commanda le sergent.

Je m'arrêtai et, pour ne point m'écrouler sur le sol, je dus me cramponner au bras d'un camarade.... Je m'éveillai.... Tout était noir. Nous étions arrivés à l'entrée d'une forêt, près d'un petit bourg où le général et la plupart des officiers allèrent se loger.... La tente dressée, je m'occupai de panser mes pieds écorchés, avec de la chandelle que je gardais en réserve dans ma musette et, comme un pauvre chien exténué, je m'allongeai sur la terre mouillée et m'endormis profondément. Pendant la nuit, des camarades, tombés de fatigue sur la route, ne cessèrent de rallier le camp. Il y en eut cinq dont on n'entendit plus jamais parler. A chaque marche pénible, cela se passait toujours ainsi: quelques-uns, faibles ou malades, s'abattaient dans les fossés et mouraient là: d'autres désertaient....

Le lendemain, le réveil sonna, dès le lever de l'aube. La nuit avait été très froide; il n'avait cessé de pleuvoir et, pour dormir, nous n'avions pu nous procurer la moindre litière de paille ou de foin. J'eus beaucoup de difficulté à sortir de la tente; un moment, je dus me traîner sur les genoux, à quatre pattes, les jambes refusant de me porter. Mes membres étaient glacés, raides ainsi que des barres de fer; il me fut impossible de remuer la tête sur mon cou paralysé, et mes yeux, qu'on eût dits piqués par une multitude de petites aiguilles, ne discontinuaient pas de pleurer. En même temps, je ressentais aux épaules et dans les reins une douleur vive, lancinante, intolérable. Je remarquai que les camarades n'étaient pas mieux partagés que moi. Les traits tirés, le teint terreux, ils s'avançaient, les uns boitant affreusement, les autres courbés et vacillants, buttant à chaque pas contre les touffes de bruyère: tous éclopés, lamentables et boueux. J'en vis plusieurs qui, en proie à de violentes coliques, se tordaient et grimaçaient en se tenant le ventre à deux mains. Quelques-uns, secoués par la fièvre, claquaient des dents. Autour de soi, on entendait des toux sèches, déchirant des poitrines, des respirations haletantes, des plaintes, des râles. Un lièvre détala de son gîte, s'enfuit effaré, les oreilles couchées, mais personne ne songea à le poursuivre, comme nous faisions autrefois.... L'appel terminé, il y eut distribution de vivres, car l'intendance avait fini par retrouver la brigade.... Nous fîmes la soupe, que nous mangeâmes aussi gloutonnement que des chiens affamés.

Je souffrais toujours. Après la soupe, j'avais eu un étourdissement, bientôt suivi de vomissements, et je grelottais la fièvre. Tout, autour de moi, tournait ... les tentes, la forêt, la plaine, le petit bourg, là-bas, dont les cheminées fumaient dans la brume et le ciel où roulaient de gros nuages crasseux et bas. Je demandai au sergent la permission d'aller à la visite.

Les tentes s'alignaient sur deux rangs, adossées à la forêt, de chaque côté de la route de Senonches, qui débouche dans la campagne par une magnifique trouée dans les chênes, traverse, à trois cents mètres de là, la route de Chartres, et plus loin, le bourg de Bellomer, pour continuer son cours vers la Loupe. Au carrefour formé par ces deux routes, une petite maison s'élevait, misérable et couverte de chaume, sorte de hangar abandonné, qui servait d'abri aux cantonniers, pendant la pluie. C'est là que le chirurgien avait établi une ambulance improvisée, reconnaissable au drapeau de Genève, planté dans une fente de mur, qui la décorait. Devant la maison, beaucoup attendaient. Une longue file d'êtres blêmes, exténués, ceux-ci debout avec de grands yeux fixes, ceux-là, assis par terre, mornes, les omoplates remontées et pointues, la tête dans les mains. La mort déjà avait appesanti son horrible griffe sur ces visages émaciés, ces dos décharnés, ces membres qui pendaient, vidés de sang et de moelle. Et, en présence de ce navrement, oubliant mes propres souffrances, je m'attendris. Ainsi, trois mois avaient suffi pour terrasser ces corps robustes, domptés au travail et aux fatigues pourtant!... Trois mois! Et ces jeunes gens qui aimaient la vie, ces enfants de la terre qui avaient grandi, rêveurs, dans la liberté des champs, confiants en la bonté de la nature nourricière, c'était fini d'eux!... Au marin qui meurt, on donne la mer pour sépulture; il descend dans le noir éternel, au balancement de ses vagues musiciennes.... Mais eux!... Encore quelques jours, peut-être, et, tout à coup, ils tomberaient, ces va-nu-pieds, la face contre le sol, dans la boue d'un fossé, charognes livrées au croc des chiens rôdeurs, au bec des oiseaux nocturnes. J'éprouvai un sentiment de si fraternelle et douloureuse commisération, que j'eusse voulu serrer tous ces tristes hommes contre ma poitrine, dans un même embrassement, et je souhaitai—ah! avec quelle ferveur je souhaitai!—d'avoir, comme Isis, cent mamelles de femme, gonflées de lait, pour les tendre à toutes ces lèvres exsangues.... Ils entraient un par un dans la maison, et ils en ressortaient aussitôt, poursuivis par un grognement et par un juron.... D'ailleurs, le chirurgien ne s'occupait pas d'eux. Très en colère, il réclamait à un infirmier sa pharmacie de campagne qui n'avait pas été retrouvée parmi les bagages.

—Ma pharmacie, nom de Dieu! criait-il. Où est ma pharmacie? Et ma trousse?... Qu'est-ce que j'ai fait de ma trousse?... Ah! nom de Dieu!

Un petit mobile, qui souffrait d'un abcès au genou, s'en retourna à cloche-pied, pleurant, s'arrachant les cheveux de désespoir. On n'avait pas voulu le visiter. Quand ce fut mon tour de passer, je tremblais très fort. Dans le fond de la pièce, sombre, quatre malades râlaient, couchés sur la paille, en chien de fusil, un cinquième gesticulait, prononçant, dans le délire, des mots incohérents; un autre encore, à demi levé, la tête inclinée sur la poitrine, se plaignait et demandait à boire d'une voix faible, d'une voix d'enfant. Accroupi devant la cheminée, un infirmier présentait à la flamme, au bout d'une baguette de bois, un morceau de boudin grésillant, dont l'odeur de graisse brûlée empuantissait la chambre.... L'aide-major ne me regarda même pas. Il vociféra:

—Qu'est-ce que c'est encore que celui-là?... Tas de flemmards!... Dix lieues dans les guibolles, clampin, ça te remettra.... Allons, marche! demi-tour.

Je croisai sur le seuil une paysanne, qui me demanda:

—C'est-y ben icite qu'est l'sérûgien?

—Des femmes, maintenant! grogna l'aide-major.... Qu'est-ce que vous voulez, vous?

—Pardon, excuse, mossieu l'sérûgien, reprit la paysanne, qui s'avança, très intimidée. J'viens pour mon fi qu'est soldat.

—Dites donc, la vieille, est-ce que je suis chargé de garder votre fils, moi?...

Les deux mains croisées sur le manche de son parapluie, toute craintive, elle examina la pièce, autour d'elle.

—Paraît qu'il est ben malade, mon fi, ben, ben malade.... Pour lors, j'venais vouêr si vous l'aviez point à quant à vous, mossieu l'sérûgien.

—Comment vous appelez-vous?

—J'm'appelle la femme Riboulleau.

—Riboulleau ... Riboulleau!... C'est possible.... Voyez dans le tas, là.

L'infirmier, qui faisait griller son boudin, tourna la tête.

—Riboulleau?... dit-il. Mais il est mort, il y a trois jours....

—Comment qu'vous dites ça? cria la paysanne, dont la figure hâlée, tout à coup pâlit.... Où ça qu'il est mô?... Pourquoi qu'il est mô, mon p'tit gâs?....

L'aide-major intervint, et poussant la vieille vers la porte, d'un geste brutal....

—Allons, cria-t-il, allons, pas de scène ici, hein?... Il est mort, eh bien, voilà tout....

—Mon p'tit gâs! mon p'tit gâs! gémissait la paysanne à fendre l'âme!

Je m'éloignai, le cœur gros, et si découragé que je me demandais s'il ne valait pas mieux en finir tout de suite, en me pendant à une branche d'arbre ou en me faisant sauter la cervelle d'un coup de fusil. Tandis que je regagnais latente, trébuchant, roulant dans ma tête les plus noirs projets, à peine si je fis attention au petit mobile qui, s'étant arrêté au pied d'un pin, avait lui-même ouvert son abcès avec son couteau et, tout blanc, le front ruisselant de sueur, bandait la plaie d'où le sang coulait.

La matinée me fut meilleure que je l'aurais pensé. J'eus la chance de ne faire partie d'aucune corvée et, après avoir astiqué mon fusil, rouillé par la pluie, je goûtai quelques heures de bon repos. Étendu sur ma couverture, le corps tout engourdi dans un demi-sommeil délicieux, où je percevais distinctement les bruits du camp—les sonneries du clairon, le hennissement d'un cheval, au loin—je songeai aux êtres et aux choses que j'avais quittés. Mille figures et mille paysages défilèrent rapidement devant mes yeux.... Je revis le Prieuré, ma mère morte, et mon père, avec son large chapeau de paille, et le petit mendiant aux cheveux filasse, et Félix accroupi dans les plates-bandes, au milieu des laitues, qui guettait une taupe. Je revis ma chambre d'étudiant, mes camarades de l'école, et, dominant le tumulte de Bullier, Nini, grise et défrisée, avec ses lèvres pourpres, son chignon roux, et ses bas roses, sortant, fleurs lascives, des jupes soulevées par la danse. Puis l'image d'une femme inconnue, en robe mauve, que j'avais aperçue un soir, au théâtre, dans l'ombre d'une loge, me revint, obstinée et douce vision!

Pendant ce temps, les plus valides d'entre nous étaient allés rôder dans la campagne, autour des fermes. Ils rentrèrent gaîment, chargés de bottes de paille, de poulets, de dindes, de canards. L'un poussait devant lui, à coups de gaule, un gros cochon qui grognait, l'autre balançait un mouton sur ses épaules; celui-ci traînait au bout d'une hart, tordue en corde, un veau qui résistait comiquement, secouait son mufle en meuglant. Les paysans accoururent au camp pour se plaindre d'avoir été volés: on les hua et on les chassa.

Le général, accompagné de notre lieutenant-colonel qui se tenait à sa droite, très raide, l'œil rond, vint nous passer en revue, l'après-midi. Son regard luisant, son teint de braise, sa voix pâteuse disaient qu'il avait copieusement déjeuné. Il mâchonnait un bout de cigare éteint, crachait, s'ébrouait, maugréait on ne savait contre qui et contre quoi, car il ne s'adressait à personne, directement. Devant notre compagnie, il regarda le lieutenant-colonel d'un air sévère, et je l'entendis qui grommelait:

—Sales gueules, vos hommes, ah! bougre!

Puis, il s'éloigna, pesant de tout le poids de son ventre, sur ses jambes courtes, chaussées de bottes jaunes, au-dessus desquelles la culotte rouge bouffait et plissait comme une jupe.

Le reste de la journée fut consacré à des flâneries dans les auberges de Bellomer. Il y avait partout un tel encombrement, un tel tapage; d'ailleurs, je connaissais trop bien ces prises d'assaut des cabarets, ces poussées violentes de l'alcool qui dégénéraient souvent en mêlées générales, que je préférai m'en aller, avec quelques camarades paisibles, sur la route, loin des bagarres. Justement, le temps s'était embelli, un soleil pâle tombait du ciel, débarrassé de nuages. Nous nous assîmes sur un talus, ployant le dos sous les rayons réchauffants, comme fait un chat sous la main qui le caresse. Des voitures passaient, passaient toujours, lourdes charrettes, banneaux, carrioles coiffées de leurs bâches, tombereaux traînés par des bardots. C'étaient des paysans de la plaine de Chartres qui fuyaient les Prussiens. Affolés par les récits, colportés de village en village, des incendies, des viols, des massacres, des atrocités diverses dont les Allemands affligeaient les territoires envahis, ils avaient emporté à la hâte ce qu'ils possédaient de plus précieux, abandonné champs et maison et, tout effarés, ils allaient droit devant eux, sans savoir où. Le soir, ils s'arrêtaient, au hasard du chemin, près d'un bourg, quelquefois en rase campagne. Les chevaux, dételés et entravés, broutaient l'herbe des berges, les gens mangeaient et dormaient à la grâce de Dieu, à la garde des chiens, dans le vent, dans la pluie, dans la froidure des nuits brumeuses. Puis, le lendemain, ils repartaient. Troupeaux de bêtes et troupeaux d'hommes se succédèrent interminablement. Ils passaient et, sur la grand'route jaune, l'on voyait s'allonger la file noire et dolente des fuyards, jusqu'à la montée fermant l'horizon. On eût dit l'exode d'un peuple. J'interrogeai un vieux bonhomme qui conduisait une voiture à âne au fond de laquelle, dans la paille, au milieu de paquets noués avec des mouchoirs, de carottes et de choux, grouillaient une paysanne à nez camus, deux porcs roses et des couples de volaille, liés par les pattes.

—Vous avez donc les Prussiens chez vous? demandai-je.

—Oh! les brigands! répondit le vieux.... N'm'en parlez point!... Y sont arrivés un matin, eune bande avé des chapiaux à plume.... Ils ont fait un vacarme! Oh! Jésus-Guieu! Et pis y prenaient tout.... D'abord j'ons cru qu'c'étaient les Prussiens.... J'ons su d'pis que c'étaient des francs-tireux....

—Mais les Prussiens?

—Les Prussiens!... Pour ce qui est des Prussiens, j'ons point cor vu d'Prussiens, censément.... Y doivent être cheuz nous, à c'te heure, t'nez!... La Jacqueline crait qu'all en a évu un, l'aut'jou, d'rière eune hae!... Il était haut, haut, et pis rouge, qué disait, rouge comme l'diable.... C'est donc des enragés, des sauvages, des r'venants?... Enfin, quoiqu'c'est au juste?

—Ce sont des Allemands, bonhomme, comme nous nous sommes des Français.

—Des Armands?... J'entends ben.... Mais quoi qui nous v'laut, ces sacrés Armands-là, dites, mossieu l'militaire?... J'ons tout d'même ensauvé nos deux cochons, et nout'fille, et pis d'la volaille itout.... Bé dame!

Et le paysan continua son chemin, en se répétant;

—Des Armands! des Armands!... Quoi qu'y nous v'laut ces sacrés Armands-là?

Ce soir-là, devant toute la ligne du camp, les feux s'allumèrent et les bonnes marmites, pleines de viande fraîche, chantèrent joyeusement, au-dessus des fourneaux improvisés de terre et de cailloux. Ce fut pour nous une heure de détente exquise et de délicieux oubli. Un apaisement semblait venir du ciel, tout bleu de lune, et tout brillant d'étoiles; les champs, qui s'étendaient avec de molles ondulations de vague, avaient je ne sais quelle douceur attendrie qui nous pénétrait l'âme, coulait dans nos membres endoloris un sang moins acre et des forces nouvelles. Peu à peu, s'effaçait le souvenir, pourtant si proche, de nos désolations, de nos découragements, de nos martyres, et le besoin d'agir nous reprenait, en même temps que s'éveillait en nous la conscience du devoir. Une animation inusitée régnait au camp. Chacun s'empressait à quelque besogne volontaire. Les uns couraient, un tison à la main pour rallumer les feux éteints, d'autres soufflaient sur les braises, afin de les aviver, ou bien épluchaient des légumes, et coupaient des morceaux de viande. Des camarades, formant une ronde autour de débris de bois fumants, entonnèrent d'une voix gouailleuse: «As-tu vu Bismarck?» La révolte, fille de la faim, se fondait au ronron des marmites, au cliquetis des gamelles.

Le jour suivant, quand le dernier d'entre nous eût répondu: «Présent!» à l'appel de son nom:

—Formez le cercle, marche! commanda le petit lieutenant.

Et d'une voix ânonnante, brouillant les mots, sautant des phrases, le fourrier lut un pompeux «ordre du jour» du général. Il était dit, en ce morceau de littérature militaire, qu'un corps d'armée prussien, affamé, mal vêtu, sans armes, après avoir occupé Chartres, s'avançait sur nous, à marches forcées. Il fallait lui barrer la route, le refouler jusque sous les murs de Paris où le vaillant Ducrot n'attendait plus que nous pour sortir et balayer une bonne fois tous les envahisseurs. Le général rappelait les victoires de la Révolution, l'expédition d'Égypte, Austerlitz, Borodino. Il affirmait que nous saurions nous montrer dignes de nos glorieux ancêtres de Sambre-et-Meuse. En conséquence, il donnait des instructions stratégiques précises pour la défense du pays: établir une barricade infranchissable à l'entrée Est du bourg, une autre plus infranchissable encore sur la route de Chartres, en avant du carrefour, créneler les murs du cimetière, abattre le plus d'arbres qu'on pourrait dans la forêt, de façon que les cavaliers ennemis et même les fantassins fussent dans l'impossibilité de nous tourner par Senonches, en s'égaillant dans les futaies; se défier des espions; enfin, ouvrir l'œil et le bon.... La patrie comptait sur nous.... Vive la République!

Ce cri resta sans écho. Le petit lieutenant qui se promenait en rond, les mains croisées derrière le dos, l'œil obstinément fixé à la pointe de ses bottes, ne leva pas la tête. Nous nous regardions, ahuris, avec une sorte d'angoisse au cœur, de savoir que les Prussiens étaient si près, que la guerre allait commencer pour nous demain, aujourd'hui peut-être, et j'eus la vision soudaine de la Mort, de la Mort rouge, debout sur un char que traînaient des chevaux cabrés, et qui se précipitait vers nous, en balançant sa faux. Tant que la bataille était loin, nous l'avions désirée, d'abord par enthousiasme patriotique, ensuite par fanfaronnade, plus tard par énervement, par lassitude, comme dénoûment à nos misères. Maintenant qu'elle s'offrait, nous en avions peur, nous frissonnions à son seul nom. Instinctivement, mes yeux se portèrent vers l'horizon, dans la direction de Chartres. Et la campagne me sembla contenir un mystère, une épouvante, un inconnu formidable qui prêtait aux choses des aspects nouveaux d'inexorabilité. Là bas, au-dessus de la ligne bleuissante des arbres, je m'attendais à voir, tout à coup, des casques surgir, étinceler des baïonnettes, s'embraser la gueule tonnante des canons. Un champ de labour, tout rouge sous le soleil, me fit l'effet d'une mare de sang; les haies se déployaient, se rejoignaient, s'entrecroisaient, pareilles à des régiments hérissés d'armes, de drapeaux, évoluant pour le combat. Les pommiers s'effarèrent comme des cavaliers emportés dans une déroute.

—Rompez le cercle ... marche! cria le lieutenant.

Tout bêtes, les bras ballants, nous piétinâmes longtemps temps sur place, en proie à un malaise vague, essayant de franchir par la pensée, cette terrible ligne d'horizon, au delà de laquelle s'accomplissait le secret de notre destinée. Seuls, en cet inquiétant silence, en cette immobilité sinistre, voitures et troupeaux passaient sur la route, plus nombreux, plus pressés, se hâtant davantage. Un vol de corbeaux qui venait de là-bas, noire avant-garde, tacha le ciel, grossit, s'enfla, s'allongea, tournoya, flotta au-dessus de nous comme un voile funéraire, puis disparut dans les chênes.

—Enfin, nous allons donc les voir, ces fameux Prussiens? dit, d'une voix mal assurée, un grand diable qui était très pâle et qui, pour se donner l'air crâne d'un vieux reître, rabattit son képi sur l'oreille.

Aucun ne répondit et plusieurs s'éloignèrent. Pourtant, notre caporal haussa les épaules. C'était un tout petit homme, effronté, au visage grêlé et rempli de boutons.

—Oh moi!... fit-il.

Il expliqua sa pensée dans un geste cynique, s'assit sur la bruyère, bourra sa pipe lentement, l'alluma.

—Et puis ... merde! conclut-il, en lançant une bouffée de fumée qui s'évanouit dans l'air.

Tandis qu'une compagnie de chasseurs était dirigée vers le carrefour, afin d'y établir «les infranchissables barricades», mon régiment pénétrait dans la forêt, afin d'y abattre «le plus d'arbres qu'on pourrait». Toutes les cognées, serpes, hachettes du pays avaient été réquisitionnées d'urgence: on faisait outil de n'importe quoi. Durant la journée entière, les coups retentirent et les arbres tombèrent. Pour nous exciter davantage, le général voulut assister au massacre.

—Ah bougre! criait-il à tout propos, en frappant dans ses mains; ah! ah! hardi les enfants!... secouez-moi ça!

Il désignait lui-même, parmi les arbres, les plus hauts de tronc, ceux qui avaient poussé droits et lisses comme des colonnes de temple. C'était une folie de destruction criminelle et bête, une joie de brute, chaque fois que les arbres s'abattaient les uns sur les autres dans un grand fracas. La futaie s'éclaircissait: on eût dit qu'elle avait été fauchée par une gigantesque et surnaturelle faux. Deux hommes furent tués par la chute d'un chêne.

—Hardi les enfants!

Et les quelques arbres restés debout, farouches au milieu des troncs écrasés, couchés à terre, et des branches tordues qui se dressaient vers eux pareilles à des bras suppliants, montraient de larges blessures, des entailles profondes et rouges, par où la sève pleurait.

Le conservateur des forêts, prévenu par un garde, accourut de Senonches et, d'un œil navré, constata cette inutile dévastation. J'étais près du général, quand il l'aborda respectueusement, le képi à la main.

-Pardon, mon général, dit-il ... que vous abattiez des arbres sur les bordures des routes, que vous barricadiez les lignes, je le comprends.... Mais que vous rasiez le cœur des futaies, cela me semble un peu....

Mais le général l'interrompit.

—Hein? quoi? cela vous semble?... qu'est-ce que vous fichez ici, vous?... Je fais ce qui me plaît.... Est-ce vous qui commandez ou moi?

—Mais enfin ... balbutia le forestier.

—Il n'y a pas de mais enfin, Monsieur.... Et vous m'embêtez, c'est clair ça!... Et vous savez, rentrez vite à Senonches ou je vous fais fourrer au bloc.... Hardi les enfants!

Le général tourna le dos au fonctionnaire ahuri, et partit, en chassant devant lui, du bout de sa canne, des feuilles mortes et des brindilles de bois.

De leur côté, pendant que nous profanions la forêt, les chasseurs ne chômaient point, et la barricade s'élevait, formidable et haute, coupant la route, en avant du carrefour. Cela ne s'était pas exécuté sans difficulté, et surtout sans gaîté. Subitement arrêtés par une tranchée qui leur barrait la fuite, les paysans protestèrent. Leurs voitures et leurs troupeaux s'agglomérant dans le chemin, très encaissé à cet endroit, il y eut d'abord un indescriptible brouhaha. Ils se lamentaient, les femmes gémissaient, les bœufs meuglaient, les soldats riaient de toutes les mines effarées des hommes et des bêtes, et le capitaine qui commandait le détachement ne savait quelle résolution prendre. Plusieurs fois, les soldats firent semblant de refouler les paysans à coups de baïonnette, mais ceux-ci s'entêtaient, voulaient passer, invoquaient leur qualité de Français. Après avoir terminé son tour dans la forêt, le général vint visiter les travaux de la barricade. Il demanda ce que c'était que «ces sales pékins» et ce qu'ils désiraient. On le mit au fait.

—C'est bien, s'écria-t-il. Empoignez-moi toutes ces voitures, et fourrez-moi tout ça dans la barricade. Allons, chaud! Allons, hardi, les enfants!...

Les soldats, heureux de ces algarades, se ruèrent sur les premières voitures qui furent abandonnées, avec ce qu'elles contenaient, et brisées en quelques coups de pioche.... Alors la panique s'empara des paysans. L'encombrement devenait tel qu'il leur était impossible d'avancer ou de reculer. Fouettant leurs chevaux à tour de bras, et tâchant de dégager leurs charrettes accrochées, ils vociféraient, se bousculaient, s'injuriaient, sans parvenir à faire un pas en arrière. Les derniers arrivés avaient rebroussé chemin, et fuyaient au galop de leurs chevaux excités par la clameur, les autres, désespérant de sauver voitures et provisions, prirent le parti d'escalader le talus, et de s'en aller à travers champs, en poussant des cris d'indignation, poursuivis par les mottes de terre que leur jetaient les soldats. On entassa les voitures brisées, l'une sur l'autre, on boucha les creux avec des sacs d'avoine, des matelas, des paquets de hardes et des pierres. Sur le sommet de la barricade, au haut d'un timon qui se dressait, tout droit, comme une hampe de drapeau, un petit chasseur arbora un bouquet de mariée trouvé dans le butin.

Vers le soir, des bandes de mobiles, arrivant de Chartres, très en désordre, se répandirent dans Belomer et dans le camp. Ils firent des récits épouvantants. Les Prussiens étaient plus de cent mille, tout une armée. Eux, deux mille à peine, sans cavaliers et sans canon, avaient dû se replier. Chartres brûlait, les villages alentour fumaient, les fermes étaient détruites. Le gros du détachement français qui soutenait la retraite, ne pouvait tarder. On interrogeait les fuyards, on leur demandait s'ils avaient vu des Prussiens, comment ils étaient faits, insistant sur les détails des uniformes. De quart d'heure en quart d'heure, d'autres mobiles se présentaient, par groupes de trois ou quatre, pâles, épuisés de fatigue. La plupart n'avaient pas de sac, quelques-uns même pas de fusil, et ils racontaient des histoires plus terribles les unes que les autres. Aucun d'ailleurs n'était blessé. On se décida à les loger dans l'église, au grand scandale du curé qui levait les bras au ciel, s'exclamait:

—Sainte Vierge!... dans mon église!... Ah! ah! ah!... des soldats dans mon église!

Jusque-là, uniquement occupé à des fantaisies de destruction, le général n'avait point eu le temps de songer à faire garderie camp, autrement que par un petit poste établi à un kilomètre de Bellomer, sur la route de Chartres, dans un bouchon fréquenté des rouliers. Ce poste, commandé par un sergent, n'avait reçu aucune instruction précise, et les hommes ne faisaient rien, sinon qu'ils flânaient, buvaient et dormaient. Pourtant, le factionnaire qui se promenait, nonchalant, le fusil sur l'épaule devant l'auberge, arrêta un médecin du pays, comme espion allemand, à cause de sa barbe qu'il avait blonde, et de ses lunettes qui étaient bleues. Quant au sergent, ancien braconnier de profession, «se moquant du tiers comme du quart», il s'amusait à tendre des collets aux lapins, dans les haies voisines.

L'arrivée des mobiles, la menace des Prussiens, avaient jeté le désarroi parmi nous. Les cavaliers se succédaient, de minute en minute, porteurs de plis cachetés, d'ordres et de contre-ordres. Les officiers couraient, affairés, sans savoir pourquoi, perdaient la tête. Trois fois, on nous commanda de lever le camp, et trois fois on nous fit dresser les tentes à nouveau. Toute la nuit, trompettes et clairons sonnèrent, et de grands feux brûlèrent, autour desquels, dans une rumeur de plus en plus grandissante, passaient et repassaient des ombres étrangement agitées, des silhouettes démoniaques. Des patrouilles fouillaient la campagne en tous sens, s'enfonçaient dans les traverses, sondaient la lisière de la forêt. L'artillerie, parquée en deçà du bourg, dut se porter en avant, sur la hauteur, mais elle vint se heurter contre la barricade. Pour livrer passage aux canons, il fallut la démolir pièce à pièce, et combler la tranchée.

Au petit jour, ma compagnie partit en grand'garde. Nous rencontrâmes des mobiles, des francs-tireurs égaillés, qui tiraient la jambe lamentablement. Plus loin, le général, accompagné de son escorte, surveillait les manœuvres de l'artillerie. Il tenait, dépliée sur le cou de son cheval, une carte d'état-major, et cherchait en vain le moulin de Saussaie. En se penchant sur la carte que les mouvements de tête du cheval déplaçaient à chaque instant, il criait:

—Où est-il ce sacré moulin-là?... Pongoin ... Courville ... Courville.... Est-ce qu'ils s'imaginent que je connais tous leurs sacrés moulins, moi?...

Le général nous ordonna de faire halte, et il nous demanda:

—Quelqu'un de vous est-il du pays? ... Quelqu'un de vous sait-il où se trouve le moulin de Saussaie?

Personne ne répondit.

—Non?... Eh bien, que le diable l'emporte!

Et il jeta la carte à son officier d'ordonnance, qui se mit à la replier soigneusement. Nous continuâmes notre chemin.

On installa la compagnie dans une ferme et je fus posté en sentinelle, tout près de la route, à l'entrée d'un boqueteau, d'où je découvrais la plaine, immense et rase comme une mer. De-ci, de-là, des petits bois émergeaient de l'océan de terre, semblables à des îles; des clochers de village, des fermes, estompés par la brume, prenaient l'aspect de voiles lointaines. C'était, dans l'énorme étendue, un grand silence, une grande solitude, où le moindre bruit, où le moindre objet remuant sur le ciel, avaient je ne sais quel mystère qui vous coulait dans l'âme une angoisse. Là-haut des points noirs qui tachaient le ciel, c'étaient les corbeaux; là-bas, sur la terre, des points noirs qui s'avançaient, grossissaient, passaient, c'étaient les mobiles fuyards; et, de temps en temps, l'aboi éloigné des chiens qui se répondaient de l'ouest à l'est, du nord au sud, semblait la plainte des champs déserts. Les factions devaient être relevées toutes les quatre heures, mais les heures et les heures s'écoulaient, lentes, infinies et personne ne venait me remplacer. Sans doute, on m'avait oublié. Le cœur serré, j'interrogeais l'horizon du côté des Prussiens, l'horizon du côté des Français; je ne voyais rien, rien que cette ligne implacable et dure qui sertissait le grand ciel gris autour de moi. Depuis longtemps les corbeaux avaient cessé de voler, les mobiles de fuir. Un moment, j'aperçus une charrette qui se rapprochait du bois où j'étais, mais elle tourna par une traverse, bientôt confondue avec le gris du terrain....

Pourquoi me laissait-on ainsi? J'avais faim et j'avais froid; mon ventre criait, mes doigts devenaient gourds.... Je me hasardai à faire quelques pas sur la route; à plusieurs reprises, j'appelai.... Pas un être ne me répondit, pas une chose ne bougea.... J'étais seul, bien seul, tout seul en cette plaine abandonnée et vide.... Un frisson courut dans mes veines, et des larmes montèrent à mes yeux.... J'appelai encore.... Rien.... Alors, je rentrai dans le bois et je m'assis au pied d'un chêne, mon fusil en travers de mes cuisses, l'oreille au guet, attendant.... Hélas! le jour baissa peu à peu; le ciel jaunit, s'empourpra légèrement, puis il s'éteignit dans un silence de mort. Et la nuit tomba sans étoiles et sans lune, sur les champs, tandis qu'une brume glacée se levait de l'ombre.

Depuis que nous étions partis, brisé par les fatigues, toujours occupé à quelque chose, jamais seul, je n'avais pas eu le temps de réfléchir. Pourtant, devant les étranges et cruels spectacles que j'avais sans cesse sous les yeux, je sentais s'éveiller en moi la notion de la vie humaine jusqu'ici endormie dans les engourdissements de mon enfance et les torpeurs de ma jeunesse. Oui, cela s'était éveillé confusément, comme au sortir d'un long et douloureux cauchemar. Et la réalité m'était apparue plus effrayante encore que le rêve. Transposant du petit groupe d'hommes errants que nous étions, à la société tout entière, nos instincts, les appétits, les passions qui nous agitaient, rappelant les visions si rapides et seulement physiques que j'avais eues à Paris, des foules sauvages, des bousculades des individus, je comprenais que la loi du monde, c'était la lutte; loi inexorable, homicide, qui ne se contentait pas d'armer les peuples entre eux, mais qui faisait se ruer, l'un contre l'autre, les enfants d'une même race, d'une même famille, d'un même ventre. Je ne retrouvais aucune des abstractions sublimes d'honneur, de justice, de charité, de patrie dont les livres classiques débordent, avec lesquelles on nous élève, on nous berce, on nous hypnotise pour mieux duper les bons et les petits, les mieux asservir, les mieux égorger. Qu'était-ce donc que cette patrie, au nom de laquelle se commettaient tant de folies et tant de forfaits, qui nous avait arrachés, remplis d'amour, à la nature maternelle, qui nous jetait, pleins de haines, affamés et tout nus, sur la terre marâtre?... Qu'était-ce donc que cette patrie qu'incarnaient, pour nous, ce général imbécile et pillard qui s'acharnait après les vieux hommes et les vieux arbres, et ce chirurgien qui donnait des coups de pied aux malades et rudoyait les pauvres vieilles mères en deuil de leur fils? Qu'était-ce doncque cette patrie dont chaque pas, sur le sol, était marqué d'une fosse, à qui il suffisait de regarder l'eau tranquille des fleuves pour la changer en sang, et qui s'en allait toujours, creusant, de place en place, des charniers plus profonds où viennent pourrir les meilleurs des enfants des hommes? Et j'éprouvai un sentiment de stupeur douloureuse en songeant, pour la première fois, que ceux-là seuls étaient les glorieux et les acclamés qui avaient le plus pillé, le plus massacré, le plus incendié. On condamne à mort le meurtrier timide qui tue le passant d'un coup de surin, au détour des rues nocturnes, et l'on jette son tronc décapité aux sépultures infâmes. Mais le conquérant qui a brûlé les villes, décimé les peuples, toute la folie, toute la lâcheté humaines se coalisent pour le hisser sur des pavois monstrueux; en son honneur on dresse des arcs de triomphe, des colonnes vertigineuses de bronze, et, dans les cathédrales, les foules s'agenouillent pieusement autour de son tombeau de marbre bénit que gardent les saints et les anges, sous l'œil de Dieu charmé!... Avec quels remords, je me repentis d'avoir, jusqu'ici, passé aveugle et sourd, dans cette vie si grosse d'énigmes inexpliquées!... Jamais je n'avais ouvert un livre, jamais je ne m'étais arrêté, un seul instant, devant ces points d'interrogation que sont les choses et les êtres; je ne savais rien. Et voilà que, tout à coup, la curiosité de savoir, le besoin d'arracher à la vie quelques-uns de ses mystères, me tourmentaient; je voulais connaître la raison humaine des religions qui abêtissent, des gouvernements qui oppriment, des sociétés qui tuent; il me tardait d'en avoir fini avec cette guerre pour me consacrer à des besognes ardentes, à de magnifiques et absurdes apostolats. Ma pensée allait vers d'impossibles philosophies d'amour, des folies de fraternité inextinguible. Tous les hommes, je les voyais courbés sous des poids écrasants, semblables au petit mobile de Saint-Michel, dont les yeux suintaient, qui toussait et crachait le sang, et sans rien comprendre à la nécessité des lois supérieures de la nature, des tendresses me montaient à la gorge en sanglots comprimés. J'ai remarqué que l'on ne s'attendrit bien sur les autres que lorsqu'on est soi-même malheureux. N'était-ce point sur moi seul que je m'apitoyais ainsi? Et si, dans cette nuit froide, tout près de l'ennemi qui apparaîtrait peut-être, dans les brumes du matin, j'aimais tant l'humanité, n'était-ce point moi seul que j'aimais, moi seul que j'eusse voulu soustraire aux souffrances? Ces regrets du passé, ces projets d'avenir, cette passion subite de l'étude, cet acharnement que je mettais à me représenter, plus tard, dans ma chambre de la rue Oudinot, au milieu de livres et de papiers, les yeux brûlés par la fièvre du travail, n'était-ce point seulement pour écarter de moi les menaces de l'heure présente, pour effacer d'autres images terribles, des images de mort qui, sans cesse, passaient, livides, dans l'horreur des ténèbres?

La nuit se poursuivait, impénétrable. Sous le ciel qui les couvait d'un regard avare et mauvais, les champs s'étendaient, pareils à une vaste mer d'ombre. De loin en loin, des blancheurs sourdes, de longues traînées de brume flottaient au-dessus, rasant le sol invisible, où les bouquets d'arbres apparaissaient, çà et là, plus noirs dans ce noir. Je n'avais point bougé de la place où je m'étais assis, et le froid m'engourdissait les membres, me gerçait les lèvres. Péniblement, je me levai et contournai le bois. Mes propres pas, sur le sol, m'effrayèrent; il me semblait toujours que quelqu'un marchait derrière moi. J'avançais avec prudence, sur la pointe des pieds, comme si j'eusse craint de réveiller la terre endormie, et j'écoutais, et j'essayais de sonder l'obscurité, car je n'avais pas encore, malgré tout, perdu l'espoir qu'on vînt me relever. Aucun frisson, aucun souffle, aucune lueur, aucune forme précise, dans cette nuit sans yeux et sans voix. Cependant, par deux fois, j'entendis distinctement un bruit de pas, et le cœur me battait très fort.... Mais le bruit s'éloigna, diminua peu à peu, cessa, et le silence redevint plus pesant, plus redoutable, plus désespéré.... Une branche me frôla le visage; je reculai, saisi d'épouvante. Plus loin, un renflement de terrain me fit l'effet d'un homme qui, bombant le dos, aurait rampé vers moi; je chargeai mon fusil.... A la vue d'une charrue abandonnée, dont les deux bras se dressaient dans le ciel, comme des cornes menaçantes de monstre, le souffle me manqua et je faillis tomber à la renverse.... J'avais peur de l'ombre, du silence, du moindre objet qui dépassait la ligne d'horizon et que mon imagination affolée animait d'un mouvement de vie sinistre.... Malgré le froid, la sueur me coulait en grosses gouttes sur la peau. J'eus l'idée de quitter mon poste, de retourner au camp, me persuadant par d'ingénieux et lâches raisonnements, que les camarades m'avaient oublié et qu'ils seraient très heureux de me retrouver.... Évidemment, puisque je n'avais pas été relevé de ma faction, puisque je n'avais vu passer aucune ronde d'officier, c'est qu'ils étaient partis!... Et si, par hasard, je me trompais, quelle excuse donner, et comment serais-je reçu là-bas?... Aller à la ferme, où ma compagnie s'était arrêtée le matin, et y demander des renseignements?... J'y songeai.... Mais, dans mon trouble, j'avais perdu le sentiment de l'orientation, et je me serais infailliblement égaré, en cette plaine immense et si noire.... Alors, une abominable pensée me traversa l'esprit.... Oui, pourquoi ne pas me tirer un coup de fusil dans le bras, et m'enfuir ensuite, sanglant et blessé, et raconter que j'avais été assailli par les Prussiens?... Je fis un violent effort sur moi-même, pour ressaisir ma raison qui s'envolait, je rassemblai tout ce qui restait en moi de force morale, afin de me soustraire à cette lâche et odieuse suggestion, à cette ivresse maudite de la peur, et je m'acharnai à retrouver des souvenirs d'autrefois, à évoquer de douces et souriantes images, au souffle embaumé, aux ailes blanches.... Images et souvenirs m'arrivaient, ainsi qu'en un songe pénible, déformés, tronqués, hallucinés, et une terreur les mettait aussitôt en déroute.... La Vierge de Saint-Michel, aux chairs si roses, au manteau bleu, constellé d'argent, je la revoyais impudique, se prostituant sur un lit de bouge, à des soldats ivres; les coins préférés de la forêt de Tourouvre, si paisibles, où j'aimais tant à demeurer, des journées entières, étendu sur de la mousse, se bouleversaient, s'enchevêtraient, brandissaient sur moi leurs arbres géants; puis, dans l'air, se croisaient des obus figurant des visages connus qui ricanaient; l'un de ces projectiles déploya soudain de grandes ailes, couleur de flamme, tourna autour de moi, m'enveloppa.... Je poussai un cri.... Mon Dieu! allais-je donc devenir fou? Je me tâtai la gorge, la poitrine, les reins, les jambes.... Je devais être d'une pâleur de cadavre, et je sentais un petit froid me monter du cœur au cerveau comme une vrille d'acier.... «Voyons, voyons!» me disais-je tout haut, pour bien m'assurer que je ne dormais pas, que j'existais.... «Allons, allons!» J'avalai en deux gorgées le reste d'eau-de-vie de ma gourde, et je me mis à marcher très vite, écrasant les mottes de terre sous mes pieds, avec rage, sifflant l'air d'une chanson de pioupiou que nous entonnions en chœur, pour tromper la longueur des étapes. Un peu calmé, je regagnai mon chêne et battis la semelle, à coups précipités, contre le tronc. J'avais besoin de ce bruit et de ce mouvement.... Et voilà que je pensai à mon père, si seul dans le Prieuré. Il y avait plus de trois semaines que je n'avais reçu de lettre de lui. Ah! comme la dernière était triste et navrante!... Il ne se plaignait de rien, mais on y sentait un découragement profond, un ennui d'être dans cette grande maison vide, et un effroi de me savoir errant, sac au dos, à travers le hasard des batailles.... Pauvre père! Il n'avait pas été heureux avec ma mère, malade, toujours irritée, qui ne l'aimait pas et ne pouvait supporter sa présence près d'elle.... Et jamais, au plus fort des rebuffades et des duretés, jamais un geste de colère, jamais un mot de reproche!... Il courbait le dos, ainsi qu'un bon chien, et s'en allait.... Ah! comme je me repentais de ne l'avoir pas assez aimé. Peut-être ne m'avait-il pas élevé comme il aurait dû. Mais qu'importe! Il avait fait ce qu'il avait pu!... Lui-même était sans expérience de la vie, sans force contre le mal, d'une bonté timide et peureuse. Et à mesure que les traits de mon père se représentaient à moi, jusque dans leurs moindres détails, le visage de ma mère s'embrumait, s'effaçait, et je ne pouvais plus en rappeler les contours chéris. Dans cet instant, toutes les tendresses que j'avais données à ma mère, je les reportai sur mon père. Je me souvenais avec attendrissement quand, le jour de la mort de ma mère, me prenant sur ses genoux, il me dit: «Cela vaut peut-être mieux ainsi.» Et je comprenais aujourd'hui tout ce que cette phrase résumait de douleurs passées et d'épouvantement dans l'avenir. C'était pour elle qu'il disait cela, pour moi aussi, qui ressemblais tant à ma mère, et non pour lui, le malheureux homme, qui s'était résigné à tout souffrir.... Depuis trois ans, il avait bien vieilli: sa haute taille se cassait, son visage, si rouge de santé, jaunissait et se ridait, ses cheveux devenaient presque blancs. Il ne guettait plus les oiseaux du parc, laissait les chats brousser dans les lianes et laper l'eau du bassin; à peine s'il s'intéressait encore à son étude, dont il abandonnait la direction au premier clerc, homme de confiance qui le volait; il ne s'occupait plus de ses petites affaires d'ambition locale. Il ne fût point sorti, n'eût point bougé de son fauteuil à oreillettes,—qu'il avait fait descendre à la cuisine, ne voulant pas rester seul,—sans Marie, qui lui apportait sa canne et son chapeau.

—Allons, Monsieur, il faut remuer un peu. Vous êtes tout ubi, là, dans vot' coin....

—Bien, bien, Marie, je vais remuer.... Je vais aller au bord de la rivière, si tu veux.

—Non, Monsieur, c'est dans la forêt qu'il faut que vous alliez.... L'air vous vaut mieux là....

—Bien, bien, Marie, je vais aller dans la forêt.

Parfois, le voyant alourdi, ensommeillé, elle lui frappait sur l'épaule:

—Pourquoi qu'vous prenez pas vot' fusil, Monsieur? Il y a joliment des pinsons, dans le parc.

Et mon père, la regardant d'un air de reproche, murmurait:

—Des pinsons!... Les pauv' bêtes!

Pourquoi mon père ne m'écrivait-il plus? Mes lettres lui parvenaient-elles, seulement?... Je me reprochai d'y avoir mis jusqu'ici trop de sécheresse, et je me promis bien de lui écrire le lendemain, dès que je le pourrais, une longue, affectueuse lettre, dans laquelle je laisserais déborder tout mon cœur.

Le ciel s'éclaircissait légèrement, là-bas, à l'horizon dont le contour se découpait plus net sur une lueur plus bleue. C'était toujours la nuit, les champs restaient sombres, mais on sentait que l'aube se faisait proche. Le froid piquait plus dur, la terre craquait plus ferme sous les pas, l'humidité se cristallisait aux branches des arbres. Et, peu à peu, le ciel s'illumina d'une lueur d'or pâle, grandissante. Lentement, des formes sortaient de l'ombre, encore incertaines et brouillées; le noir opaque de la plaine se changeait en un violet sourd que des clartés rasaient, de distance en distance.... Tout à coup, un bruit m'arriva, faible d'abord, comme le roulement très lointain d'un tambour.... J'écoutai, le cœur battant.... Un moment, le bruit cessa et des coqs chantèrent.... Au bout de dix minutes, peut-être, il reprit plus fort, plus distinct, se rapprochant.... Patara! patara! c'était sur la route de Chartres, un galop de cheval.... Instinctivement, je bouclai mon sac sur mon dos, et m'assurai que mon fusil était chargé.... J'étais très ému; les veines de mes tempes se gonflaient.... Patara! patara! Cela devait être tout près de moi, ce galop, car il me semblait que je percevais le souffle du cheval et des tintements clairs d'acier.... Patara! patara!... A peine avais-je eu le temps de m'accroupir derrière le chêne qu'à vingt pas de moi, sur la route, une grande ombre s'était dressée, subitement immobile, comme une statue équestre de bronze. Et cette ombre, qui s'enlevait presque entière, énorme, sur la lumière du ciel oriental, était terrible! L'homme me parut surhumain, agrandi dans le ciel démesurément!... Il portait la casquette plate des Prussiens, une longue capote noire, sous laquelle la poitrine bombait largement. Était-ce un officier, un simple soldat? Je ne savais, car je ne distinguais aucun insigne de grade sur le sombre uniforme.... Les traits, d'abord indécis, s'accentuèrent. Il avait des yeux clairs, très limpides, une barbe blonde, une allure de puissante jeunesse; son visage respirait la force et la bonté, avec je ne sais quoi de noble, d'audacieux et de triste qui me frappa. La main à plat sur la cuisse, il interrogeait la campagne devant lui, et, de temps en temps, le cheval grattait le sol du sabot et soufflait dans l'air, par les naseaux frémissants, de longs jets de vapeur.... Évidemment, ce Prussien était là en éclaireur, il venait afin de se rendre compte de nos positions, de l'état du terrain; toute une armée grouillait, sans doute, derrière lui, n'attendant pour se jeter sur la plaine, qu'un signal de cet homme!... Bien caché dans mon bois, immobile, le fusil prêt, je l'examinais.... Il était beau, vraiment; la vie coulait à plein dans ce corps robuste. Quelle pitié! Il regardait toujours la campagne, et je crus m'apercevoir qu'il la regardait plus en poète qu'en soldat.... Je surprenais dans ses yeux une émotion.... Peut-être oubliait-il pourquoi il se trouvait là, et se laissait-il gagner par la beauté de ce matin jeune, virginal et triomphant. Le ciel était devenu tout rouge; il flambait glorieusement; les champs, réveillés, s'étiraient, sortaient l'un après l'autre de leurs voiles de vapeur rose et bleue, qui flottaient ainsi que de longues écharpes, doucement agitées par d'invisibles mains. Des arbres grêles, des chaumines émergeaient de tout ce rose et de tout ce bleu; le pigeonnier d'une grande ferme, dont les toits de tuile neuve commençaient de briller, dressait son cône blanchâtre dans l'ardeur pourprée de l'orient.... Oui, ce Prussien parti avec des idées de massacre, s'était arrêté, ébloui et pieusement remué, devant les splendeurs du jour renaissant, et son âme, pour quelques minutes, était conquise à l'Amour.

—C'est un poète, peut-être, me disais-je, un artiste; il est bon, puisqu'il s'attendrit.

Et, sur sa physionomie, je suivais toutes les sensations de brave homme qui l'animaient, tous les frissons, tous les délicats et mobiles reflets de son cœur ému et charmé.... Il ne m'effrayait plus. Au contraire, quelque chose comme un vertige m'attirait vers lui, et je dus me cramponner à mon arbre, pour ne pas aller auprès de cet homme. J'aurais désiré lui parler, lui dire que c'était bien, de contempler le ciel ainsi, et que je l'aimais de ses extases.... Mais son visage s'assombrit, une mélancolie voila ses yeux.... Ah! l'horizon qu'ils embrassaient était si loin, si loin! Et par de là cet horizon, un autre; et derrière cet autre, un autre encore!... Il faudrait conquérir tout cela!... Quand donc aurait-il fini de toujours pousser son cheval sur cette terre nostalgique, de toujours se frayer un chemin à travers les ruines des choses et la mort des hommes, de toujours tuer, de toujours être maudit!... Et puis, sans doute, il songeait à ce qu'il avait quitté; à sa maison, qu'emplissait le rire de ses enfants, à sa femme, qui l'attendait en priant Dieu.... Les reverrait-il jamais?... Je suis convaincu, qu'à cette minute même, il évoquait les détails les plus fugitifs, les habitudes les plus délicieusement enfantines de son existence de là-bas ... une rose cueillie, un soir, après dîner, et dont il avait orné les cheveux de sa femme, la robe que celle-ci portait quand il était parti, un nœud bleu au chapeau de sa petite fille, un cheval de bois, un arbre, un coin de rivière, un coupe-papier.... Tous les souvenirs de ses joies bénies lui revenaient, et, avec cette puissance de vision qu'ont les exilés, il embrassait, d'un seul regard découragé, tout ce par quoi, jusqu'ici, il avait été heureux.... Et le soleil se leva, élargissant encore la plaine, reculant, encore plus loin, le lointain horizon.... Cet homme, j'avais pitié de lui, et je l'aimais; oui, je vous le jure, je l'aimais!... Alors, comment cela s'est-il fait?... Une détonation éclata, et dans le même temps que j'avais entrevu à travers un rond de fumée une botte en l'air, le pan tordu d'une capote, une crinière folle qui volait sur la route ... puis rien, j'avais entendu, le heurt d'un sabre, la chute lourde d'un corps, le bruit furieux d'un galop ... puis rien.... Mon arme était chaude et de la fumée s'en échappait ... je la laissai tomber à terre.... Étais-je le jouet d'une hallucination?... Mais non!... De la grande ombre qui se dressait au milieu de la route, comme une statue équestre de bronze, il ne restait plus rien qu'un petit cadavre, tout noir, couché, la face contre le sol, les bras en croix.... Je me rappelai le pauvre chat que mon père avait tué, alors que de ses yeux charmés, il suivait dans l'espace, le vol d'un papillon ... moi, stupidement, inconsciemment, j'avais tué un homme, un homme que j'aimais, un homme en qui mon âme venait de se confondre, un homme qui, dans l'éblouissement du soleil levant, suivait les rêves les plus purs de sa vie!... Je l'avais peut-être tué à l'instant précis où cet homme se disait: «Et quand je reviendrai là-bas....» Comment? pourquoi?... Puisque je l'aimais, puisque, si des soldats l'avaient menacé, je l'eusse défendu, lui, lui, que j'avais assassiné! En deux bonds, je fus près de l'homme ... je l'appelai; il ne bougea pas.... Ma balle lui avait traversé le cou, au-dessous de l'oreille, et le sang coulait d'une veine rompue avec un bruit de glou-glou, s'étalait en mare rouge, poissait déjà à sa barbe.... De mes mains tremblantes, je le soulevai légèrement, et la tête oscilla, retomba inerte et pesante.... Je lui tâtai la poitrine, à la place du cœur: le cœur ne battait plus.... Alors, je le soulevai davantage, maintenant sa tête sur mes genoux et, tout à coup, je vis ses deux yeux, ses deux yeux clairs, qui me regardaient tristement, sans une haine, sans un reproche, ses deux yeux qui semblaient vivants!... Je crus que j'allais défaillir, mais rassemblant mes forces dans un suprême effort, j'étreignis le cadavre du Prussien, le plantai tout droit contre moi, et, collant mes lèvres sur ce visage sanglant, d'où pendaient de longues baves pourprées, éperdûment, je l'embrassai!...

A partir de ce moment, je ne me souviens pas bien.... Je revois de la fumée, des plaines couvertes de neige, et de ruines qui brûlaient sans cesse; toujours des fuites mornes, des marches hallucinantes, dans la nuit; des bousculades, au fond des chemins creux, encombrés par les fourgons des munitionnaires, où des dragons, la latte en l'air, poussaient sur nous leurs chevaux, et cherchaient à se frayer un chemin, à travers les voitures; je revois des carrioles funèbres, pleines de cadavres de jeunes hommes que nous enfouissions au petit jour dans la terre gelée, en nous disant que ce serait notre tour le lendemain; je revois, près des affûts de canon, émiettés par les obus, de grandes carcasses de chevaux, raidies, défoncées, sur lesquelles le soir nous nous acharnions, dont nous emportions jusque sous nos tentes, des quartiers saignants, que nous dévorions en grognant, en montrant les crocs, comme des loups!... Et je revois le chirurgien, les manches de sa tunique retroussées, la pipe aux dents, désarticuler, sur une table, dans une ferme, à la lueur fumeuse d'un oribus, le pied d'un petit soldat, encore chaussé de ses godillots!... Mais je revois surtout le Prieuré, quand, bien las, tout endolori de ces souffrances, tout meurtri par ces navrements de la défaite, j'y rentrai un jour de clair soleil.... Les fenêtres de la grande maison étaient closes, les persiennes mises partout.... Félix, plus courbé, ratissait l'allée, et Marie, assise près de la porte de la cuisine, tricotait une paire de bas, en dodelinant de la tête.

—Eh bien! Eh bien! criai-je, c'est comme cela qu'on me reçoit?

Dès qu'ils m'eurent aperçu, Félix s'en alla comme effaré, et Marie, toute blanche, poussa un cri.

—Qu'y a-t-il donc? demandai-je, le cœur serré.... Et mon père?...

La vieille fille me regarda fixement.

—Comment, vous ne saviez pas?... Vous n'aviez rien reçu?... Ah! mon pauv' Monsieur Jean! mon pauv' Monsieur Jean!

Et, les yeux pleins de larmes, elle étendit le bras dans la direction du cimetière.

—Oui! Oui! c'est là qu'il est, maintenant, avec Madame, fit-elle d'une voix sourde.

III

—Toc, toc, toc

Et, en même temps, dans l'entre-bâillement de la porte, une petite capote de loutre se montra, puis deux yeux souriants, sous une voilette, puis un long manteau de fourrure, qui dessinait un corps mince de jeune femme.

—Je ne vous dérange pas?... On peut entrer?

Le peintre Lirat leva la tête.

—Ah! c'est vous, Madame! dit-il d'un ton bref, presque irrité, en secouant ses mains salies de pastel ... mais oui, certainement.... Entrez donc!

Il quitta son chevalet, offrit un siège.

—Charles va bien? demanda-t-il.

—Très bien, je vous remercie.

Elle s'assit, toujours souriante, et son sourire vraiment était charmant et triste. Quoique voilés de gaze, ses yeux clairs, d'un bleu rose, ses yeux très grands qui l'illuminaient toute, me parurent d'une douceur infinie.... Elle était mise fort élégamment, sans recherches prétentieuses. Un peu trop parfumée pourtant.... Il y eut un moment de silence.

L'atelier du peintre Lirat, situé dans une cité tranquille du faubourg Saint-Honoré, la cité Rodrigues, était une vaste pièce nue, aux murs gris, aux charpentes visibles, sans meubles. Lirat l'appelait familièrement «son hangar». Un hangar, en effet, où la bise soufflait, où la pluie tombait du toit par de petites crevasses. Deux longues tables, en bois blanc, supportaient des boîtes de pastel, des cahiers, des blocs, des manches d'éventails, des albums japonais, des moulages, un fouillis d'objets inutiles et bizarres. Près d'une armoire-bibliothèque, tapissée de vieux journaux, dans un coin, beaucoup de cartons, de toiles, d'études qui montraient le châssis. Un divan fort délabré, rendant des sons de piano désaccordé, dès qu'on faisait mine de s'y asseoir; deux fauteuils bancroches, une glace sans cadre, constituaient le seul luxe de l'atelier, qu'un jour très vibrant éclairait. L'hiver, quand il avait modèle, Lirat allumait son petit poêle de fonte, dont le tuyau coupé d'angles brusques, maintenu par des fils de fer et couvert de rouille, zigzaguait au milieu de la pièce, avant de se perdre, par un trou trop large, dans le toit. Hormis ces jours-là, même par les plus grands froids, il remplaçait le feu du poêle par une vieille pelisse d'astrakan, usée, pelée, galeuse, qu'il endossait, chaque fois, avec une ostentation manifeste. Lirat avait la vanité—une vanité enfantine—de cet atelier pauvre, et il séparait de sa nudité, comme les autres peintres de leurs peluches brodées et de leurs tapisseries invariablement historiques. Même, il l'eût désiré plus misérable encore, il en voulait au plancher de n'être pas en terre battue. «C'est à mon atelier que je reconnais les vrais amis, disait-il souvent; ceux-ci reviennent, les autres ne reviennent pas. C'est très commode.» Il en revenait fort peu.

La jeune femme était joliment assise sur sa chaise, le buste à peine incliné en avant, les mains enfouies dans son manchon; de temps en temps, elle en retirait un mouchoir brodé qu'elle portait, d'un geste lent, à sa bouche que je ne voyais pas, à cause de la bordure plus épaisse de la voilette qui la cachait, mais que je devinais très belle, très rouge, d'une courbe exquise. De toute sa personne, élégante et fine, d'où, malgré le sourire qui la rendait si séduisante, se dégageait un grand air de décence et même de hauteur, je ne distinguais bien que ces admirables yeux, qui se posaient sur les objets, comme des rayons d'astre, et je suivais ce regard qui allait du plancher aux charpentes, si vibrant de clartés et de caresses. Le silence continuait, inquiétant. Je pensai que moi seul étais la cause de cette gêne et je me disposais à prendre congé, quand Lirat s'écria:

—Ah! pardon!... J'avais oublié.... Chère madame, permettez-moi de vous présenter M. Jean Mintié, mon ami.

Elle me salua d'un gracieux et câlin mouvement de tête et, d'une voix très douce, qui me remua délicieusement, elle dit:

—Enchantée, Monsieur ... mais, je vous connais beaucoup.

Pendant que, très rouge, je balbutiais quelques paroles confuses et bêtes, Lirat, narquois, intervint.

—Vous n'allez peut-être pas lui faire croire que vous avez lu son livre?

—Je vous demande pardon, M. Lirat.... Je l'ai lu.... Il est très bien.

—Oui, comme mon atelier et comme ma peinture, n'est-ce pas?

—Ah! non, par exemple!

Elle dit cela franchement, d'un rire qui s'éparpilla dans la pièce, ainsi qu'un égosillement d'oiseau.

Ce rire m'avait déplu. Bien que le timbre en fût sonore et hardi, il tintait faux. Je ne le trouvais pas en harmonie avec l'expression si délicatement triste de cette physionomie, et puis, il me blessait à l'égal d'une insulte, dans mon admiration pour le génie de Lirat. Je ne sais pourquoi, il m'eût été doux qu'elle s'enthousiasmât pour ce grand artiste méconnu; qu'elle montrât, à cette minute même, un jugement hautain, des sensations supérieures à celles des autres femmes. En revanche, les façons méprisantes du peintre, son ton d'amère hostilité me choquèrent vivement, je lui en voulais de cette impolitesse affectée, de ce parti pris de grossièreté gamine qui le diminuaient à mes yeux, il me semblait. J'étais mécontent et très gêné. J'essayai de parler de choses indifférentes; il ne me vint à l'esprit aucune idée de conversation.

La jeune femme s'était levée. Elle fit quelques pas dans l'atelier, s'arrêta devant les études entassées l'une sur l'autre, en examina deux ou trois d'un air de dégoût.

—Mon Dieu! monsieur Lirat, dit-elle, pourquoi vous obstinez-vous à peindre des femmes aussi laides, aussi drôlement bâties?

—Si je vous le disais, répliqua Lirat, vous ne comprendriez pas.

—Merci!... Et quand faites-vous mon portrait?

—Il faut demander ça à M. Jacquet, ou bien au photographe.

—Monsieur Lirat?

—Madame!

—Savez-vous pourquoi je suis venue?

—Pour me débiter des tendresses, je suppose.

—D'abord!... Et puis?

—Alors nous jouons aux petits jeux innocents? C'est fort délicat.

—Pour vous prier de venir dîner, chez moi, vendredi. Voulez-vous?

—Vous êtes très aimable, chère madame. Mais, vendredi, précisément, cela m'est tout à fait impossible.... C'est mon jour d'Institut!

—Que vous avez donc de l'esprit!... Charles sera très chagrin de votre refus.

—Vous lui ferez toutes mes excuses, n'est-ce pas?

—Eh bien, adieu, monsieur Lirat!... On gèle chez vous.

En passant devant moi, elle me tendit la main.

—Monsieur Mintié, je suis chez moi tous les jours, de cinq à sept.... Je serai charmée de vous voir ... charmée....

Je m'inclinai en remerciant; et elle partit, laissant dans mes oreilles un peu de la musique de sa voix; dans mes yeux, un peu de la douceur de son regard; et, dans l'atelier, le parfum violent de ses cheveux, de son manteau, de son manchon, de son petit mouchoir.

Lirat s'était remis à travailler, sans prononcer une parole; moi, je feuilletais un livre que je ne lisais point, et, sur les pages remuées, passait et repassait sans cesse l'image de la jeune visiteuse. Je ne me demandais certes pas quelle impression j'avais gardée d'elle, ni si j'en avais gardé une impression; mais, bien qu'elle se fût en allée, elle n'était pas partie tout entière. Il me restait de cette brève apparition quelque chose d'indécis, comme une vapeur qui aurait pris sa forme, où je retrouvais le dessin de la tête, l'inclinaison de la nuque, le mouvement des épaules, l'ondulation de la taille, et ce quelque chose me hantait.... Sur la chaise qu'elle venait de quitter, je la revoyais incertaine et plus charmante, avec ce sourire tendre, lumineux, qui rayonnait d'elle, et lui faisait un halo d'amour.

—Qui donc est cette femme? fis-je tout d'un coup et d'un ton que je m'efforçai de rendre indifférent.

—Quelle femme? dit Lirai.

—Mais celle qui sort d'ici, parbleu!

—Ah! oui! ... mon Dieu! c'est une femme comme les autres.

—Je pense bien.... Cela ne me dit pas comment elle s'appelle, ni qui elle est....

Lirat fouillait dans sa boîte de pastels.... Il répondit négligemment:

—Ça vous intéresse donc, vous, de savoir comment une femme s'appelle? ... Drôle de curiosité!... Elle s'appelle Juliette Roux ... quant à des renseignements biographiques, la police des mœurs vous en fournira autant que vous voudrez, j'imagine.... Je présume que Mlle Juliette Roux se lève tard, qu'elle se fait tirer les cartes, qu'elle trompe et qu'elle ruine, le plus qu'elle peut, ce pauvre Charles Malterre, un brave garçon que vous avez rencontré ici, quelquefois, et dont elle est la maîtresse pour l'instant.... Enfin, elle est comme les autres, avec cette aggravation qu'elle est plus jolie que beaucoup, par conséquent plus bête et plus mal-faisante.... Tenez, ce divan, là, où vous êtes, c'est Charles qui l'a démoli, à force de se coucher dessus et d'y pleurer des journées entières, en me racontant ses malheurs, comprenez-vous? Un jour, il l'avait surprise avec un croupier de cercle; un autre jour avec un cabot des Bouffes.... Il y avait aussi une histoire de lutteur de Neuilly, à qui elle donnait vingt-francs et les vieux pantalons de Charles. C'est plein d'idylles, ainsi que vous voyez.... J'aime beaucoup Malterre, parce qu'il est bon et que sa bêtise m'attendrit.... Il me faisait pitié vraiment.... Mais que dire à des gens comme ça, dont l'amour est la grande affaire de la vie, et qui ne peuvent voir un dos de femme sans y coudre des ailes de rêve, et le lancer aux étoiles?... Rien, n'est-ce pas?... D'autant que le malheureux, au milieu de ses colères et de ses sanglots, tirait vanité de ce que Juliette eût reçu une bonne éducation.... Il se vantait, en se tordant les bras de douleur, qu'elle fût sortie, non de la cuisse d'un concierge, mais de celle d'un médecin.... Et il montrait des lettres d'elle, en insistant sur la correction de l'orthographe et le tour élégant des phrases!... Il semblait me dire: «Comme je souffre, mais comme c'est bien écrit.» Quelle pitié!

—Ah! vous les aimez, les femmes, vous! m'écriai-je, quand il eut fini sa tirade.

Et bêtement, j'ajoutai:

—On dirait que vous en avez beaucoup souffert!

Lirat haussa les épaules et sourit.

—Vous parlez comme M. Delaunay, de la Comédie-Française.... Non, mon bon ami, je n'en ai pas souffert; j'en ai vu souffrir les autres et cela m'a suffi.... comprenez-vous?

Soudain, sa voix s'enfla; une lueur presque farouche brilla dans ses yeux. Il reprit:

—Des gens, des pauvres diables comme Charles Malterre, on leur met le pied sur la gorge, ils disparaissent dans le sang, dans la boue, dans cette boue atroce pétrie des mains de la femme; c'est malheureux, sans doute.... Pourtant, l'humanité ne réclame pas; on ne lui a rien volé.... Ils disparaissent, et tout est dit.... Mais des artistes, des hommes de notre race, des grands cœurs et des grands cerveaux, perdus, étouffés, vidés, tués!... Comprenez-vous?

Sa main tremblait, il écrasa son crayon sur la toile.

—J'en ai connu trois, trois admirables, trois divins; deux sont morts pendus; l'autre, mon maître, à Bicêtre, dans un cabanon!... De ce pur génie, il ne reste qu'un paquet de chair pâle, une sorte d'animal hallucinant, qui grimace et qui hurle, l'écume aux dents!... Et dans le troupeau des avortés, combien de jeunes espoirs ont succombé sous les serres de la bête de proie! Comptez-les donc, les lamentables, les effarés, les éclopés, ceux-là qui avaient des ailes, et qui se traînent sur leurs moignons; ceux-là qui grattent la terre et mangent leurs ordures! Vous-même, tout à l'heure ... cette Juliette, vous la regardiez avec extase ... vous étiez prêt à tout, pour un baiser d'elle.... Ne dites pas non, je vous ai vu.... Oh! tenez, sortons; c'est fini, je ne peux plus travailler.

Il se leva, marcha dans l'atelier avec agitation. Gesticulant et colère, il bousculait les chaises, les cartons, éventrait les études à coups de pied, je crus qu'il devenait fou. Ses yeux, injectés de sang, s'égaraient; il était tout pâle et les mots sortaient, grinçants, par saccades, de sa bouche qui se contracta.

—Être nés de la femme, des hommes!... quelle folie! Des hommes, s'être façonnés dans ce ventre impur!... Des hommes, s'être gorgés des vices de la femme, de ses nervosités imbéciles, de ses appétits féroces, avoir aspiré le suc de la vie à ses mamelles scélérates!... La mère!... Ah! oui, la mère!... La mère divinisée, n'est-ce pas?... La mère qui nous fait cette race de malades et d'épuisés que nous sommes, qui étouffe l'homme dans l'enfant, et nous jette sans ongles, sans dents, brutes et domptés, sur le canapé de la maîtresse et le lit de l'épouse....

Lirat s'arrêta un instant; il suffoquait. Puis, rassemblant ses mains et nouant ses doigts crispés, dans l'espace, autour d'un cou imaginaire, follement, terriblement, il cria:

—Voilà ce qu'on devrait leur faire, à toutes, à toutes.... Comprenez-vous?... hein ... dites!... à toutes.

Et il recommença à marcher, de long en large, jurant, frappant du pied. Mais ce dernier cri de colère l'avait visiblement soulagé.

—Voyons, mon bon Lirat, lui dis-je, calmez-vous.... Que c'est bête de vous faire du mal, et à propos de quoi, je vous prie?... Voyons, vous n'êtes pas une femme....

—C'est vrai, aussi, vous m'avez agacé avec cette Juliette.... Qu'est-ce que cela vous regardait, cette Juliette?...

—N'était-il pas naturel que je désirasse savoir le nom d'une personne à qui vous m'aviez présenté!... Et puis, franchement, en attendant qu'on ait inventé une machine autre que la femme pour fabriquer les enfants....

—En attendant, je suis une brute, interrompit Lirat, qui se rassit un peu honteux, devant son chevalet, et d'une voix tout à fait apaisée, me demanda:

—Mon petit Mintié, voulez-vous me donner un mouvement pour mon bonhomme?... Ça ne vous ennuie pas?... Dix minutes seulement.

Joseph Lirat avait quarante-deux ans. Je l'avais connu, un soir, par hasard, je ne sais plus où; et, bien qu'il ne fût pas ordinairement expansif, bien qu'il eût la réputation d'être misanthrope, insociable et méchant, il me prit, tout de suite, en affection. N'est-il point affolant de penser que nos meilleures amitiés, qui devraient être le résultat d'une lente sélection; que les événements les plus graves de notre vie, qui devraient n'être amenés que par un enchaînement logique des causes, ne sont, la plupart du temps, que le produit instantané du hasard? Vous êtes chez vous, dans votre cabinet, tranquillement assis devant un livre. Au dehors, le ciel est gris, l'air froid: il pleut, le vent souffle, la rue est morose et boueuse; par conséquent, vous avez toutes les bonnes raisons du monde de ne point bouger de votre fauteuil.... Vous sortez, cependant, poussé par un ennui, par un désœuvrement, par vous ne savez quoi, par rien ... et voilà qu'au bout de cent pas vous avez rencontré l'homme, la femme, le fiacre, la pierre, la pelure d'orange, la flaque d'eau qui vont bouleverser votre existence, de fond en comble. Au plus douloureux de mes détresses, j'ai souvent pensé à ces choses, et souvent, je me suis dit, avec quels amers regrets! «Pourtant, si le soir où je rencontrai Lirat dans cet endroit oublié où je n'avais que faire assurément, je fusse resté chez moi à travailler, rêver ou dormir, je serais peut-être, aujourd'hui, l'homme le plus heureux de la terre, et rien de ce qui m'est arrivé ne serait arrivé.» Et cette minute d'hésitation banale, cette minute où j'ai dû me demander, indifférent: «Voyons, sortirai-je? ne sortirai-je pas?» cette minute a contenu l'acte le plus considérable de ma vie; ma destinée tout entière a été réglée en cette minute brève, qui, dans mes souvenirs, n'a pas laissé plus de traces que n'en laisse au ciel le coup de vent qui abat la maison et qui déracine le chêne! Je me souviens des plus insignifiants détails de mon existence.... Tenez, je me souviens d'un costume de velours bleu, se laçant par devant, que je portais, le dimanche, étant tout petit; je pourrais, oui, je pourrais, je vous le jure, compter, sur la soutane du curé Blanchetière, les taches de graisse, ou bien les grains de tabac qu'il laissait tomber, en humant sa prise. Chose folle et déconcertante; très souvent, même quand je pleure, même en regardant la mer, même en contemplant le soleil qui se couche sur la plaine émerveillée, je revois par un retour odieux de l'ironie qui est au fond de nos idéals, de nos rêves et de nos souffrances, je revois, sur le nez d'un vieux garde que nous avions, le père Lejars, une grosse verrue, grumeleuse et comique, avec ses quatre poils qui servaient de perchoir aux mouches.... Eh bien, cette minute qui a décidé de ma vie, qui m'a coûté le repos, l'honneur, et m'a fait pareil à un chien galeux; cette minute, j'ai beau vouloir la reconstituer, la rétablir, à l'aide d'indications physiques et d'impressions morales, je ne la retrouve pas. Ainsi, il s'est passé, dans le cours de mon existence, un événement formidable, un seul, puisque tous les autres découlent de lui, et il m'échappe absolument!... J'en ignore l'instant, le lieu, les circonstances, la raison déterminante.... Alors, que sais-je de moi?... que peuvent savoir les hommes d'eux-mêmes, s'ils sont vraiment dans l'impuissance de remonter jusqu'à la source de leurs actions? Rien, rien, rien! Et faudra-t-il donc expliquer les énigmes que sont les phénomènes de notre cerveau et les manifestations de notre soi-disant volonté, par la poussée de cette force aveugle et mystérieuse, la fatalité humaine?... Mais il ne s'agit point de cela.

J'ai dit que j'avais rencontré Lirat, un soir, par hasard, je ne sais plus où, et que, tout de suite, il me prit en affection.... C'était le plus original des hommes.... Par sa tenue sévère, d'une raideur mécanique et magistrale, ayant, dans ses allures, quelque chose d'officiel, il donnait, au premier abord, la sensation d'une sorte de fonctionnaire articulé, de marionnette orléaniste, telle qu'on en fabrique, dans les parlottes, pour les guignols des parlements et des académies. De loin, il avait positivement l'air de distribuer des décorations, des bureaux de tabac et des prix de vertu. Cette impression se dissipait vite; il suffisait, pour cela, d'entendre, ne fût-ce que cinq minutes, sa conversation nette, colorée, fourmillante d'idées rares, et, surtout, de subir la domination de son regard, un regard extraordinaire, ivre et froid tout ensemble, un regard à qui toutes les choses étaient connues, qui entrait en vous, malgré vous, comme une vrille, profondément. Je l'aimais beaucoup, moi aussi; seulement, il ne se mêlait à mon amitié aucune douceur, aucune tendresse; je l'aimais avec crainte, avec gêne, avec ce sentiment pénible que j'étais tout petit à côté de lui, et, pour ainsi dire, écrasé par la grandeur de son génie.... Je l'aimais comme on aime la mer, la tempête, comme on aime une force énorme de la nature. Lirat m'intimidait; sa présence paralysait le peu de moyens intellectuels qui étaient en moi, tant je redoutais de laisser échapper une sottise, dont il se serait moqué. Il était si dur, si impitoyable à tout le monde; il savait si bien, chez des artistes, des écrivains que je jugeais supérieurs à moi, infiniment, découvrir le ridicule, et le fixer par un trait juste, inoubliable et féroce, que je me trouvais, vis-à-vis de lui, dans un état de perpétuelle méfiance, de constante inquiétude. Je me demandais toujours: «Que pense-t-il de moi? quels sarcasmes dois-je lui inspirer?» J'avais cette curiosité féminine, qui m'obsédait, de connaître son opinion sur moi; j'essayais, par des allusions lointaines, par des coquetteries absurdes, par des détours hypocrites, de la surprendre ou de la provoquer, et je souffrais si Lirat se taisait, et je souffrais plus encore, s'il me jetait un compliment bref, comme on jette deux sous à un mendiant dont on désire se débarrasser; du moins, je l'imaginais ainsi. En un mot, je l'aimais bien, je vous assure, je lui étais entièrement dévoué; mais, dans cette affection et dans ce dévouement, il y avait une incertitude qui en rompait le charme; il y avait aussi une rancune qui les rendait presque douloureux, la rancune de mon infériorité: jamais je n'ai pu, même au meilleur temps de notre intimité, vaincre ce sentiment de bas et timide orgueil, jamais je n'ai pu jouir en paix d'une liaison que j'estimais à son plus haut prix. Cependant, Lirat se montrait simple avec moi, affectueux souvent, quelquefois paternel, et, de ses très rares amis, j'étais le seul dont il recherchait la société.

Comme tous les contempteurs de la tradition, comme tous ceux-là qui se rebellent contre les préjugés de l'éducation routinière, contre les formules imbécillisantes de l'École, Lirat était très discuté,—je me trompe,—très insulté. Il faut avouer aussi que sa conception de l'art, libre et hautaine, choquait toutes les conventions professées, toutes les idées reçues, et que, par leur puissante synthèse, d'une science prodigieuse qui cachait le métier, ses réalisations déroutaient les amateurs du joli, de la grâce quand même, de la correction glacée des ensembles académiques. Le retour de la peinture moderne vers le grand art gothique, voilà ce qu'on ne lui pardonnait pas. Il avait fait de l'homme d'aujourd'hui, dans sa hâte de jouir, un damné effroyable, au corps miné par les névroses, aux chairs suppliciées par les luxures, qui halète sans cesse sous la passion qui l'étreint et lui enfonce ses griffes dans la peau. En ces anatomies, aux postures vengeresses, aux monstrueuses apophyses, devinées sous le vêtement, il y avait un tel accent d'humanité, un tel lamento de volupté infernale, un emportement si tragique, que, devant elles, on se sentait secoué d'un frisson de terreur. Ce n'était plus l'Amour frisé, pommadé, enrubanné, qui s'en va pâmé, une rose au bec, par les beaux clairs de lune, racler sa guitare sous les balcons; c'était l'Amour barbouillé de sang, ivre de fange, l'Amour aux fureurs onaniques, l'Amour maudit, qui colle sur l'homme sa gueule en forme de ventouse, et lui dessèche les veines, lui pompe les moelles, lui décharne les os. Et, pour donner à ses personnages une plus grande intensité d'horreur, pour faire peser sur eux une malédiction plus irrémédiable encore, il les jetait dans des décors apaisés, souriants, d'une clarté souveraine, des paysages roses et bleus, avec des lointains attendris, des gloires de soleil, des enfoncées de mer radieuse. Autour d'eux, la nature resplendissait de toute la magie de ses couleurs délicates et changeantes.... La première fois qu'il consentit à paraître, avec un groupe d'amis, dans une exposition libre, la critique, et la foule qui mène la critique, poussèrent des clameurs d'indignation. Mais la colère dura peu—car il y a une sorte de noblesse, de générosité dans la colère,—et l'on se contenta de rire. Bientôt, la blague, qui exprime toujours l'opinion moyenne, dans un jet d'immonde salive, la blague vint remplacer très vite la menace des poings tendus. Alors, devant les œuvres superbes de Lirat, l'on se tordit, en se tenant les côtes à deux mains. Les gens spirituels et gais déposèrent des sous sur le rebord des cadres, comme on fait dans la sébile d'un cul-de-jatte, et ce sport—car c'était devenu un sport pour les hommes du meilleur goût et du meilleur monde—fut trouvé charmant. Dans les journaux, dans les ateliers, dans les salons, les cercles et les cafés, le nom de Lirat servit de terme de comparaison, d'étalon obligatoire, dès qu'il s'agissait de désigner une chose folle, ou bien une ordure; il semblait même que les femmes—les filles aussi—ne pussent prononcer qu'en rougissant ce nom réprouvé. Les revues de fin d'année le traînèrent dans les vomissures de leurs couplets; on le chansonna au café-concert. Puis, de «ces centres de l'intelligence parisienne», il descendit jusque dans la rue, où on le revit, fleur populacière, fleurir aux lèvres bourbeuses des cochers, aux bouches crispées des voyous: «Va donc, hé! Lirat!» Ce pauvre Lirat connut vraiment quelques années de popularité charivarique.... On se lasse de tout, même de l'outrage. Paris délaisse aussi vite les fantoches qu'il hisse sur le pavois, que les martyrs qu'il jette aux gémonies; dans son caprice de posséder de nouveaux joujoux, il ne s'acharne pas longtemps après le bronze de ses héros et le sang de ses victimes. Maintenant, le silence se faisait pour Lirat. A peine si, de loin en loin, dans quelques journaux, revenait un écho du passé, sous la forme d'une anecdote déplaisante. Il avait pris, d'ailleurs, le parti de ne plus exposer, disant:

—Laissez-moi donc tranquille!... Est-ce que c'est fait pour être vu, la peinture ... la peinture, hein!... dites!... comprenez-vous?... On travaille pour soi, pour deux ou trois amis vivants, et pour d'autres qu'on n'a pas connus et qui sont morts ... Poë, Baudelaire, Dostoiewsky, Shakespeare ... Shakespeare!... comprenez-vous?... Le reste!... Eh bien! quoi, le reste?... c'est à Bouguereau.

Ayant dû restreindre ses besoins au nécessaire, il vivait de peu, avec une admirable et touchante dignité. Pourvu qu'il gagnât de quoi acheter des brosses, des couleurs et des toiles, payer ses modèles et son propriétaire, faire, chaque année, un voyage d'étude, il n'en demandait pas plus. L'argent ne le tentait point et je suis convaincu qu'il ne cherchait pas le succès. Mais si le succès était venu vers lui, je suis convaincu aussi que Lirat n'eût pu résister à la joie si humaine d'en savourer les malfaisantes délices. Quoiqu'il ne voulût pas en convenir, quoiqu'il affectât de braver gaiement l'injustice, il la ressentait plus qu'un autre, et, dans le fond, il en souffrait cruellement. De même qu'il avait souffert de l'insulte, il souffrit aussi du silence. Une seule fois, un jeune critique publia sur lui, dans un journal très lu, un article enthousiaste et ronflant. L'article était rempli de bonnes intentions, de banalités et d'erreurs; on voyait que son auteur n'était pas très familier avec les choses de l'art, et qu'il ne comprenait rien au talent du grand artiste.

—Vous avez lu?... s'écria Lirat; vous avez lu, hein, dites?... Ces critiques, quels crétins!... à force de parler de moi, vous verrez qu'ils m'obligeront à peindre dans une cave, comprenez-vous?... Est-ce qu'ils me prennent pour un vulgarisateur?... Et puis, qu'est-ce que ça le regarde, celui-là, que je fasse de la peinture, des bottes ou des chaussons de lisière?... C'est de la vie privée, ça!

Pourtant, il avait rangé l'article, précieusement, dans un tiroir et, plusieurs fois, je le surpris, le relisant.... Il avait beau dire, avec un suprême détachement, quand nous nous emportions contre la bêtise du public: «Eh bien, quoi?... vous voudriez peut-être que le peuple fît une révolution, parce je peins en clair?...» ce dédain de la notoriété, cette résignation apparente masquaient de sourdes rancœurs. Au fond de cette âme très tendre, très généreuse, s'étaient accumulées des haines formidables, qui débordaient en verve terrible et méchante sur tout le monde. Si son talent y avait gagné en force, en âpreté, son caractère y avait perdu un peu de sa noblesse originelle, son esprit critique de sa pénétration et de sa netteté. Il lui arrivait de se livrer à des énormités de débinage, qui risquaient de le rendre odieux; parfois, c'étaient des enfantillages qui lui donnaient une pointe de ridicule. Les grands esprits ont presque toujours de petites faiblesses, c'est une loi mystérieuse de la nature, et Lirat n'échappait point à cette loi. Il tenait, avant toutes choses, à sa réputation bien établie d'homme méchant. Il supportait très bien qu'on lui déniât le talent, mais qu'on lui contestât la propriété de faire trembler l'humanité, d'un coup de langue, voilà ce qu'il n'eût jamais toléré. Pour se venger des mots sanglants dont il les marquait, les ennemis de Lirat lui attribuaient des vices contre nature; d'autres, simplement, le disaient épileptique, et ces calomnies grossières et lâches, fortifiées chaque jour de commentaires ingénieux, entretenues d'histoires «certaines» qui faisaient le tour des ateliers, trouvaient des bonnes volontés admirablement disposées, celle-ci par sa propre rancune, celle-là par les seules inconséquences du langage du peintre, à les accueillir et à les répandre.

—Vous savez, Lirat?... Il a eu encore une attaque hier, dans la rue, cette fois.

Et l'on citait les noms de personnes graves, de membres de l'Institut qui avaient assisté à la scène, et qui l'avaient vu, barbouillé d'écume, se rouler dans la boue, en aboyant.

Je dois confesser que moi-même, au début de mes relations avec lui, j'étais fort troublé par tous ces récits. Je ne pouvais considérer Lirat, sans me représenter aussitôt les crises épouvantables dans lesquelles on racontait qu'il s'était débattu. Victime du mirage que fait naître l'obsession de l'idée, il me semblait, souvent, découvrir en lui des symptômes de l'horrible maladie; il me semblait qu'il devenait livide tout à coup, que ses lèvres grimaçaient, que son corps se contractait dans le spasme maudit, que ses yeux hagards, renversés, striés de rouge, fuyaient la lumière et cherchaient l'ombre des trous profonds, pareils aux yeux des bêtes traquées qui vont mourir. Et j'ai regretté de ne pas le voir tomber, hurler, se tordre, là, dans cet atelier tout plein de son génie; là, sous mon regard avide, qui le guettait et qui espérait!... Pauvre Lirat! Et pourtant je l'aimais!...

La journée finissait.... Le long de la cité Rodrigues, on entendait les portes claquer, des pas s'éloigner vite, sur la chaussée; et, dans les ateliers, des voix s'élevaient qui chantaient la bonne tâche terminée. Depuis qu'il s'était remis à son dessin, Lirat ne m'avait adressé la parole que pour rectifier la pose que je gardais mal à son gré.

—La jambe plus par ici.... Encore, voyons!... La poitrine moins effacée!... Pardon, mais vous posez comme un cochon, mon cher Mintié!

Il travaillait, un peu fébrile, un peu haletant, mâchonnant sans cesse sa moustache, laissant parfois échapper un juron. Son crayon mordait la toile avec une sorte de hâte inquiète, de nervosité colère.

—Et zut! cria-t-il, en repoussant son chevalet d'un coup de pied.... Je ne fais que des saloperies aujourd'hui!... Le diable m'emporte, on dirait que je concours pour la médaille d'honneur.

Reculant sa chaise, il examina son dessin d'un air agacé, et grommela:

—Quand il vient des femmes ici, c'est toujours la même histoire.... Les femmes, je crois qu'elles vous laissent, en partant, l'âme de Boulanger, dans la belle patte d'Henner ... d'Henner, comprenez-vous?... Allons-nous-en.

Comme nous nous trouvions au bas de la cité:

—Venez donc dîner avec moi, Lirat? lui dis-je.

—Non, me répondit-il, d'un ton sec, en me tendant la main.

Et il s'éloigna raide, compassé, solennel, de l'allure administrative d'un député qui vient de discuter le budget.

Ce soir-là, je ne sortis point et restai, seul, chez moi, à rêvasser. Allongé sur un divan, les yeux mi-clos, le corps engourdi par la chaleur, sommeillant presque, j'aimais à retourner dans le passé, à ranimer les choses mortes, à battre le rappel des souvenirs enfuis. Cinq années s'étaient écoulées depuis la guerre, cette guerre où j'avais commencé l'apprentissage de la vie, par le désolant métier de tueur d'hommes.... Cinq années déjà!... C'était d'hier, pourtant, cette fumée, ces plaines couvertes de neige rougie et de ruines, ces plaines où, spectres de soldats, nous errions, les reins cassés, lamentablement.... Cinq années seulement!... Et, quand je rentrai au Prieuré, la maison était vide, mon père était mort!...

Mes lettres ne lui parvenaient que rarement, à de longs intervalles, et c'étaient, chaque fois, des lettres courtes, sèches, écrites à la hâte sur le coin de mon sac. Une seule fois, après la nuit de terrible angoisse, j'avais été tendre, affectueux; une seule fois, j'avais laissé déborder tout mon cœur, et cette lettre qui lui eût apporté une douceur, une espérance, un réconfort, il ne l'avait pas reçue!... Tous les matins, m'avait conté Marie, il allait à la grille, une heure avant l'arrivée du facteur, et, en proie à des transes mortelles, il attendait, guettant le tournant de la route. De vieux bûcherons passaient, se rendant à la forêt; mon père les interpellait:

—Hé! père Ribot, vous n'avez point rencontré le facteur, par hasard?

—Pargué! non, m'sieu Mintié.... C'est cor d'bonne heure, aussite....

—Mais non, père Ribot.... Il est en retard....

—Ça se peut ben, m'sieu Mintié, ça se peut ben.

Lorsqu'il apercevait le képi et le collet rouge du facteur, il devenait pâle, révolutionné par la terreur d'une mauvaise nouvelle. A mesure que celui-ci s'approchait, le cœur de mon père battait à se rompre.

—Rien que les journaux, aujourd'hui, m'sieu Mintié!

—Comment!... pas de lettres, encore?... Tu dois te tromper, mon garçon.... Cherche ... cherche bien....

Il obligeait le facteur à fouiller dans sa boîte, à déficeler les paquets, à les retourner....

—Rien!... mais c'est incompréhensible!

Et il rentrait à la cuisine, s'affaissait dans son fauteuil, en poussant un soupir.

—Songe, disait-il à Marie, qui lui tendait alors un bol de lait; songe, Marie, si sa pauvre mère avait vécu!

Dans la journée, au bourg, il visitait les gens qui avaient des fils à la guerre, les conversations étaient toujours les mêmes.

—Eh bien? avez-vous des nouvelles du p'tit gars.

—Mais non, m'sieu Mintié.... Et vous-même, de M. Jean?

—Moi non plus.

—C'est ben curieux, tout d'même.... Comment qu'ça s'fait, dites?... Voyez-vous ça?...

Qu'ils n'eussent point de lettres, eux, ils ne s'en étonnaient qu'à demi; mais que M. Mintié, M. le maire, n'en reçût pas davantage, cela les surprenait beaucoup. On faisait les suppositions les plus extraordinaires; on se livrait à des commentaires ahurissants des informations données par le journal; on consultait les anciens soldats, qui racontaient leurs campagnes avec des détails extravagants et prodigieux; au bout de deux heures, on se séparait, l'esprit plus tranquille.

—Ne vous tourmentez point, m'sieu le maire.... Vot'fi reviendra pour sûr colonel.

—Colonel, colonel! disait mon père, en secouant la tête.... Je n'en demande pas tant.... Qu'il revienne seulement!...

Un jour,—on ne sut jamais comment cela était arrivé,—Saint-Michel se trouva plein de soldats prussiens. Le Prieuré fut envahi; il y eut de grands sabres qui traînèrent dans notre vieille demeure. A partir de ce moment, mon père devint plus souffrant; la fièvre le prit, il s'alita, et, dans son délire, il répétait sans cesse: «Attelle, Félix, attelle, parce que je vais aller à Alençon, pour chercher des nouvelles de Jean.» Il se figurait qu'il partait, qu'il était en route: «Allez, allez, Bichette, allez, psitt!... Nous aurons ce soir des nouvelles de Jean.... Allez, allez, psitt....»! Et mon pauvre père, doucement, s'éteignit entre les bras du curé Blanchetière, entouré de Félix et de Marie qui sanglotaient!...

Après six mois passés dans ce Prieuré, plus triste que jamais, je m'ennuyais à périr.... La vieille Marie, habituée à conduire la maison à sa fantaisie, m'était insupportable, en dépit de son dévouement; ses manies m'exaspéraient, et c'étaient, à toutes les minutes, des discussions où je n'avais pas toujours le dernier mot. Pour unique société, le bon curé qui ne voyait rien de si beau que le notariat, et dont les sermons radoteurs m'agaçaient. Du matin au soir, il me chapitrait ainsi:

—Ton grand-père était notaire, ton père, tes oncles, tes cousins, toute ta famille enfin.... Tu te dois à toi-même, mon cher enfant, de ne pas déserter ce poste.... Tu seras maire de Saint-Michel, tu peux même espérer de remplacer ton pauvre père au conseil général, dans quelques années.... Sapristi, c'est quelque chose, cela? Et puis, je t'en réponds, les temps vont devenir diablement durs aux braves gens qui aiment le bon Dieu.... Tu vois, ce brigand de Lebecq, le voilà du conseil municipal.... Il ne rêve que de piller et d'assassiner, cette canaille-là.... Nous avons besoin, à la tête du pays, d'un homme bien pensant, qui soutienne la religion et défende les bons principes.... Paris, Paris!... Oh! ces têtes folles de jeunes gens!... Mais veux-tu me dire, sacré mâtin, ce que tu as fait de bon à Paris?... L'air est malsain, par là!... Regarde le grand Maugé ... il est de bonne famille, pourtant.... Ça ne l'a pas empêché d'en revenir avec un béret rouge?... Ne voilà-t-il pas une belle affaire?

Et il continuait de la sorte, pendant des heures, reniflant sa prise, agitant le spectre rouge du béret du grand Maugé, qui lui paraissait plus redoutable que les cornes du démon.

Que faire à Saint-Michel?... Personne à qui communiquer mes idées, mes rêves; pas un foyer de vie ardente où dépenser cette activité intellectuelle, ce désir impérieux de savoir et de créer que la guerre, en développant mes muscles, en fortifiant mon corps, avait mis en moi, et que des lectures passionnées surexcitaient, chaque jour, davantage. Je comprenais que Paris seul, qui m'avait tant effrayé jadis, pouvait fournir un aliment aux ambitions encore incertaines dont j'étais tourmenté, et les affaires de la succession terminées, l'étude vendue, brusquement, j'étais parti, laissant le Prieuré à la garde de Félix et de Marie.... Et me voici de retour à Paris!...

Depuis cinq années, qu'y ai-je fait de bon, suivant l'expression du curé?... Porté par des enthousiasmes vagues, par des exaltations confuses, qui mêlaient je ne sais quel art chimérique à je ne sais quel impossible apostolat, où donc suis-je arrivé?... Je ne suis plus l'enfant timide que les valets de pied, dans un vestibule plein de lumières, mettaient en déroute. Si je n'ai pas acquis beaucoup d'aplomb, du moins, je sais me tenir dans le monde, sans y paraître trop ridicule. Je passe à peu près inaperçu, ce qui est la meilleure condition que puisse souhaiter un homme de ma sorte, qui ne possède aucun des agréments et qualités extérieures qu'il faut pour y briller. Très souvent, je me demande ce que je fais là, en ce milieu qui n'est pas le mien, où l'on n'a de respect que pour le succès, si charlatanesque qu'il soit; que pour l'argent, de quelques sentines qu'il vienne; où chaque parole dite m'est une blessure dans ce que j'aime le mieux, dans ce que j'admire le plus.... D'ailleurs, l'homme n'est-il pas le même partout, avec des différences d'éducation qui s'accusent seulement dans les gestes, dans la manière de saluer, dans le plus ou moins de liberté d'allures!... Quoi, c'était cela, ces fiers artistes, ces admirables écrivains, dont on chante la gloire, dont on célèbre le génie ... cela, ces êtres petits, vulgaires, affreusement cuistres, singeant les façons des mondains qu'ils raillent, d'une vanité burlesque, d'une jalousie féroce; à plat ventre, eux aussi, devant l'argent; adorant, les genoux dans la poussière, la Réclame, cette vieille gueuse, qu'ils hissent sur des peluches extravagantes.... Oh! que j'aime mieux les bouviers et leurs bœufs, les porchers et leurs porcs, oui ces porcs, ronds, roses, qui s'en vont, fouillant la terre du groin, et dont le dos gras et lisse reflète le nuage qui passe!... J'ai lu énormément, sans discernement, sans méthode, et, de ces lectures dépareillées, il ne m'est resté dans l'esprit qu'un chaos de faits tronqués et d'idées incomplètes, au milieu duquel je ne saurais me débrouiller.... J'ai tenté de m'instruire de toutes les façons, et je m'aperçois que je suis aussi ignorant aujourd'hui qu'autrefois.... J'ai eu des maîtresses que j'ai aimées huit jours, des blondes sentimentales et romanesques, des brunes farouches, impatientes du baiser, et l'amour ne m'a montré que le vide effroyable du cœur de l'homme, le trompe-l'œil des tendresses, le mensonge de l'idéal, le néant du plaisir.... Croyant m'être arrêté à la formule d'art définitive, par laquelle j'allais étreindre mes aspirations, fixer mes rêves palpitants, vivants, sur l'épingle des mots, j'ai publié un livre dont on a parlé avec éloges et qui s'est bien vendu. Certes, j'ai été flatté de ce petit succès; moi aussi, je m'en suis paré orgueilleusement, comme d'une chose rare, moi aussi, j'ai pris des airs supérieurs afin de mieux tromper les autres. Et, voulant me tromper moi-même, souvent, chez moi, je me suis regardé dans la glace avec une complaisance de comédien, pour découvrir en mes yeux, sur mon front, dans le port auguste de ma tête, les signes certains du génie. Hélas! le succès m'a rendu plus pénible encore l'intime constatation de mon impuissance. Mon livre ne vaut rien; le style en est torturé, la conception enfantine: une déclamation violente, une phraséologie absurde y remplacent l'idée. Parfois, j'en relis des passages applaudis par la critique, et j'y retrouve de tout, de l'Herbert Spencer et du Scribe, du Jean-Jacques Rousseau et du Commerson, du Victor Hugo, du Poë et de l'Eugène Chavette. De moi, dont le nom s'étale en tête du volume, sur la couverture jaune, je ne retrouve rien. Suivant les caprices de ma mémoire, les hantises de mes souvenirs, je pense avec la pensée de l'un, j'écris avec l'écriture de l'autre; je n'ai ni pensée ni style qui m'appartiennent. Et des gens graves dont le goût est sûr, dont le jugement fait loi, ont loué ma personnalité, mon originalité, l'imprévu et le raffinement de mes sensations! Que cela est donc triste!... Où je vais? Je l'ignore aujourd'hui, comme je l'ignorais hier. J'ai cette conviction que je ne puis être un écrivain, car l'effort dont j'étais capable, tout l'effort, je l'ai donné en cette œuvre misérable et décousue.... Si j'avais, au moins, une ambition bien vulgaire, bien basse, des désirs ignobles, les seuls qui ne laissent pas de remords: l'amour de l'argent, des honneurs officiels, de la débauche!... Mais non. Une seule chose me tente à laquelle je n'atteindrai jamais: le talent.... Me dire, ah! oui ... me dire: «Ce livre, ce sonnet, cette phrase sont de toi; tu les as arrachés de ton cerveau, gonflés de ta passion, ta pensée tout entière y frémit; elle secoue sur les pages douloureuses des morceaux de ta chair et des gouttes de ton sang; tes nerfs y résonnent, comme les cordes du violon sous l'archet d'un divin musicien. Ce que tu as fait là est beau, est grand!» Pour cette minute de joie suprême, je sacrifierais ma fortune, ma santé, ma vie; je tuerais!... Et jamais je ne me dirai cela, jamais!... Ah! l'impassible sérénité! Ah! l'éternel contentement de soi-même des médiocres, que je les ai enviés!... Maintenant, il me vient des rages furieuses de retourner à Saint-Michel. Je voudrais pousser la charrue dans le sillon brun, me rouler dans les jeunes luzernes, sentir les bonnes odeurs des étables, et puis, surtout, me perdre, ah! me perdre au fond des taillis, loin, bien loin, plus loin, toujours!...

Le feu s'était éteint, et ma lampe charbonnait; un froid, léger comme une caresse, m'envahissait les jambes, courait sur mes reins avec de petits frissons délicieux. Du dehors, aucun bruit ne m'arrivait; la rue devenait silencieuse. Depuis longtemps déjà je n'entendais plus les lourds omnibus rouler sur la chaussée. Et la pendule sonna deux heures. Mais une paresse me retenait cloué sur mon divan: à être ainsi étendu, je jouissais d'un grand bien-être physique, dans un grand accablement moral. Je dus faire de sérieux efforts pour m'arracher à cette langueur et regagner enfin ma chambre. Il me fut impossible de m'endormir. A peine avais-je clos les paupières, qu'il me semblait que j'étais précipité dans un trou noir très profond, et brusquement, je me réveillais, haletant, la sueur au front. Je rallumai ma lampe, essayai de lire.... Mon attention ne parvenait pas à se fixer sur les lignes du livre qui se dérobaient, s'entre-croisaient, se livraient, sous mes yeux, à une danse fantastique.

—Quelle vie stupide que la mienne! pensai-je.... Les jeunes gens de mon âge rient, chantent, ils sont heureux, insouciants.... Pourquoi donc suis-je ainsi, rongé par d'odieuses chimères? Qui donc m'a mis au cœur cette plaie mortelle de l'ennui et du découragement? Devant eux, un vaste horizon, illuminé de soleil! Moi, je marche dans la nuit, arrête sans cesse par des murs qui me barrent la route et contre lesquels je me cogne en vain le front et les genoux.... C'est qu'ils ont l'amour, peut-être!... Aimer, ah! oui. Si je pouvais aimer!

Et je revis, qui descendait du ciel, la belle vierge de Saint-Michel, la radieuse vierge de plâtre, avec son manteau constellé d'argent, et son nimbe d'or.... Tout autour d'elle, les astres tournaient, s'inclinaient, pareils à des fleurs célestes, et des colombes, ivres de prières, volaient en la frôlant de leurs ailes.... Je me rappelai les extases, les transports d'adoration mystique où elle me ravissait; toutes les joies, si douces, que j'avais éprouvées, rien qu'à la contempler. Ne me parlait-elle pas, aussi, là-bas dans la chapelle? Et ce langage inexprimé, qui coulait dans mon âme d'enfant des tendresses ineffables, ce langage plus harmonieux que la voix des anges et le chant des harpes d'or, ce langage plus parfumé que le parfum des roses, ce langage n'était-il point le langage divin de l'amour? A mesure que j'écoutais, de tous mes sens, ce langage qui était une musique, j'étais enlevé dans un monde inconnu et merveilleux; une féerique vie nouvelle germait, éclatait, florissait autour de moi. L'horizon se reculait jusqu'à l'infini du mystère: l'espace resplendissait comme un intérieur de soleil, et, moi-même, je me sentais devenu si grand, si fort, que, d'un seul embrassement, j'étreignais sur ma poitrine tous les êtres, toutes les fleurs, toutes les nuées de ce paradis, né du regard d'amour qu'avaient échangé une vierge de plâtre et un petit enfant.

—Vierge, bonne Vierge, m'écriai-je.... Parle-moi, parle-moi encore, comme jadis tu me parlais dans la chapelle.... Et redonne-moi l'amour, puisque l'amour, c'est la vie, et que je meurs de ne pouvoir plus aimer.

Mais la Vierge ne m'entendait plus. Elle glissa dans la chambre en faisant des révérences, grimpa sur les chaises, fureta dans les meubles, en chantant des airs étranges. Une capote de loutre remplaçait maintenant son nimbe doré, ses yeux étaient ceux de Juliette Roux, des yeux très beaux, très doux, qui me souriaient dans une face de plâtre, sous un voile de gaze fine. De temps en temps, elle s'approchait de mon lit, balançait au-dessus de moi son mouchoir brodé qui exhalait un parfum violent.

—Monsieur Mintié, disait-elle, je suis chez moi, tous les jours, de cinq à sept.... Et je serai charmée de vous voir, charmée!

—Vierge, bonne Vierge, implorai-je de nouveau, parle-moi, je t'en prie, parle-moi comme autrefois dans la chapelle!

—Tu, tu, tu, tu! chantonnait la Vierge, qui, faisant bouffer sa robe lilas, écartant, du bout de ses doigts effilés et chargés de bagues, son manteau constellé d'argent, se mit à tourner lentement, avec des mouvements de valse, la tête renversée sur les épaules.

—Bonne Vierge! répétai-je d'une voix irritée, mais parle-moi donc!

Elle s'arrêta, se campa devant moi, fit tomber, un à un ses vêtements de plâtre, et, toute nue, impudique et superbe, la gorge secouée d'un rire clair, sonore, précipité:

—Monsieur Mintié, dit-elle, je suis chez moi, tous les jours, de cinq à sept.... Et je vous donnerai les vieux pantalons de Charles.

—Et elle me lança sa capote de loutre à la figure.

Je m'étais dressé sur mon lit.... Les yeux hébétés, la poitrine sifflante, je regardai. Mais la chambre était calme, la lampe continuait de brûler mélancoliquement, et mon livre gisait sur le tapis, les pages en l'air.

Je me réveillai tard, le lendemain, ayant mal dormi, poursuivi, dans mon sommeil coupé de cauchemars, par la pensée de Juliette. Durant cette fin de nuit troublée, fiévreuse, elle ne m'avait pas un instant quitté, prenant les formes les plus extravagantes, se livrant aux plus déplorables fantaisies, et voilà qu'au matin je la retrouvais encore et telle, cette fois, que je l'avais rencontrée, la veille, chez Lirat, avec son air décent, ses manières discrètes et charmantes. J'éprouvai même de la tristesse,—non pas de la tristesse, un regret, le regret qu'on a, à la vue d'un rosier dont toutes les roses seraient fanées et dont les pétales joncheraient la terre boueuse—car je ne pouvais penser à Juliette, sans penser, en même temps, aux paroles méchantes de Lirat: «... Il y avait aussi l'histoire d'un lutteur de Neuilly, à qui elle donnait vingt francs....» Quel dommage!... Quand elle était entrée dans l'atelier, j'aurais juré que c'était la plus vertueuse des femmes.... Rien que sa façon de marcher, de saluer, de sourire, d'être assise, disait la bonne éducation, la vie calme, heureuse, sans hâtes mauvaises, sans remords salissant. Son chapeau, son manteau, sa robe, tous ses ajustements étaient d'une élégance délicate, intime, faite pour la joie d'un seul, pour la gaîté d'une maison solidement verrouillée, fermée aux quêteurs de proies impures.... Et ses yeux tout emplis de tendresses permises, ses yeux d'où rayonnait tant de candeur, tant d'ingénuité, qui semblaient ignorer le mensonge, ses yeux, plus beaux que des lacs hantés de la lune!... «Charles va bien?...» avait demandé Lirat ... Charles?... son mari, parbleu!... Et, naïvement, je me faisais l'idée d'un intérieur respectable, avec de jolis enfants jouant sur les tapis, une lampe familiale, groupant autour de sa douce clarté des êtres simples et bons, un lit pudique, protégé par le crucifix et la branche de buis bénit!... Tout à coup, tombant dans cette paix, le cabot des Bouffes, le croupier de cercle, et Charles Malterre qui démolissait le divan de Lirat, à force de s'y rouler en pleurant de rage!... J'évoquai la physionomie du comédien, une face pâle, plissée, glabre, des yeux cyniques, éraillés, des lèvres ignobles, un col très ouvert, une cravate rose, un veston court, aux plis crapuleux.... J'étais énervé, irrité.... Que m'importait, après tout?... Est-ce que la vie de cette femme me regardait, m'appartenait?... Est-ce que j'avais l'habitude de m'attendrir sur la destinée des filles que le hasard jetait sur mon chemin?... Qu'elle fût ce qu'elle voudrait, Mlle Juliette Roux!... Elle n'était ni ma sœur, ni ma fiancée, ni mon amie; elle ne se rattachait à moi par aucun lien.... Aperçue hier, comme une passante de la rue, comme un de ces mille êtres vagues que l'on frôle, chaque jour, et qui s'en vont et qui s'effacent, elle était déjà retournée au grand tourbillon de l'oubli ... et, plus jamais, je ne la reverrais.... Si Lirat se trompait?... me disais-je tout en déjeunant.... Je connaissais ses exagérations, le besoin qu'il avait d'être méchant, son horreur et son mépris de la femme.... Ce qu'il racontait de Juliette, il le racontait de toutes les autres.... Oui, peut-être que ce comédien, ce croupier, tous les détails de cette existence infâme, où sa verve amère s'était complue, n'existaient que dans son imagination.... Et Charles Malterre?... Sans doute, j'eusse préféré qu'elle fût mariée; il m'eût été agréable qu'elle pût s'appuyer au bras d'un homme, librement, respectée, enviée des plus honnêtes!... Mais elle l'aimait, ce Malterre, elle vivait avec lui, décemment, elle lui était dévouée: «Charles sera très chagrin de votre refus.» J'avais encore dans l'oreille la voix presque suppliante avec laquelle elle prononça ces mots.... Elle s'inquiétait donc de ce qui pouvait plaire ou déplaire à ce Malterre.... Et à la pensée que Lirat, abusant d'une situation fausse, la calomniait odieusement, j'eus le cœur serré, une grande pitié m'envahit, je me surpris à dire tout haut: «Pauvre fille!...» Cependant, ce Malterre s'était roulé sur le divan, il avait pleuré, il avait fait des confidences à Lirat, montré des lettres.... Et puis, après?... Est-ce que je la connaissais, moi, cette femme?... Qu'elle eût tous les chanteurs, tous les croupiers, tous les lutteurs!... au diable!... Et je sortis, fredonnant un air gai, de l'allure dégagée d'un monsieur qui n'a aucun souci dans l'esprit.... Et pourquoi en aurais-je eu, je vous le demande?...

Je descendis les boulevards, m'arrêtant aux boutiques, flânant, malgré le soleil, un avare et pâle sourire de décembre encore imprégné de brume; l'air était froid, piquait dur. Sur le trottoir, des femmes passaient, frileuses, enveloppées de longs manteaux de loutre, quelques-unes coiffées de petites capotes de fourrures, pareilles à celle de Juliette, et, chaque fois, j'étais intéressé par ce manteau et par cette capote. Je les regardais vraiment avec plaisir, j'aimais à les suivre de l'œil jusqu'à ce qu'ils eussent disparu dans la foule. Au coin de la rue Taitbout, je me souviens, je croisai une femme grande, mince, jolie et ressemblant à Juliette, au point que je mis la main à mon chapeau, prêt à saluer. J'eus une émotion,—oh! ce n'était pas le coup violent au cœur, qui arrête la respiration, vous casse les veines et vous étourdit; c'était un effleurement, une caresse, quelque chose de très doux, qui amène un sourire sur les lèvres, et dans les yeux un épanouissement.... Mais cette femme n'était pas Juliette.... J'en eus une sorte de dépit, et je me vengeai d'elle en la trouvant très laide.... Déjà deux heures!... Si j'allais voir Lirat?... A quoi bon?... Le faire parler de Juliette, l'obliger à m'avouer qu'il avait menti, à m'apprendre des traits d'elle, poignants, sublimes, des histoires touchantes de dévouement, de sacrifice, cela me tentait.... Je réfléchis que Lirat se fâcherait, qu'il se moquerait de moi, d'elle, et je redoutais ses sarcasmes, et j'entendais déjà les mots sinistres, les phrases abominables sortir, en sifflant, du coin tordu de ses lèvres.... Dans les Champs-Élysées, je hélai un fiacre, et me dirigeai vers le Bois.... Pourquoi le dissimuler?... Là, j'espérais rencontrer Juliette.... Certes, je l'espérais, et, en même temps, je le craignais. De ne point la voir, je concevais que ce me serait une déception; mais qu'elle s'étalât, comme les autres demoiselles, régulièrement, en cette foire de la galanterie, je sentais aussi que ce me serait une peine, et je ne savais ce qui l'emportait en moi, de l'espérance de l'apercevoir, ou de la crainte de la rencontrer.... Il y avait peu de monde au Bois. Dans la grande allée du Lac, les voitures marchaient au pas, à une assez grande distance l'une de l'autre, les cochers hauts sur leurs sièges. Quelquefois, un coupé quittait la file espacée, tournait, disparaissait au trot de ses chevaux, entraînant, le diable sait où, un profil de femme, des faces toutes blanches et pâles, des bouts d'étoffe violente, rapidement entrevus par la glace des portières.... Ma poitrine et mes tempes battaient plus vite, une impatience m'exaspérait le bout des doigts; à force de toujours regarder dans la même direction, de sonder l'ombre des voitures, mon cou se fatiguait, s'endolorissait; je mâchonnais anxieusement un cigare que je ne me décidais pas à allumer, dans la peur de laisser passer une voiture où elle se fût trouvée.... Un moment, je crus l'avoir aperçue, au fond d'un coupé qui allait en sens contraire de mon fiacre.

—Tournez, tournez, criai-je au cocher.... et suivez ce coupé.

Je ne fis point réflexion que c'était agir bien légèrement envers une femme à qui j'avais été présenté la veille, par hasard, et que je voulais à tout prix réhabiliter. Le corps à demi penché sur la glace baissée de la portière, je ne perdais pas la voiture de vue. Et je me disais: «Elle m'a peut-être reconnu ... peut-être va-t-elle s'arrêter, descendre, se montrer.» Oui, je me disais cela, sans m'attribuer la moindre idée de conquête galante; je me disais cela comme si c'eût été une chose toute simple, et toute naturelle.... Le coupé filait, preste et leste, dansant sur ses ressorts, et le fiacre avait peine à le suivre.

—Plus vite! commandai-je ... plus vite donc et dépassez!

Le cocher fouetta son cheval qui prit le galop, et, en quelques secondes, les deux voitures, roue contre roue, se touchaient. Alors une tête de femme, dont les cheveux s'ébouriffaient sous le chapeau très large, dont le nez se retroussait drôlement, dont les lèvres, fracassées de rouge, saignaient comme une blessure à vif, apparut dans l'encadrement de la portière.... D'un coup d'œil méprisant, elle inventoria le cocher, le fiacre, le cheval et moi-même, tira la langue, puis se rencogna dans sa voiture.... Ce n'était pas Juliette!... Je ne rentrai chez moi qu'à la nuit tombée, très désappointé et, pourtant, ravi de mon inutile promenade!

Je n'avais pas de projets pour le soir. Cependant, je m'habillai plus longuement que de coutume. Je mis un soin extrême à ma toilette et, pour la première fois, le nœud de ma cravate me parut une chose grave; je m'absorbai dans sa confection avec complaisance. Cette révélation soudaine en amena d'autres plus importantes encore. Ainsi, je remarquai que mes chemises étaient mal coupées, que le plastron godait, d'une façon disgracieuse, à l'ouverture du gilet; que mon habit affectait une forme très ancienne, étrangement démodée. En somme, je me trouvais assez ridicule, et me promis de changer cela dans l'avenir. Sans faire de l'élégance une loi obligée et tyrannique de ma vie, il m'était bien permis d'être comme tout le monde, ce semble. Parce que l'on se mettait bien, on n'était pas forcément un imbécile. Ces préoccupations me conduisirent jusqu'à l'heure du dîner. D'habitude, je mangeais chez moi, mais, ce soir-là, mon appartement, je le jugeai trop petit, trop silencieux, trop morose; il m'étouffait, et j'avais besoin d'espace, de bruit, de gaîté. Au restaurant, je m'intéressai à tout, au va-et-vient des gens, aux dorures du plafond, aux grandes glaces qui répétaient, jusqu'à l'infini, les salles, les garçons, les globes de lumière, les fleurs des chapeaux, le buffet où s'étalaient des viandes parées, où des pyramides de fruits montaient, rouges et dorées, parmi les verdures et les étincelantes verreries. J'examinais les femmes, surtout, j'étudiais leur façon de manger en quelque sorte aérienne, le jeu de leurs prunelles, le mouvement de leurs bras dégantés que des bracelets lourds cerclaient d'or et d'éclairs vifs, l'angle de chair du cou, si délicate et fine, qui s'enfonçait dans les corsages, sous le couvert rosé des dentelles. Cela me ravissait, me passionnait comme une chose tout à fait nouvelle, comme le paysage d'un pays lointain, subitement entrevu. Il me venait des émerveillements, ainsi qu'à un très jeune homme. Porté, par une disposition chagrine de mon esprit, à faire prédominer, dans l'être humain, l'intime vie morale, c'est-à-dire à le marquer d'une laideur ou d'une souffrance, en ce moment, au contraire, je m'abandonnais à la satisfaction d'en goûter, sans réserves, le seul charme physique: je me réjouissais le regard de ce qu'une belle femme peut dégager de grâce autour d'elle; même chez les plus laides, je retrouvais un détail dans la nuque, une langueur dans les yeux, une souplesse dans les mains, n'importe quoi, qui me contentait, et je me reprochai d'avoir si mal arrangé mon existence jusque-là, de m'être cantonné, en sauvage, au fond d'un appartement triste et sombre, de ne pas vivre enfin, alors que Paris m'offrait, à chaque pas, des joies si faciles à prendre et si douces à savourer.

—Monsieur attend peut-être quelqu'un? me demanda le garçon.

Quelqu'un? Mais non, je n'attendais personne. La porte du restaurant s'ouvrit, et, vivement, je me retournai. Je compris alors pourquoi il m'adressait cette question, le garçon.... Chaque fois que la porte s'ouvrait, il m'arrivait de me retourner ainsi, avec hâte, et je dévisageais anxieusement les personnes qui entraient, comme si, en effet, je savais que quelqu'un devait venir, et que je l'attendais.... Quelqu'un!... Et qui donc eus-je attendu?

J'allais très rarement au théâtre; il fallait, pour cela, une occasion, une obligation, un entraînement. Je crois bien que, de moi-même, jamais je n'eusse songé à y mettre les pieds ... j'affectais même, pour la littérature qui se vend en ces déballages de médiocrité, un mépris souverain. Concevant le théâtre, non comme une distraction futile, mais comme un art grave, il me répugnait d'y voir, dans un mécanisme de scènes toujours pareilles, la passion humaine rossignolant la même romance sentimentale, la gaîté dégringolant, salie de fard, au fond de la même basse pitrerie. Un fabricant de pièces, si applaudi fût-il, me faisait l'effet d'un dévoyé; il était au poète ce que le défroqué est au prêtre, le déserteur au soldat. Et j'avais souvent, dans la mémoire, un mot de Lirat, d'une concision formidable, d'un jugement profond. Nous avions été aux obsèques du grand peintre M...; D..., l'auteur dramatique célèbre, conduisait le deuil. Au cimetière, il prononça un discours. Cela n'avait étonné personne; M... et D... n'étaient-ils pas égaux en renommée? La cérémonie terminée, Lirat prit mon bras, et nous rentrâmes à pied, très tristes, dans Paris. Lirat paraissait absorbé en des réflexions pénibles, gardait le silence.... Brusquement, il s'arrêta, croisa les bras, et balançant la tête, de cet air, comique à force de gravité, qu'il avait, il s'exclama: «Mais qu'est-ce que D... fichait là, hein, dites?» Et c'était juste. Qu'est-ce qu'il fichait là, vraiment? Venaient-ils donc de la même race, et allaient-ils à la même gloire, le fier artiste, aux pensées grandioses, aux immortelles œuvres, et l'autre, dont tout l'idéal était d'amuser, le soir, de ses plates sornettes, une assemblée de bourgeois enrichis et repus?... Oui, en vérité, qu'est-ce qu'il fichait là?

Que j'étais loin de ces sentiments hargneux quand, après le dîner, ayant piaffé sur les boulevards, heureux d'un bien être physique qui donnait à mes mouvements une légèreté, une élasticité particulières, je m'asseyais dans une stalle du théâtre des Variétés, où l'on jouait une opérette à succès. Le visage délicieusement fouetté par l'air froid du dehors, le cœur tout entier conquis à l'indulgence universelle, je jouissais véritablement. De quoi? Je ne le savais, et peu m'importait de le savoir, n'étant pas d'humeur à me livrer, sur moi-même, à des investigations psychologiques. Justement j'étais arrivé pendant un entr'acte, et la foule encombrait les couloirs, très élégante. Après avoir remis mon pardessus à l'ouvreuse, j'avais fait le tour des baignoires avec cette impatience douce, cette caressante angoisse, déjà éprouvée au Bois, et, monté à l'étage supérieur, j'avais continué le même scrupuleux examen des loges. «Pourquoi ne serait-elle pas ici?» pensais-je. Chaque fois que je ne distinguais pas nettement la physionomie d'une femme, soit qu'elle fût penchée, soit qu'elle fût noyée d'ombre, ou cachée derrière un éventail, je me disais: «C'est Juliette!» Et chaque fois, ce n'était pas Juliette. La pièce m'amusa; je ris franchement aux lourdes plaisanteries qui en constituaient l'esprit: toute cette ineptie sinistre, toute cette grossièreté canaille me charmèrent, et j'y trouvai, le plus sérieusement du monde, une ironie qui ne manquait pas de littérature. Aux scènes d'amour, je m'attendris. Je rencontrai, durant le dernier entr'acte, un jeune homme que je connaissais à peine. Satisfait de pouvoir déverser sur quelqu'un ce qui s'amassait en moi de banalités communicatives, je m'accrochai à lui.

—Épatante, cette pièce! me dit-il ... renversante, mon cher.

—Oui, elle n'est pas mal.

—Pas mal! pas mal!... mais c'est un chef-d'œuvre, mon cher, un chef-d'œuvre épatant!... Moi, ce que je préfère, c'est le second acte.... Il y a une situation ... non, là ... une situation d'une force!... C'est de la haute comédie, vous savez!... Et les toilettes!... Et cette Judic; ah! cette Judic!

Il se frappa la cuisse et claqua de la langue.

—Ce qu'elle m'excite, mon cher!... C'est épatant!

Nous discutâmes ainsi le mérite des divers actes, des diverses scènes, des divers acteurs.... Au moment de nous séparer:

—Dites-moi, lui demandai-je ... est-ce que vous ne connaissez pas une certaine Juliette Roux?

—Attendez donc!... Parfaitement!... une petite brune, très chic?... Non, je confonds ... attendez donc!... Juliette Roux!... Connais pas.

Une heure après, je m'attablais devant un soda-water, au café de la Paix, où avaient accoutumé de se réunir, à la sortie des théâtres, les plus beaux spécimens du monde galant. Beaucoup de femmes entraient, sortaient, insolentes, tapageuses, recrépies d'une couche de poudre de riz, les lèvres à nouveau badigeonnées de rouge; à la table voisine de la mienne, une petite blonde, déjà vieille, très animée, racontait je ne sais quoi, d'une voix cassée par la noce; une autre, plus loin, brune, minaudait, avec une majesté comique de dindon, et, de la même main qui avait croché le fumier dans les cours de ferme, elle maniait l'éventail, tandis que l'homme qui l'accompagnait, affalé sur une chaise, le chapeau un peu rejeté en arrière, les jambes écartées, suçait la pomme de sa canne, obstinément. Un invincible dégoût me monta du cœur aux lèvres; j'eus honte d'être là, et je comparai aux allures ridicules et bruyantes de ces femmes, la tenue si réservée de la douce Juliette, là-bas, dans l'atelier de Lirat. Ces voix rauques ou perçantes rendaient plus suave encore la fraîcheur de sa voix, de cette voix que j'entendais encore, me disant: «Enchantée, monsieur.... Mais, je vous connais beaucoup.» Je me levai....

—Quelle canaille, tout de même, que ce Lirat! m'écriai-je en me mettant au lit, furieux de ce qu'il eût traité de la sorte une femme que je n'avais rencontrée, ni dans la rue, ni au Bois, ni au restaurant, ni au théâtre, ni au cabaret nocturne.

IV

—Madame Juliette Roux, je vous prie?

—Si monsieur veut entrer?... me dit la domestique....

Sans demander mon nom, sans attendre ma réponse, elle me fit traverser une petite antichambre, très sombre, et me conduisit dans une pièce, où je ne distinguai, tout d'abord, qu'une lampe habillée de son grand abat-jour rose, qui brûlait doucement dans un coin. La domestique remonta la lampe, emporta un manteau de loutre, jeté sur un divan.

—Je vais prévenir madame, fit-elle.

Et elle disparut, me laissant seul.

Ainsi, j'étais chez elle!... Depuis huit jours, l'idée de cette visite me tourmentait.... Je n'avais aucun plan, aucun projet, je désirais voir Juliette, voilà tout; quelque chose comme une curiosité très vive, que je n'analysais pas, m'attirait vers elle.... Plusieurs fois, j'étais allé dans la rue de Saint-Pétersbourg, avec l'intention bien arrêtée de me présenter chez elle; mais, au dernier moment, le courage m'avait manqué, et j'étais parti sans avoir pu me décider à franchir la porte de sa maison.... Maintenant, j'étais l'homme le plus embarrassé du monde, et regrettais fort ma sottise, car c'était une sottise, évidemment.... Comment me recevrait-elle?... Que lui dirais-je?... Sans doute, elle m'avait engagé à venir... se souviendrait-elle de moi?... Ce qui m'inquiétait surtout, c'est que j'avais beau faire appel à mon intelligence, je ne trouvais pas la moindre phrase, pas le moindre mot, pour aborder la conversation, quand Juliette serait là!... Si j'allais rester court, la bouche ouverte, quel ridicule!... J'examinai la pièce où Juliette entrerait tout à l'heure!... Cette pièce était un cabinet de toilette, servant en même temps de salon. L'impression que j'en eus me fut désagréable. La toilette, étalée brutalement, avec ses deux cuvettes de cristal rose craquelé, me choqua. Les murs et le plafond, tendus de satin rouge criard, les meubles en peluche brodée, les portières compliquées, des bibelots très chers et très laids, posés çà et là sur les meubles; des tables bizarres, sans destination, des consoles chargées de lourds ornements, tout cela disait un goût vulgaire. Je remarquai, occupant le milieu de la cheminée, entre deux massifs vases d'onyx, un Amour, en terre cuite, qui bombait la poitrine, souriait avec une moue spirituelle, et offrait une fleur, du bout de ses doigts écartés. Chaque détail révélait, ici, l'amour du luxe cher et grossier, là, une tendance regrettable à la romance, à l'attendrissement bébête. C'était à la fois navrant et sentimental. Pourtant, et ce me fut une satisfaction, je ne rencontrais pas le disparate, le fugitif, le heurté des appartements de filles, ces appartements où l'on sent l'existence hagarde, où l'on peut, au nombre de bibelots entassés, compter le nombre des amants qui ont passé là amants d'une heure, d'une nuit, d'une année; où chaque siège vous crie une impudeur et une trahison; où l'on voit sur une vitrine l'agonie d'une fortune, sur un marbre les traces encore chaudes d'une larme, sur un lustre des gouttes encore chaudes de sang.... La porte s'ouvrit, et Juliette, toute blanche, dans une robe longue et flottante, apparut.... Je tremblais ... le rouge me montait à la figure; mais elle me reconnut, et, souriant de ce sourire qu'enfin je retrouvais, elle me tendit la main:

—Ah! monsieur Mintié! dit-elle?... que c'est gentil à vous de ne m'avoir pas oubliée!... Y a-t-il longtemps que vous avez vu cet original de Lirat?

—Mais oui, Madame; pas depuis le jour où j'ai eu l'honneur de vous rencontrer chez lui....

—Ah! mon Dieu, je croyais que vous ne vous quittiez jamais!...

—Il est vrai, répondis-je, que je le vois beaucoup ... mais j'ai travaillé tous ces jours-ci.

Ayant cru remarquer, dans le ton de sa voix, une intention ironique, j'ajoutai, en matière de défi:

—Quel grand artiste, n'est-ce pas?

Juliette laissa passer cette exclamation:

—Vous travaillez donc toujours? reprit-elle.... Du reste, on m'a dit que vous viviez en vrai chartreux.... Le fait est qu'on ne vous aperçoit nulle part, monsieur Mintié.

La conversation prit un tour excessivement banal; le théâtre en fit presque tous les frais. A une phrase que je dis, elle s'étonna, un peu scandalisée.

—Comment, vous n'aimez pas le théâtre?... Est-il possible, vous, un artiste?... Moi, j'en raffole ... c'est si amusant le théâtre!... Nous retournons, ce soir, aux Variétés pour la troisième fois, figurez-vous....

On entendit un faible jappement derrière la porte.

—Ah! mon Dieu! s'écria Juliette en se levant avec précipitation.... Mon Spy que j'ai laissé dans ma chambre!... Il faut que je vous présente mon Spy, monsieur Mintié ... vous ne connaissez pas mon Spy?

Elle avait ouvert la porte, écartait les tentures, toutes grandes.

—Allons, Spy! disait-elle, d'une voix câline.... Où êtes-vous, Spy? Venez, pauvre Spy!...

Et je vis un minuscule animal, au museau pointu, aux longues oreilles, qui s'avançait, dansant sur des pattes grêles semblables à des pattes d'araignée, et dont tout le corps, maigre et bombé, frissonnait comme s'il eût été secoué par la fièvre. Un ruban de soie rouge, soigneusement noué, sur le côté, lui entourait le cou, en guise de collier.

—Allons, Spy, dites bonjour à monsieur Mintié!

Spy tourna vers moi ses yeux ronds, bêtes et cruels, à fleur de tête, et aboya hargneusement.

—C'est bien, Spy.... Donnez la patte, maintenant ... voulez-vous bien donner la patte ... Spy, voulez-vous bien ...?

Juliette s'était penchée, et le menaçait du doigt, sévèrement.... Spy finit par mettre la patte dans la main de sa maîtresse qui l'enleva, le caressa, l'embrassa.

—Oh! amour, va!... Oh! le bon chien!... Oh! petit amour de Spy chéri!

Elle se rassit, le tenant toujours dans ses bras, ainsi qu'un enfant, frottant sa joue contre le museau de l'affreux animal, lui soufflant dans l'oreille des choses douces et berceuses.

—Maintenant, faites voir que vous êtes content, Spy!... Faites voir à votre petite mère!...

Spy aboya de nouveau; puis, il vint lécher les lèvres de Juliette qui s'abandonnait, réjouie, à ces odieuses caresses.

—Ah! que vous êtes gentil, Spy!... Oui, que vous êtes bien, bien, bien gentil!

Et s'adressant à moi, qui semblais complètement oublié depuis la malencontreuse entrée de Spy, tout à coup, elle me demanda:

—Vous aimez les chiens, monsieur Mintié?

—Beaucoup, Madame, répondis-je.

Alors, elle me raconta, en un luxe de détails enfantins, l'histoire de Spy, ses habitudes, ses exigences, ses drôleries, les scènes dont il était la cause, avec la concierge qui ne pouvait le souffrir.

—Mais, c'est couché qu'il faut le voir, affirma-t-elle.... Si vous saviez, il a un lit, des draps, un édredon, comme une personne.... Chaque soir, je le borde.... Et sa petite tête est si amusante, toute noire, là dedans.... N'est-ce pas que vous êtes bien, bien drôlet, monsieur Spy?

Spy se choisit une place commode sur la robe de Juliette et, après avoir tourné, tourné, tourné, il se roula en boule, disparaissant presque entièrement, dans les plis soyeux de l'étoffe.

—C'est ça!... Dodo, Spy, dodo, mon petit loulou!...

Durant cette longue conversation avec Spy, j'avais pu examiner Juliette à mon aise.... Elle était vraiment très belle, plus belle encore que je l'avais rêvée sous la voilette. Son visage rayonnait réellement. Il était d'une telle fraîcheur, d'une telle clarté d'aurore que l'air, alentour, s'en trouvait tout illuminé. Lorsqu'elle se détournait, ou se penchait, je voyais ses cheveux lourds, très noirs, descendre le long de sa robe, en une natte énorme, qui donnait je ne sais quoi de plus virginal et de plus jeune à sa jeunesse. Il me sembla qu'un pli droit, volontaire, se creusait au milieu du front, à la racine des cheveux, mais il n'était visible que dans certaines lumières, et l'éclatante douceur des yeux, l'excessive bonté de la bouche en tempéraient la dureté. Sous le vêtement ample, on sentait se cambrer un corps souple, nerveux, aux ondulations passionnées, aux puissantes étreintes; ce qui me ravit, surtout, ce furent ses mains, des mains subtiles et adroites, d'une agilité surprenante, et dont chaque mouvement, même indifférent, même colère, était une caresse. Il m'eût été difficile de porter sur elle un jugement précis. Il y avait, en cette femme, un mélange d'innocence et de volupté, de finesse et de bêtise, de bonté et de méchanceté, qui me déconcertait. Chose curieuse! à un moment, j'avais vu se dessiner, près d'elle, l'horrible image du chanteur des Bouffes. Et cette image formait, pour ainsi dire, l'ombre de Juliette. Loin de se dissiper, à mesure que je la regardais, l'image incarnait, en quelque sorte, une consistance corporelle. Elle grimaça, vire-volta, bondit avec des contorsions infâmes; ses lèvres s'allongèrent, immondes, obscènes, vers Juliette qui l'attirait, dont la main plongeait dans ses cheveux, courait, frémissante, tout le long du corps, heureuse de se souiller à d'impurs contacts. Et l'ignoble pitre dévêtait Juliette, et me la montrait pâmée, dans la splendeur maudite du péché!... Je dus fermer les yeux, faire des efforts douloureux pour chasser cette abominable vision, et, l'image évanouie, Juliette reprit aussitôt son expression de tendresse énigmatique et candide.

—Et surtout revenez me voir souvent, très souvent, me disait-elle, en me reconduisant, tandis que Spy, qui l'avait suivie dans l'antichambre, aboyait et dansait sur ses pattes grêles d'araignée.

A peine dehors, j'eus un retour d'affection subite et violente pour Lirat, et, me reprochant de l'avoir quelque peu boudé, je résolus d'aller lui demander à dîner, le soir même. Durant le trajet de la rue Saint-Pétersbourg au boulevard de Courcelles, où Lirat demeurait, je fis d'amères réflexions. Cette visite m'avait désenchanté, je n'étais plus sous le charme du rêve et, rapidement, je retournais à la vie désolée, au nihilisme de l'amour. Ce que j'avais imaginé de Juliette était bien vague.... Mon esprit, s'exaltant à sa beauté, lui prêtait des qualités morales, des supériorités intellectuelles, que je ne définissais pas, et que je me figurais extraordinaires; de plus, Lirat, en lui attribuant, sans raison, une existence déshonorée et des goûts honteux, en avait fait une martyre véritable, et mon cœur s'était ému. Poussant plus loin la folie, je pensais que, par une irrésistible sympathie, elle me confierait ses peines, les graves et douloureux secrets de son âme; je me voyais déjà la consolant, lui parlant de devoir, de vertu, de résignation. Enfin, je m'attendais à une série de choses solennelles et touchantes.... Au lieu de cette poésie, un affreux chien qui m'aboyait aux jambes, et une femme comme les autres, sans cervelle, sans idées, uniquement occupée de plaisirs, bornant son rêve au théâtre des Variétés et aux caresses de son Spy, son Spy!... ah! ah! ah! son Spy, cet animal ridicule qu'elle aimait avec des tendresses et des mots de concierge! Et, tout en marchant, je donnais des coups de pied dans le vide, à un Spy imaginaire, et je disais, parodiant la voix de Juliette: «Oh! amour, va!... Oh! le bon chien!... Oh! petit amour de Spy chéri.» Faut-il l'avouer, je lui en voulais aussi de ne m'avoir pas dit un mot de mon livre. Qu'on ne m'en parlât pas dans la vie ordinaire, cela m'était à peu près indifférent; mais, d'elle, un compliment m'eût charmé! Savoir qu'elle avait été émue à une page, indignée à une autre, je l'espérais. Et rien!... pas même une allusion! Cependant, je me rappelais, je lui avais adroitement fourni l'occasion de cette ... politesse.

—Décidément, c'est une grue! m'écriai-je, en sonnant à la porte de Lirat....

Lirat me reçut les bras ouverts.

—Ah! mon petit Mintié, s'exclama-t-il, c'est très chic, de venir dîner avec moi.... Et vous arrivez bien, je vous le dis ... nous avons la soupe aux choux.

Il se frottait les mains, semblait tout heureux.... Il voulut me débarrasser de mon pardessus et de mon chapeau, et, m'entraînant dans la petite pièce qui lui servait de salon, il répéta:

—Mon petit Mintié, je suis joliment content de vous voir.... Viendrez-vous demain à l'atelier?

—Certainement.

—Eh bien, vous verrez!... vous verrez!... D'abord, je lâche la peinture, comprenez-vous?...

—Vous entrez dans le commerce?

—Écoutez-moi.... La peinture, c'est de la blague, mon petit Mintié!

Il s'anima, tourna dans la pièce, en agitant les bras.

—Giotto! Mantegna!... Velasquez!... Rembrandt! Eh bien! quoi, Rembrandt!... Watteau! Delacroix!... Ingres!... Oui, et puis après?... Non, ça n'est pas vrai, la peinture ne rend rien, n'exprime rien, c'est de la blague!... c'est bon pour les critiques d'art, les banquiers, et les généraux qui font faire leur portrait, à cheval, avec un obus qui éclate au premier plan.... Mais un coin de ciel, le ton d'une fleur, le frisson de l'eau, l'air ... comprenez-vous?... l'air!... toute la nature impalpable et invisible, avec de la pâte!... avec de la pâte?

Lirat haussa les épaules.

—De la pâte qui sort des tubes, de la pâte fabriquée par les sales mains des chimistes, de la pâte lourde, opaque, et qui colle aux doigts, comme de la confiture!... Hein, dites, la peinture ... quelle blague!... Non, mais avouez-le, mon petit Mintié, quelle blague!... Le dessin, l'eau-forte ... deux tons ... à la bonne heure!... Ça ne trompe pas, c'est honnête ... et puis les amateurs s'en moquent, ne viennent pas vous embêter ... ça ne tire pas de feux d'artifice dans leurs salons!... L'art vrai, l'art auguste, l'art artiste ... le voilà!... La sculpture, oui ... quand c'est beau, ça vous fiche des coups dans les entrailles.... Et puis le dessin ... le dessin, mon petit Mintié, sans bleu de Prusse, le dessin tout bête!... Viendrez-vous demain à l'atelier?...

—Certainement.

Il continua, coupant les phrases, heurtant les mots, se grisant de bruit et de paroles....

—Je commence une série d'eaux-fortes ... vous verrez.... Une femme toute nue, qui sort d'un trou d'ombre, et qui monte, portée sur les ailes d'une bête.... Renversée, les cuisses mafflues, avec des plis gras, des bourrelets de chair ignoble ... un ventre qui s'étale et qui déborde, un ventre avec des accents terribles, un ventre hideux et vrai ... une tête de mort, mais une tête de mort vivante, comprenez-vous?... avide, goulue, tout en lèvres.... Elle monte, devant une assemblée de vieux messieurs, en chapeau haute-forme, en pelisse et cravate blanche.... Elle monte, et les vieux messieurs se penchent sur elle, haletants, la bouche pendante et baveuse, les yeux convulsés ... toutes les faces de la luxure, toutes!...

Se campant devant moi, avec un air de défi, il poursuivit:

—Et savez-vous comment j'appelle ça?... le savez-vous, dites?... J'appelle ça l'Amour, mon petit Mintié. Hein! qu'en pensez-vous?...

—Cela me paraît trop symbolique, hasardai-je.

—Symbolique!... interrompit Lirat.... Vous dites une bêtise, mon petit Mintié.... Symbolique!... Mais c'est la vie!.... Allons dîner.

Le dîner fut gai. Lirat y déploya un esprit charmant, tout rempli d'aperçus originaux sur l'art et sur la littérature, sans outrance, sans paradoxes. Il avait retrouvé sa verve saine, comme aux meilleurs jours de sa vie. A plusieurs reprises, j'eus l'idée de lui avouer que j'avais été voir Juliette.... Une sorte de honte me retint, je n'osai cas.

—Travaillez, travaillez mon petit Mintié, me dit-il, en nous quittant.... Produire, toujours produire ... tirer, de ses mains ou de son cerveau, n'importe quoi ... ne fût-ce qu'une paire de bottes ... il n'y a encore que ça, allez!...

Six jours après, j'étais retourné chez Juliette, et j'avais pris l'habitude d'y venir, régulièrement, passer une heure, avant mon dîner. L'impression désagréable, ressentie lors de ma première visite, s'était effacée. Peu à peu, et sans que je m'en doutasse, je m'étais si bien accoutumé aux tentures rouges du salon, à l'Amour en terre cuite, aux bavardages enfantins de Juliette, à Spy même, qui était devenu mon ami, que, lorsque j'avais passé une journée sans les voir, il me semblait qu'un grand vide se creusait, cette journée-là, dans ma vie.... Non seulement, les choses qui m'avaient tant choqué ne me choquaient plus, elles m'attendrissaient au contraire, et, chaque fois que Juliette conversait avec son chien, ou prenait de lui des soins exagérés, cela m'était véritablement une douceur, et comme une affirmation répétée de la naïveté et des qualités aimantes de son cœur. Je finis par parler, moi aussi, ce langage de chien.... Un soir que Spy était souffrant, je m'inquiétai et, délicatement, écartant les couvertures et les ouates qui l'enveloppaient, je murmurai: «Il a du bobo, le petit Spy.... Où ça, il a du bobo?» Seule, l'image du chanteur surgissant, tout à coup, auprès de Juliette, troublait quelquefois la paix de ces réunions, mais je n'avais qu'à fermer les yeux, un instant, ou à tourner la tête, et elle disparaissait aussitôt.

Je décidai Juliette à me conter sa vie. Elle avait toujours résisté, jusque-là.

—Non, non! disait-elle.

Et elle ajoutait, avec un soupir, en me regardant de ses grands yeux tristes.

—A quoi bon, mon ami?

J'insistai, suppliai.

—C'est un devoir pour vous de me la révéler, et un devoir pour moi de la connaître.

Enfin, vaincue par ce raisonnement que je ne me lassais pas de réitérer, sous des formes multiples et convaincantes, elle consentit.... Ah! quelle tristesse!

Elle habitait Liverdun. Son père était médecin, et sa mère, qui menait une mauvaise conduite, avait quitté son mari.... Quant à elle, Juliette, on l'avait mise en demi-pension chez les sœurs.... Le père buvait et, chaque soir, rentrait ivre ... alors, c'étaient des scènes terribles, car il était fort méchant. Le scandale devint tel que les sœurs renvoyèrent Juliette, ne voulant pas garder chez elles la fille d'une mauvaise femme et d'un ivrogne.... Ah! quelle misérable existence! Toujours enfermée dans sa chambre, n'osant pas sortir, et quelquefois battue, sans raison, par son père!... Une nuit, très tard, le père entra dans la chambre de Juliette et ... (Comment vous exprimer cela! disait Juliette rougissante.... Oui, enfin, vous comprenez?...) elle saute du lit, crie, ouvre la fenêtre ... mais le père prend peur et s'en va.... Le lendemain, Juliette partait pour Nancy, espérant vivre en travaillant.... C'est là qu'elle avait connu Charles.

Tandis qu'elle parlait, d'une voix douce et toujours pareille, je lui avais pris la main, sa belle main, que je serrais avec émotion, aux endroits douloureux du récit. Et je m'emportais contre le père infâme.... Et je maudissais la mère abandonnant son enfant!... Je sentais s'agiter en moi de formidables dévouements, gronder de sourdes vengeances.... Quand elle eut fini, je pleurais à chaudes larmes.... Ce fut une heure exquise.

Juliette recevait peu de monde; des amis de Malterre, et deux ou trois femmes, amies des amis de Malterre. L'une d'elles, Gabrielle Bernier, grande blonde, très jolie, entrait toujours de la même façon.

—Bonjour, Monsieur ... bonjour, petite.... Ne vous dérangez pas, je me sauve.

Et elle s'asseyait sur un bras de fauteuil, en lissant son manchon, par gestes brusques.

—Figurez-vous que j'ai encore eu une scène, tantôt, avec Robert.... Quel type, si vous saviez!... Il s'amène chez moi et me dit en pleurnichant: «Ma petite Gabrielle, il faut que je te quitte, ma mère me l'a déclaré ce matin, elle ne me donnera plus d'argent.»—«Ta mère! que je lui réponds.... Eh bien! tu peux lui dire à ta mère, et de ma part, que le jour où elle quittera ses amants, je te quitterai par la même occase.... D'ici là, elle peut se fouiller, ta mère....» C'est-il pas vrai aussi, une vieille saleté comme ça!... Ce que Robert a pouffé!... Dites donc, nous allons à l'Ambigu, ce soir.... Y venez-vous?

—Merci.

—Alors, je me sauve!... Ne vous dérangez pas.... Bonjour, Monsieur, bonjour, petite....

Cette Gabrielle Bernier m'irritait beaucoup.

—Pourquoi recevez-vous des femmes comme ça? disais-je à Juliette.

—Quel mal, mon ami?... Elle m'amuse.

Les amis de Malterre, eux, parlaient courses, vie élégante, avaient toujours des histoires de cercles et de femmes à raconter, ne tarissaient pas sur les choses de théâtre. Il me semblait que Juliette prenait plaisir, plus que déraison, à ces conversations; mais je l'excusais, mettant ces complaisances sur le compte de la politesse. Jesselin, un jeune homme très riche, dont on vantait le sérieux, était le boute-en-train de la bande et tous s'inclinaient devant son évidente supériorité: «Qu'en pensera Jesselin? Il faut demander à Jesselin.... Ce n'est pas l'avis de Jesselin....» On le courtisait fort. Jesselin avait beaucoup voyagé et connaissait mieux que personne les meilleurs hôtels du monde entier. Ayant été en Afghanistan, il n'avait retenu, de tout un voyage à travers l'Asie centrale, que cette particularité, c'est que l'émir de Caboul, avec qui il eut, un jour, l'honneur de faire une partie d'échecs, jouait aussi vite que les Français: «Non, ce qu'il m'a épaté, cet émir!» Il répétait aussi, volontiers: «Vous savez si je m'en suis payé des voyages.... Eh bien, je puis le dire ... en sleeping, en cabine, en télègue, n'importe où et n'importe comment, à sept heures et demie, tous les soirs ... en habit!»

Malterre ne m'aimait pas, bien qu'il se fût lié avec moi. D'une nature douce et timide, il n'osait me marquer son aversion, dans la crainte de déplaire à Juliette; mais je la voyais sourdre dans son sourire de bon chien étonné; mais je la sentais s'impatienter dans sa poignée de main.

Je n'étais heureux que seul avec Juliette. Là, dans le salon rouge, sous l'égide de l'Amour en terre cuite, nous restions parfois de longs temps sans prononcer une parole. Je la regardais; elle baissait la tête, et, songeuse, jouait avec les effilés de sa robe, ou les dentelles de son corsage. Souvent, mes yeux s'emplissaient de larmes, sans que je susse pourquoi: des larmes très douces, qui coulaient sur moi comme un parfum, m'inondaient l'âme d'une liqueur magique. Et j'éprouvais, dans tout mon être, une sensation de plénitude et de délicieux engourdissement.

—Ah! Juliette! Juliette!

—Voyons, mon ami, voyons, soyez sage!

C'étaient les seuls mots d'amour qui nous échappassent....

A quelque temps de là, Juliette donnait un grand dîner pour célébrer la fête de Charles. Pendant toute la soirée, elle se montra nerveuse, agacée. A Charles, qui lui adressa une observation timide, elle répondit durement, d'un ton bref que je ne lui connaissais pas. Il était deux heures du matin, quand tout le monde prit congé. J'étais demeuré seul, dans le salon. Près de la porte, Malterre me tournait le dos, causant avec Jesselin qui passait sa pelisse dans l'antichambre. Et je vis Juliette, accoudée au piano, qui me regardait fixement. Un éclair de passion farouche traversait ses yeux devenus graves tout à coup, presque terribles, les barrait comme d'une flamme nouvelle. Le pli de son front s'accentuait, sa narine battante et gonflée frémissait; je ne sais quoi d'impudique errait sur ses lèvres. Je m'élançai. Et mes genoux cherchant ses genoux, mon ventre se collant à son ventre, ma bouche sur sa bouche, je l'enlaçai d'une étreinte furieuse.

Elle s'abandonna, et d'une voix très basse, étranglée:

—Viens demain! dit-elle.

V

Je voudrais, oui, je voudrais ne pas poursuivre ce récit, m'arrêter là.... Ah! je le voudrais! A la pensée que je vais révéler tant de hontes, le courage m'abandonne, le rouge me monte au front, une lâcheté me prend, tout à coup, qui fait trembler ma plume entre mes doigts.... Et je me suis demandé grâce à moi-même.... Hélas! je dois gravir, jusqu'au bout, le chemin douloureux de ce calvaire, même si ma chair y reste accrochée en lambeaux saignants, même si mes os à vif éclatent sur les cailloux et sur les rocs! Des fautes comme les miennes, que je ne tente pas d'expliquer par l'influence des fatalités ataviques, et par les pernicieux effets d'une éducation si contraire à ma nature, ont besoin d'une expiation terrible, et cette expiation que j'ai choisie, elle est dans la confession publique de ma vie. Je me dis que les cœurs nobles et bons me sauront gré de mon humiliation volontaire; je me dis aussi que mon exemple servira de leçon.... Si, en lisant ces pages, un jeune homme, un seul, prêt à faillir, se sentait tant d'effroi et tant de dégoût, qu'il fût à jamais sauvé du mal, il me semble que le salut de cette âme commencerait le rachat de la mienne. Et puis, j'espère, quoique je ne croie plus en Dieu, j'espère qu'au fond de ces asiles de paix, où, dans le silence des nuits rédemptrices, monte, vers le ciel, le chant triste et consolateur de ceux-là qui prient pour les morts, j'espère que j'aurai ma part des pitiés et des pardons chrétiens.

Je possédais vingt deux mille francs de rente; de plus, j'étais convaincu qu'en travaillant je pouvais gagner, dans la littérature, une somme égale, au moins.... Plus rien ne me paraissait difficile; la route était tracée devant moi sans un obstacle, et je n'avais plus qu'à marcher.... Ah! mes timidités, mes terreurs, mes doutes, le travail haletant, l'angoisse, il n'en était plus question. Un roman, deux romans par an, des pièces de théâtre même.... Qu'était-ce, je vous prie, pour un homme amoureux, comme moi?... Ne disait-on pas que X... et que Z..., des imbéciles irréparables et notoires, avaient fait, en quelques années, des fortunes énormes?... Des idées de roman, de comédie, de drame, me venaient en foule, et je les indiquais d'un geste large et hautain.... Je me voyais déjà accaparant toutes les librairies, tous les théâtres, tous les journaux, l'attention universelle... Aux heures d'inspiration pénible, je regarderais Juliette et les chefs-d'œuvre naîtraient de ses yeux, ainsi que les royaumes d'une féerie.... Je n'hésitai pas à exiger le départ de Malterre, et à me charger de l'existence de Juliette. Malterre écrivit des lettres désespérées, pria, menaça; finalement, il partit. Plus tard, Jesselin, avec le bon goût et l'esprit qu'il avait, nous raconta que Malterre, bien triste, voyageait en Italie.

—Je l'ai accompagné jusqu'à Marseille, nous dit-il.... Il voulait se tuer, pleurait tout le temps.... Vous savez, je ne suis pas un gobeur, moi; mais, vraiment il me faisait de la peine.... Non là, vrai!

Et il ajouta:

—Vous savez?... Il était résolu à se battre avec vous.... C'est son ami, monsieur Lirat, qui l'en a empêché.... Moi aussi, du reste, parce que je ne comprends que les duels à mort.

Juliette écoutait ces détails, silencieuse, d'un air, en apparence, indifférent. Elle passait, de temps en temps, sa langue sur sa bouche; il y avait dans ses yeux comme le reflet d'une joie intérieure. Pensait-elle à Malterre? Était-elle heureuse d'apprendre que quelqu'un souffrît à cause d'elle? Hélas! je n'étais déjà plus en état de me poser ces points d'interrogation.

Une vie nouvelle commença.

Le quartier où demeurait Juliette ne me plaisait pas; il y avait, dans sa maison, des voisinages qui m'étaient pénibles, et puis, surtout, l'appartement renfermait des souvenirs qu'il me convenait d'effacer. Dans la crainte que ces combinaisons n'agréassent point à Juliette, je n'osais les lui dévoiler trop brusquement; mais, aux premiers mots que j'en dis, elle exulta.

—Oui, oui! s'écria-t-elle joyeuse.... J'y avais songé, mon chéri. Et puis, sais-tu à quoi j'ai songé encore?... Dis-le, dis-le vite, à quoi ta petite femme a songé?

Elle appuya ses deux mains sur mes épaules, et souriante:

—Tu ne sais pas?... Vrai, tu ne sais pas?... Eh bien! elle a songé que tu viendrais habiter avec elle.... Oh! ce serait si gentil, un joli petit appartement, où nous serions, tous deux, bien seuls, à nous aimer, dis, mon Jean?... Toi, tu travaillerais; moi, pendant ce temps-là, près de toi, sans bouger, je ferais de la tapisserie et, de temps en temps, je t'embrasserais, pour te donner de belles idées.... Tu verras, mon chéri, si je suis une bonne femme de ménage, si je soignerai bien toutes tes petites affaires.... D'abord, c'est moi qui rangerai ton bureau. Tous les matins tu y trouveras une fleur nouvelle.... Et puis, Spy aura aussi une belle niche ... pas, mon Spy?... une belle niniche, toute neuve, avec des pompons rouges.... Et puis, nous ne sortirons pas, presque jamais ... et puis, nous nous coucherons de bonne heure.... Et puis, et puis.... Oh! comme ça sera bon!

Redevenant sérieuse, elle dit, d'une voix plus grave:

—Sans compter que ça sera bien moins cher, la moitié moins cher, juste!

Nous arrêtâmes un appartement, rue de Balzac, et il fallut nous occuper de l'aménager. Ce fut une grosse affaire. Toute la journée, nous courions les marchands, examinant des tapis, choisissant des tentures, discutant des projets et des devis. Juliette eût voulu acheter tout ce qu'elle voyait; mais elle allait de préférence aux meubles compliqués, aux étoffes éclatantes, aux broderies massives. L'éclaboussement de l'or neuf, le papillotage des tons heurtés l'attiraient et la retenaient charmée. Si je tentais de lui adresser une observation, elle répondait aussitôt:

—Est-ce que les hommes connaissent ces choses-là?... les femmes, ça sait bien mieux.

Elle s'entêta dans le désir de posséder une sorte de bahut arabe, effroyablement peinturluré, incrusté de nacre, d'ivoire, de pierres fausses, et qui était immense.

—Tu vois bien qu'il est trop grand, qu'il ne pourrait pas entrer chez nous, lui disais-je.

—Tu crois?... Mais en lui sciant les pieds, mon chéri?

Et, plus de vingt fois par jour, elle s'interrompait dans une conversation, pour me demander:

—Alors, tu crois qu'il est trop grand, le beau bahut?

Dans la voiture, en rentrant, Juliette se pressait contre moi, me tendait ses lèvres, me couvrait de caresses, heureuse, rayonnante.

—Ah! le vilain qui ne disait rien, et qui restait à me regarder, toujours, avec ses beaux yeux tristes ... oui, vos beaux yeux tristes que j'aime, vilain!... Il a fallu que ce soit moi, pourtant!... Oh! jamais tu n'aurais osé, toi!... Je te faisais peur, pas? Tu te rappelles, quand tu m'as prise dans tes bras, le soir?... Je ne savais plus où j'étais, je ne voyais plus rien ... j'avais la gorge, la poitrine ... c'est drôle ... comme quand on a bu quelque chose de trop chaud.... J'ai cru que j'allais mourir, brûlée ... brûlée de toi ... C'était si bon, si bon!... D'abord, je t'ai aimé, dès le premier jour.... Non, je t'aimais avant ... ah! tu ris!... Tu ne crois pas qu'on puisse aimer quelqu'un, sans le connaître et sans l'avoir vu?... Moi, je crois que si!... Moi, j'en suis sûre!...

J'avais le cœur si gonflé, ces choses étaient si nouvelles pour moi, que je ne trouvais pas une parole; j'étouffais dans la joie. Je ne pouvais qu'étreindre Juliette, balbutier des mots inachevés, pleurer, pleurer délicieusement. Soudain, elle devenait toute songeuse, le pli de son front s'accentuait, elle retirait sa main de la mienne. Je craignis de l'avoir froissée.

—Qu'as-tu, ma Juliette?... lui demandai-je.... Pourquoi es-tu comme ça?... T'ai-je fait de la peine?

Et Juliette, désolée navrée, gémissait:

—L'encoignure, mon chéri!... l'encoignure du salon que nous avons oubliée!

Elle passait d'un rire, d'un baiser, à une gravité subite, mêlait les tendresses et les mesures des plafonds, embrouillait l'amour avec la tapisserie. C'était adorable.

Dans notre chambre, le soir, tous ces jolis enfantillages disparaissaient. L'amour mettait sur le visage de Juliette je ne sais quoi d'austère, de recueilli, et de farouche aussi; il la transfigurait. Elle n'était pas dépravée; sa passion, au contraire, se montrait robuste et saine, et, dans ses embrassements, elle avait la noblesse terrible, l'héroïsme rugissant des grands fauves. Son ventre vibrait comme pour des maternités redoutables.

Mon bonheur dura peu.... Mon bonheur!... C'est une chose extraordinaire, en vérité, que jamais, jamais, je n'aie pu jouir d'une joie complètement, et qu'il ait fallu que l'inquiétude en vînt toujours troubler les courtes ivresses. Désarmé et sans force contre la souffrance, incertain et peureux dans le bonheur, tel j'ai été, durant toute ma vie. Est-ce une tendance particulière de mon esprit?... une perversion étrange de mes sens?... ou bien le bonheur ment-il réellement à tout le monde, comme à moi, et n'est-il qu'une forme plus persécutrice et raffinée de la souffrance universelle? Tenez.... Les lueurs de la veilleuse tremblottent légèrement sur les rideaux et sur les meubles, et Juliette, au matin, s'est endormie,—au matin de notre première nuit. Un de ses bras repose, nu, sur le drap; l'autre, nu aussi, se replie mollement sous sa nuque. Tout autour de son visage qui reflète les pâleurs du lit, de son visage meurtri, aux yeux, d'un grand cerne d'ombre, ses cheveux noirs, dénoués, s'éparpillent, ondulent, roulent. Avidement, je la contemple.... Elle dort, près de moi, d'un sommeil calme et profond d'enfant. Et pour la première fois, la possession ne me laisse aucun regret, aucun dégoût; pour la première fois, je puis, le cœur attendri et reconnaissant, la chair encore vibrante de désirs, regarder une femme qui vient de se donner à moi. Exprimer mes sensations, je ne le saurais. Ce que j'éprouve, c'est quelque chose d'indéfinissable, quelque chose de très doux, de très grave aussi et de très religieux, une sorte d'extase eucharistique, semblable à celle où me ravit ma première communion. Je retrouve le même mystique enivrement, la même terreur auguste et sacrée; c'est dans une éblouissante clarté de mon âme, une seconde révélation de Dieu.... Il me semble que Dieu est descendu en moi, pour la deuxième fois.... Elle dort, dans le silence de la chambre, la bouche à demi entr'ouverte, la narine immobile, elle dort d'un sommeil si léger, que je n'entends pas le souffle de sa respiration.... Une fleur, sur la cheminée, est là qui se fane, et je perçois le soupir de son parfum mourant.... De Juliette, je n'entends rien; elle dort, elle respire, elle est vivante, et je n'entends rien.... Doucement, plus près, je me penche, l'effleurant presque de mes lèvres, et, tout bas, je l'appelle.

—Juliette!

Juliette ne bouge pas. Mais je sens son haleine plus faible que l'haleine de la fleur, son haleine toujours si fraîche, où se mêle en ce moment, comme une petite chaleur fade, son haleine toujours si odorante, où pointe comme une imperceptible odeur de pourriture.

—Juliette!

Juliette ne bouge pas.... Mais le drap qui suit les ondulations du corps, moule les jambes, se redresse aux pieds, en un pli rigide, le drap me fait l'effet d'un linceul. Et l'idée de la mort, tout d'un coup, m'entre dans l'esprit, s'y obstine. J'ai peur, oui, j'ai peur que Juliette ne soit morte!

—Juliette!

Juliette ne bouge pas. Alors tout mon être s'abîme dans un vertige et, tandis qu'à mes oreilles résonnent des glas lointains, autour du lit je vois les lumières de mille cierges funéraires vaciller sous le vent des de profundis. Mes cheveux se hérissent, mes dents claquent, et je crie, je crie:

—Juliette! Juliette!

Juliette enfin remue la tête, pousse un soupir, murmure comme en rêve:

—Jean!... mon Jean!

Vigoureusement, dans mes bras, je la saisis, comme pour la défendre; je l'attire contre moi, et, tremblant, glacé, je supplie:

—Juliette!... ma Juliette!... ne dors pas.... Oh! je t'en prie, ne dors pas!... Tu me fais peur!... Montre-moi tes yeux, et parle-moi, parle-moi.... Et puis serre-moi, toi aussi, serre-moi bien, bien fort.... Mais ne dors plus, je t'en conjure.

Elle se pelotonne dans mes bras, chuchote des mots inintelligibles, se rendort, la tête sur mon épaule.... Mais l'évocation de la mort, plus puissante que la révélation de l'amour, persiste, et bien que j'écoute le cœur de Juliette qui bat contre le mien, régulièrement, elle ne s'évanouit qu'au jour.

Que de fois, depuis, dans ses baisers de flamme, à elle, j'ai ressenti le baiser froid de la mort!... Que de fois aussi, en pleine extase, m'est apparue la soudaine et cabriolante image du chanteur des Bouffes!... Que de fois son rire obscène est-il venu couvrir les paroles ardentes de Juliette!... Que de fois l'ai-je entendu qui me disait, en balançant, au-dessus de moi, sa face horrible et ricanante: «Repais-toi de ce corps, imbécile, de ce corps souillé, profané par moi.... Va!... va!... où que tu poses tes lèvres, tu respireras l'odeur impure de mes lèvres; où que tes caresses s'égarent sur cette chair prostituée, elles se heurteront aux ordures des miennes.... Va! va!... baigne-la, ta Juliette, baigne-la, toute, dans l'eau lustrale de ton amour.... Frotte-la de l'acide de ta bouche.... Arrache-lui la peau avec les dents, si tu veux; tu n'effaceras rien, jamais, car l'empreinte d'infamie dont je la marquai est ineffaçable.» Et j'avais une envie violente d'interroger Juliette sur ce chanteur, dont l'image m'obsédait. Mais je n'osais pas. Je me contentais de prendre des détours ingénieux pour savoir la vérité: souvent, dans la conversation, je jetais un nom, subitement, espérant, oui, espérant que Juliette aurait un petit sursaut, une rougeur, se troublerait et que je me dirais: «C'est lui!» J'épuisai ainsi les noms de tous les chanteurs de tous les théâtres, sans que l'impénétrable attitude de Juliette me donnât la moindre indication. Quant à Malterre, je ne songeais plus à lui.

Notre installation dura quatre mois, à peu près. Les tapissiers n'en finissaient pas, et les caprices de Juliette nécessitaient souvent des changements très longs. Elle revenait de ses courses quotidiennes avec des idées nouvelles pour la décoration du salon, du cabinet de toilette. Il fallut refaire, trois fois, entièrement, les tentures de la chambre qui ne lui plaisaient plus.... Enfin, un beau jour, nous prîmes possession de l'appartement de la rue de Balzac.... Il était temps.... Cette existence toujours en l'air, cette fièvre continue, ces malles ouvertes, béantes ainsi que des cercueils, cet éparpillement brutal des choses familières, ces piles de linge croulant, ces pyramides de cartons que l'on renverse, ces bouts de ficelles coupées qui traînent partout, ce désordre, ce pillage, ce piétinement sauvage des souvenirs les plus chers, les plus regrettés, et, surtout, ce qu'un départ contient d'inconnu, de terreur, dégage de réflexions tristes, tout cela me ramenait à des inquiétudes, à des mélancolies, et, le dirai-je? à des remords.... Pendant que Juliette tournait, voltait, au milieu des paquets, je me demandais si je n'avais pas commis une irréparable folie? Je l'aimais. Ah! certes, je l'aimais de toutes les forces de mon âme; et je ne concevais rien au delà de cet amour, qui m'envahissait chaque jour davantage, me prenait dans des fibres inconnues de moi, jusqu'ici.... Pourtant, je me repentais d'avoir cédé, avec tant de légèreté et si vite, à un entraînement, gros de conséquences fâcheuses, peut-être, pour elle et pour moi; j'étais mécontent de n'avoir pas su résister au désir qu'avait exprimé Juliette, d'une si caressante façon, de cette vie en commun.... N'aurions-nous pu nous aimer, aussi bien, elle chez elle, moi chez moi; éviter les froissements possibles de cette situation qu'on appelle d'un mot ignoble: le collage?... Et tandis que l'éclat de toutes ces peluches, l'insolence de tous ces ors dans lesquels nous allions vivre, m'effrayaient, j'éprouvais pour mes pauvres meubles de pitchpin dispersés, pour mon petit appartement austère et tranquille, aujourd'hui vide, la tendresse douloureuse qu'on a pour les choses aimées et qui sont mortes. Mais Juliette passait, affairée, agile et charmante, m'embrassait au vol d'un baiser doux, et puis, il y avait en elle une joie si vive, traversée d'étonnements, de désespoirs si naïfs, à propos d'un objet qu'elle ne retrouvait pas, que mes pensées moroses s'en allaient, comme aux premiers rayons du soleil s'en vont les nocturnes hiboux.

Ah! les bonnes journées qui suivirent le départ de la rue Saint-Pétersbourg!... Il fallut, d'abord, tout de suite, visiter chaque pièce en détail. Juliette s'asseyait sur les divans, les fauteuils et les canapés, en faisant craquer les ressorts qui étaient souples et moelleux.

—Toi aussi, disait-elle, essaye, mon chéri....

Elle examinait chaque meuble, palpait les tentures, faisait jouer les cordons de tirage des portières, déplaçait une chaise, rectifiait le pli d'une étoffe. Et c'étaient, à tous les moments, des cris d'admiration, des extases!

Elle voulut recommencer l'examen de l'appartement, les fenêtres closes, afin de se rendre compte de l'effet, aux lumières, ne se lassant jamais de regarder le même objet, courant d'une pièce dans l'autre, notant sur un bout de papier les choses qui manquaient.... Ensuite ce furent les armoires où elle rangea son linge, le mien, avec un soin méticuleux, des raffinements compliqués, l'adresse d'une étalagiste consommée. Je la grondais, parce qu'elle gardait les meilleurs sachets pour moi....

—Non! non! non!... je veux avoir un petit homme qui embaume.

De ses anciens meubles, de ses bibelots, Juliette n'avait conservé que l'Amour en terre cuite, qui reprit sa place d'honneur sur la cheminée du salon; moi, je n'avais apporté que mes livres et deux très belles études de Lirat, que je m'étais mis en devoir d'accrocher dans mon bureau. Juliette poussa des cris, scandalisée.

—Que fais-tu là, mon chéri?... Des horreurs pareilles dans un appartement tout neuf!... Je t'en prie, cache ces horreurs-là!... Oh! cache-les....

—Ma chère Juliette, répondis-je, un peu piqué, tu as bien ton Amour en terre cuite?

—Sans doute, j'ai mon Amour en terre cuite ... quel rapport ça a-t-il?... Il est très, très, très joli, mon Amour en terre cuite.... Tandis que ça, vraiment!... Et puis ça n'est pas convenable!... D'abord, moi, chaque fois que je regarde de la peinture de ce fou de Lirat, ça me donne mal à l'estomac!

J'avais autrefois la fierté de mes admirations artistiques, et je les défendais jusqu'à la colère. Cela m'eût paru très puéril d'engager avec Juliette une discussion d'art, et je me contentai d'enfouir les deux tableaux, au fond d'un placard, sans trop de regrets.

Il arriva, un jour, que tout se trouva dans un ordre admirable; chaque chose à sa place, les menus objets coquettement disposés sur les tables, les consoles, les vitrines; les pièces décorées de plantes aux larges feuilles, les livres dans la liseuse à portée de la main, Spy dans sa niche neuve, et partout des fleurs.... Rien ne manquait, rien, pas même, sur une table de travail, une rose dont la tige baignait en un vase de verre, effilé.... Juliette rayonnait, triomphait, ne cessait de me dire:

—Regarde, regarde encore, comme ta petite femme a bien travaillé!

Et penchant la tête sur mon épaule, les yeux attendris, la voix émue sincèrement, elle murmura:

—Oh! mon Jean adoré, nous sommes chez nous, maintenant, chez nous, tu entends bien.... Comme nous allons être heureux, là, dans notre joli nid!...

Le lendemain, Juliette me dit:

—Il y a bien longtemps que tu n'es allé chez M. Lirat.... Je ne voudrais pas qu'il pût croire que c'est moi qui t'empêche de le voir.

C'était vrai, pourtant! Depuis plus de cinq mois, je l'oubliais, ce pauvre Lirat?... L'oubliais-je?... Hélas! non.... La honte me retenait.... La honte seule m'éloignait de lui.... J'aurais, je vous assure, crié à la terre tout entière: «Je suis l'amant de Juliette!» mais prononcer ce nom devant Lirat, je n'osais pas!... D'abord, j'avais pensé à lui tout confier, au risque de ce qu'il en résulterait de fâcheux pour notre amitié.... Je m'étais dit: «Voyons, demain, j'irai chez Lirat....» Je m'affermissais même dans cette résolution.... Et le lendemain: «Non, pas encore ... rien ne presse ... demain!» Demain, toujours demain!... Et les jours, les semaines, les mois s'écoulaient.... Demain!... Maintenant qu'il avait été tenu au courant de ces choses par Malterre, qui, avant de partir, était revenu faire gémir son divan, comment l'aborder?... Que lui dire?... Comment supporter son regard, ses mépris, ses colères.... Ses colères, oui!... Mais ses mépris, mais ses silences terribles, mais le ricanement déconcertant que je voyais déjà se tordre au coin de ses lèvres?... Non, en vérité, je n'osais pas!... L'attendrir, lui prendre la main, lui demander pardon de mon manque de confiance, faire appel à toutes les générosités de son cœur!... non!... Je jouerais mal ce rôle, et puis, d'un mot, Lirat me glacerait, arrêterait l'effusion.... Eh bien! chaque jour qui fuyait nous séparait davantage, nous mettait plus loin l'un de l'autre ... quelques mois encore, et il ne serait plus question de Lirat dans ma vie!... J'aimerais mieux cela que de franchir ce seuil, que d'affronter ces yeux.... Je répondis à Juliette:

—Lirat?... Oui, oui.... Un de ces jours, j'y pense!

—Non, non! insista Juliette.... C'est aujourd'hui.... Tu le connais, tu sais comme il est méchant.... Ah! il doit en fabriquer des potins sur nous!

Il fallut bien me décider. De la rue de Balzac à la cité Rodrigues, le trajet est court. Afin de reculer le moment de cette entrevue pénible, je fis de longs détours, flânant aux étalages du faubourg Saint-Honoré. Et je songeais: «Si je n'allais pas chez Lirat!... Je dirais, en rentrant, que je l'ai vu, que nous nous sommes fâchés, j'inventerais une histoire qui me sauverait à tout jamais de cette visite.» J'eus honte de cette pensée gamine.... Alors j'espérai que Lirat ne serait pas chez lui!... Avec quelle joie je roulerais ma carte et la glisserais dans le trou de la serrure!... Réconforté par cette idée, je m'engageai enfin dans la cité Rodrigues, m'arrêtai devant la porte de l'atelier.... Et cette porte me parut effrayante. Néanmoins, je frappai, et, aussitôt, de l'intérieur, une voix, la voix de Lirat, répondit:

—Entrez!

Mon cœur battait, une barre de feu me traversait la gorge.... Je voulus m'enfuir.

—Entrez! répéta la voix.

Je tournai le bouton:

—Ah! c'est vous, Mintié! s'écria Lirat.... Entrez donc....

Lirat, assis devant sa table, écrivait une lettre.

—Vous permettez que j'achève?... me dit-il. Deux minutes, et je suis à vous.

Il se remit à écrire. Cela me rassurait un peu de ne pas sentir sur moi le froid de son regard. Je profitai de ce qu'il me tournait le dos, pour parler, pour me soulager vite du fardeau qui m'oppressait l'âme.

—Comme il y a longtemps que je ne vous ai vu, mon bon Lirat!

—Mais oui, mon cher Mintié.

—J'ai déménagé....

—Ah!

—J'habite rue de Balzac.

—Beau quartier!...

J'étranglais.... Je fis un suprême effort, rassemblai toutes mes forces ... mais, par une étrange aberration, je crus devoir prendre une tournure dégagée ... Ma parole d'honneur! je raillai, oui, je raillai.

—Je vais vous apprendre une nouvelle qui vous amusera ... ah! ah!... qui vous amusera, j'en suis sûr ... je ... je vis ... avec Juliette.... Ah! ah! avec Juliette Roux ... Juliette, enfin ... ah! ah!...

—Mes compliments!...

«Mes compliments!» Il avait prononcé cela: «Mes compliments!» d'une voix parfaitement calme, indifférente!... Comment! pas un sifflement, pas une colère, pas un bondissement!... Mes compliments!... Comme il aurait dit: «Qu'est-ce que vous voulez que cela me fasse?... «Et son dos, courbé vers la table, demeurait immobile, sans un ressaut, sans un frisson!... Sa plume ne lui était pas tombée des doigts; il continuait d'écrire!... Ce que je lui apprenais là, il le savait depuis longtemps.... Mais l'entendre de ma bouche!... J'étais stupéfait, et—dois-je l'avouer?—froissé que cela ne l'indignât pas!... Lirat se leva, et se frottant les mains:

—Eh bien! quoi de nouveau? me dit-il.

Je n'y pus tenir davantage. Je me précipitai vers lui, les larmes aux yeux.

—Écoutez-moi, criai-je en sanglotant.... Lirat, par grâce, écoutez-moi ... j'ai mal agi envers vous ... je le sais, et je vous en demande pardon.... J'aurais dû tout vous dire.... Je n'ai pas osé.... Vous me faites peur.... Et puis, vous vous souvenez de Juliette, ici ... de ce que vous m'avez raconté d'elle ... vous vous souvenez ... c'est cela qui m'en a empêché ... Comprenez-vous?

—Mais, mon cher Mintié, interrompit Lirat ... je ne vous en veux pas du tout.... Je ne suis ni votre père ni votre confesseur.... Vous faites ce qui vous plaît, et cela ne me regarde en rien....

Je m'exaltais:

—Vous n'êtes pas mon père, c'est vrai ... mais vous êtes mon ami, mon seul ami, et je vous devais plus de confiance.... Pardonnez-moi!... Oui, je vis avec Juliette, et je l'aime, et elle m'aime!... Est-ce donc un crime que de chercher un peu de bonheur?... Juliette n'est pas la femme que vous pensez ... on l'a odieusement calomniée.... Elle est bonne, honnête.... Oh! ne souriez pas ... oui, honnête!... Elle a des naïvetés d'enfant qui vous attendriraient, Lirat.... Vous ne l'aimez point, parce que vous ne la connaissez pas!... Si vous saviez toutes les gentillesses, toutes les prévenances de brave femme qu'elle a pour moi!... Juliette veut que je travaille.... Elle a la fierté de ce que je pourrai créer de bon.... Tenez, c'est elle qui m'a forcé à venir vous voir ... moi, j'avais honte, je n'osais pas.... C'est elle!... Oui, Lirat; ayez un peu pitié d'elle.... Aimez-la un peu, je vous en supplie!

Lirat était devenu grave. Il mit sa main sur mon épaule, et me regardant tristement:

—Mon pauvre enfant! me dit-il d'une voix émue.... Pourquoi me dites-vous tout cela?

—Mais, parce que c'est la vérité, mon cher Lirat!... parce que je vous aime et que je veux rester votre ami ... Prouvez-moi que vous êtes toujours mon ami! ... Tenez, venez dîner ce soir, chez nous, comme autrefois chez moi? Oh! je vous en prie, venez!

—Non! fit-il.

Et ce non était impitoyable, définitif, bref ainsi qu'un coup de pistolet.

Lirat ajouta:

—Venez, vous, souvent!... Et quand vous aurez envie de pleurer ... vous savez ... le divan est là.... Les larmes des pauvres diables, ça le connaît....

Lorsque la porte se referma, il me sembla que quelque chose d'énorme et de lourd se refermait avec elle sur mon passé, que des murs plus hauts que le ciel et plus profonds que la nuit me séparaient, pour toujours, de ma vie honnête, de mes rêves d'artiste. Et j'éprouvai, dans tout mon être, comme un déchirement.... Pendant une minute, je demeurai là, hébété, les bras ballants, les yeux ouverts démesurément sur cette porte fatidique, derrière laquelle une chose venait de finir, une chose venait de mourir.

VI

Juliette ne tarda pas à s'ennuyer dans ce bel appartement où elle s'était promis tant de calme, tant de bonheur. Ses armoires rangées, ses petits bibelots mis en ordre, elle ne sut que faire et elle s'étonna. La tapisserie l'agaça, la lecture ne lui procura aucune distraction. Elle allait d'une pièce dans l'autre, sans savoir à quoi occuper ses mains, son esprit, bâillant, s'étirant les bras. Elle se réfugiait en son cabinet de toilette, où elle passait de longues heures à s'habiller, à essayer des coiffures nouvelles devant sa glace, à faire jouer les robinets de la baignoire, ce qui l'amusait un instant; à épucer Spy, et à lui fabriquer des nœuds compliqués avec les vieilles brides de ses chapeaux. La direction de sa maison eût pu emplir le vide de ses journées, mais je m'aperçus vite, avec chagrin, que Juliette n'était pas la femme de ménage qu'elle se vantait d'être. Elle ne prenait de soin, n'avait de goût, n'exerçait de surveillance que pour sa lingerie de corps et pour son chien; le reste lui importait peu, et les choses allaient comme elles voulaient, ou plutôt comme voulaient les domestiques. Notre personnel renouvelé se composait d'une cuisinière, vieille fille sale, avide, grincheuse, dont les talents en cuisine ne s'étendaient pas au delà du tapioca, de la blanquette de veau, de la salade; d'une femme de chambre, Célestine, effrontée, vicieuse, qui n'avait d'estime que pour les gens qui dépensaient beaucoup d'argent; enfin d'une femme de charge, la mère Sochard, qui prisait sans cesse, se saoulait effroyablement, afin d'oublier ses malheurs, disait-elle, son mari qui la battait et la grugeait, sa fille qui avait mal tourné. Aussi le gaspillage était-il énorme, notre table très mauvaise, le reste à l'avenant. Si, par hasard, nous avions du monde, Juliette commandait chez Bignon des plats très chers et très prétentieux. Je vis avec déplaisance des familiarités inconvenantes, une sorte de liaison amicale s'établir entre Juliette et Célestine. Quand elle habillait sa maîtresse, elle lui contait des histoires dont celle-ci se réjouissait, dévoilait les intimités malpropres des maisons où elle avait passé, donnait des conseils.... Chez MmeK... on faisait comme ci; chez Mme V... comme ça. Aussi, c'étaient des «chouettes places», on peut le dire. Souvent, Juliette se rendait à la lingerie où Célestine cousait, et elle restait là, des heures entières, assise sur une pile de draps, à écouter les inépuisables «potins» de la bonne.... De temps en temps, des discussions s'élevaient à propos d'un objet dérobé, d'un manquement au service. Célestine s'emportait, lançait les plus grossières injures, tapait les meubles, glapissait de sa voix esquintée:

—Ah ben!... merci!... En v'là une sale baraque! Des grues pareilles, ça se permet de vous accuser!... Hé, tu sais, ma petite, je me fiche de toi, et puis de ton nigaud, là-bas ... qu'a l'air d'un melon!...

Juliette la renvoyait, ne voulait pas même qu'elle fît ses huit jours.

—Oui, oui!... tout de suite vos paquets, vilaine fille ... tout de suite.

Elle venait se blottir près de moi, tremblante et pâle.

—Ah! mon chéri, l'indigne créature, la vilaine fille!... Moi qui étais si gentille pour elle!

Le soir, tout était raccommodé. Et, par-dessus les rires qui recommençaient de plus belle, la voix de Célestine braillait.

—Bien sûr que c'était une rude salope que Mme la comtesse! Ah! la salope.

Un jour, Juliette me dit:

—Ta petite femme n'a plus rien à se mettre.... Elle est nue comme un ver, la pauvre!

Alors, ce furent des courses nouvelles, chez la couturière, la modiste, la lingère; et elle redevint gaie, vive, plus aimante. L'ombre d'ennui qui avait assombri son visage, se dissipa.... Au milieu des étoffes, des dentelles, parmi les plumes et les fanfreluches, elle se trouvait vraiment dans son élément, s'épanouissait, resplendissait. Ses doigts passionnés éprouvaient des jouissances physiques à courir sur les satins, à toucher les crêpes, à caresser les velours, à se perdre dans les flots laiteux des fines batistes. Le moindre bout de soie, à la façon dont elle le chiffonnait, revêtait aussitôt un joli air de chose vivante; des soutaches et des passementeries, elle savait tirer les plus exquises musiques. Quoique je fusse très inquiet de toutes ces fantaisies ruineuses, je ne pouvais rien refuser à Juliette, et je me laissais aller au bonheur de la savoir si heureuse, au charme de la voir si charmante, elle dont la beauté embellissait les objets inertes autour d'elle, elle qui animait tout ce qu'elle touchait d'une vie de grâce!

Pendant plus d'un mois, tous les soirs, on apporta chez nous des paquets, des cartons, des gaines étranges.... Et les robes succédaient aux robes, les chapeaux aux manteaux. Les ombrelles, les chemises brodées, les plus extravagantes lingeries s'entassaient, s'amoncelaient, débordaient des tiroirs, des placards, des armoires.

—Tu comprends, mon chéri, m'expliquait Juliette, surprenant dans mes regards un étonnement; tu comprends ... je n'avais plus rien.... Ça, c'est un fonds.... Je n'aurai maintenant qu'à l'entretenir.... Oh! ne crains rien, va! Je suis très économe.... Ainsi, regarde ... j'ai fait faire à toutes mes robes un corsage montant, pour la ville, et puis un corsage décolleté, pour quand nous irons à l'Opéra!... Compte ce que cela m'économise de costumes.... Un ... deux ... trois ... quatre ... cinq ... cinq costumes, mon chéri!... Tu vois bien.

Elle étrenna, au théâtre, une robe qui fit sensation. Tant que dura cette mortelle soirée, je fus le plus malheureux des hommes.... Je sentais les convoitises de ces regards de toute une salle braqués sur Juliette, de ces regards qui la dévisageaient, qui la déshabillaient, de ces regards qui laissent tomber tant d'ordures autour de la femme qu'on admire. J'aurais voulu cacher Juliette au fond de la loge, et jeter sur elle un voile de laine sombre et grossière; et, le cœur mordu par la haine, je souhaitai que le théâtre, tout à coup, s'effondrât dans un cataclysme; qu'il broyât, en une chute formidable de son lustre et de son plafond, tous ces hommes qui me volaient chacun un peu de la pudeur de Juliette, qui m'emportaient chacun un peu de son amour. Elle, triomphante, semblait dire: «Je vous aime bien, Messieurs, de me trouver belle ainsi, et vous êtes de braves gens.»

A peine rentrés chez nous, j'attirai Juliette contre moi, et longtemps, longtemps, je la tins pressée sur mon cœur, répétant sans cesse: «Tu m'aimes bien, ma Juliette?...» mais déjà le cœur de Juliette ne m'entendait plus. Me voyant triste, apercevant au bord de mes cils des larmes prêtes à rouler sur sa joue, elle se dégagea de mes bras, et, un peu fâchée, me dit:

—Comment! j'ai été la plus belle de toutes, de toutes!... et tu n'es pas content?... Et tu pleures?... Ce n'est pas gentil!... Qu'est-ce qu'il te faut, alors?

Notre première fâcherie eut lieu à propos des amis de Juliette. Gabrielle Bernier, Jesselin et quelques autres personnages amenés par Malterre, jadis, rue de Saint-Pétersbourg, revenaient, sans que je les en eusse priés, nous poursuivre, rue de Balzac.... Et cela ne me convenait pas, j'entendais séparer ma maîtresse de tout son passé. Je le déclarai nettement à Juliette, qui parut d'abord très étonnée.

—Qu'as-tu contre M. Jesselin? me demanda-t-elle. Elle appelait les autres par leur petit nom.... Mais elle disait Monsieur Jesselin avec un grand respect.

—Je n'ai rien contre lui, positivement, ma chérie.... Il me déplaît, il m'agace ... il est absurde ... Voilà, je pense, de bonnes raisons pour ne point désirer voir cet imbécile....

Juliette fut fort scandalisée.... Que j'aie pu traiter d'imbécile un homme de l'importance et de la réputation de M. Jesselin, cela ne lui entrait pas dans la tête. Elle me regardait avec effroi, comme si je venais de proférer un abominable blasphème.

—Imbécile, M. Jesselin!... Lui, un homme si comme il faut, si sérieux!... qui est allé dans les Indes!... Mais tu ne sais donc pas qu'il est de la Société de Géographie?

—Et Gabrielle Bernier?... Est-elle aussi de la Société de Géographie?

Juliette ne s'emportait jamais. Seulement, quand elle se fâchait, ses yeux devenaient subitement plus durs, le pli de son front se creusait davantage, sa voix perdait un peu de sa douce sonorité. Elle répondit simplement:

—Gabrielle est mon amie.

—C'est bien cela que je lui reproche!

Il y eut un moment de silence. Juliette, assise dans un fauteuil, tortillait les dentelles de sa robe de chambre, réfléchissait. Un sourire ironique erra sur ses lèvres.

—Alors, il faut que je ne voie personne?... C'est ce que tu veux, n'est-ce pas?... Hé bien, ça va être amusant!... Nous ne sortons jamais, déjà!... Nous vivons comme de vrais loups!...

—Il n'est point question de cela, ma chérie.... J'ai des amis ... je leur dirai de venir....

—Oui, je les connais, tes amis ... je les vois d'ici!... des littérateurs, des artistes!... des gens qu'on ne comprend pas quand ils vous parlent ... et qui nous emprunteront de l'argent!... Merci!...

Je fus blessé, et répondis vivement:

—Mes amis sont d'honnêtes garçons, tu entends, et qui ont du talent.... Tandis que ce crétin et cette sale fille!...

—Assez, n'est-ce pas! commanda Juliette.... Tu veux? c'est bien! Je leur fermerai ma porte.... Seulement, quand tu as exigé de vivre avec moi, tu aurais bien dû me prévenir que tu voulais m'enterrer vivante.... J'aurais vu ce que j'avais à faire....

Elle se leva.... Je ne pensai point à lui dire que c'était elle, au contraire, qui avait désiré cette existence à deux, comprenant que ce serait aggraver la discussion inutilement. Je lui pris la main.

—Juliette! suppliai-je.

—Eh bien, quoi?

—Tu es fâchée?

—Moi? au contraire, je suis très contente....

—Juliette!

—Allons, laisse moi ... finis ... tu me fais mal.

Juliette me bouda toute la journée; lorsque je lui adressais la parole, elle ne me répondait pas, ou se contentait d'articuler, d'une voix brève, des monosyllabes irritants. J'étais malheureux et colère; j'eusse voulu l'embrasser et la battre, la couvrir de baisers et de coups de poings. Au dîner, elle conserva une dignité de femme offensée, les lèvres pincées, du dédain plein les yeux. En vain, je tentai de l'attendrir par des allures humbles, des regards repentants et douloureux; son masque demeurait impitoyable, son front avait toujours cette barre d'ombre qui m'inquiétait. Le soir, couchée, elle prit un livre et me tourna le dos. Et sa nuque, sa nuque parfumée où mes lèvres aimaient à se pâmer, sa nuque me paraissait plus obstinée qu'un mur de pierre.... De sourdes impatiences s'agitaient en moi, et je m'efforçais de les dompter. A mesure que la colère m'envahissait, ma voix cherchait des intonations plus caressantes, se faisait plus douce, plus suppliante.

—Juliette! ma Juliette!... Parle-moi, je t'en prie!... Parle-moi!... Je t'ai fait de la peine, j'ai été trop dur?... c'est vrai.... Je me repens, je te demande pardon.... Mais parle-moi.

On eût dit que Juliette ne m'entendait pas. Elle coupait les feuillets de son livre, et le sifflement du couteau sur le papier m'agaçait horriblement.

—Ma Juliette!... Comprends-moi.... C'est parce que je t'aime que je t'ai dit cela.... C'est parce que je te veux si pure, si respectée!... Et qu'il me semble que ces gens sont indignes de toi... Si je ne t'aimais pas, que m'importerait?... Et puis, tu crois que je ne veux pas que tu sortes!... Mais non.... Nous sortirons souvent, tous les soirs.... Ah! ne sois pas ainsi!... J'ai eu tort!... Gronde-moi, bats-moi.... Mais parle, parle donc!...

Elle continuait de tourner les pages du livre.... Les mots s'étranglaient dans ma gorge:

—C'est mal, Juliette, ce que tu fais là ... Je t'assure que c'est mal d'être comme tu es.... Puisque je me repens!... Ah! quel plaisir éprouves-tu donc à me torturer de la sorte?... Puisque je me repens!... Voyons, Juliette, puisque je me repens!...

Aucun muscle de son corps ne tressaillait à mes prières. Sa nuque surtout m'exaspérait. Entre des mèches de cheveux follets, j'y voyais maintenant une tête de bête ironique, des yeux qui me raillaient, une bouche qui me tirait la langue. Et j'eus la tentation d'y porter la main, de la labourer avec mes doigts, d'en faire jaillir du sang.

—Juliette! criai-je.

Et mes doigts crispés, écartés, crochus comme des serres, s'avançaient, malgré moi, prêts à s'abattre sur cette nuque, impatients de la déchirer.

—Juliette!

Juliette retourna légèrement la tête, me regarda avec mépris, sans terreur.

—Que veux-tu? me dit-elle.

—Ce que je veux?... Ce que je veux?...

J'allais proférer des menaces.... Je m'étais levé, à demi, hors des draps, je gesticulais.... Et, tout à coup, ma colère tomba.... Je me rapprochai de Juliette, me blottis contre elle, tout honteux, et baisant cette belle nuque parfumée:

—Ce que je veux, ma chérie, c'est que tu sois heureuse.... Que tu reçoives tes amis.... C'était si bête ce que j'exigeais de toi!... N'es-tu donc pas la meilleure des femmes.... Ne m'aimes-tu pas?... Ah! je n'aurai plus d'autre volonté que la tienne, je te le promets!... Et tu verras comme je serai gentil avec eux.... Tiens ... pourquoi n'inviterais-tu pas Gabrielle à dîner?... Et Jesselin aussi?...

—Non! non!... Tu dis cela maintenant, et demain tu me le reprocherais.... Non, non!... Je ne veux pas t'imposer des gens que tu détestes.... Des sales filles, et des crétins!...

—Je ne sais où j'avais la tête.... Je ne les déteste pas ... au contraire, ils me plaisent beaucoup.... Invite-les, tous les deux.... Et j'irai prendre une loge au Vaudeville.

—Non!

—Je t'en conjure I

Sa voix se radoucit. Elle ferma le livre.

—Eh bien! nous verrons demain.

Sincèrement, à cette minute, j'aimais Gabrielle, Jesselin, Célestine.... Je crois même que j'aimais Malterre.

Je ne travaillais plus. Non que l'amour du travail m'eût abandonné, mais je n'avais plus la faculté créatrice. Tous les jours je m'asseyais, à mon bureau, devant du papier blanc, cherchant des idées, n'en trouvant pas, et retombant fatalement dans les inquiétudes du présent, qui était Juliette, dans les effrois de l'avenir qui était Juliette encore!... De même qu'un ivrogne presse la bouteille tarie pour en exprimer une dernière goutte de liqueur, de même je pressais mon cerveau dans l'espoir d'en faire gicler des gouttes d'idées!... Hélas! mon cerveau était vide!... Il était vide, et il me pesait sur les épaules, autant qu'une boule énorme de plomb!... Mon intelligence avait toujours été lente à s'ébranler; il lui fallait l'excitation, le cinglement du coup de fouet. En raison de ma sensibilité mal réglée, de ma passivité, je subissais facilement des influences intellectuelles et morales, bonnes ou mauvaises. Aussi l'amitié de Lirat m'était-elle très utile, autrefois. Mes idées se dégelaient à la chaleur de son esprit; sa conversation m'ouvrait des horizons nouveaux, insoupçonnés; ce qui grouillait en moi de confus, se dégageait, prenait une forme moins indécise que je m'efforçais de transcrire: il m'habituait à voir, à comprendre, me faisait descendre avec lui dans le mystère de la vie profonde.... Maintenant, jour par jour, et, pour ainsi dire, heure par heure, se rétrécissaient, se refermaient les horizons de lumière où j'avais tendu, et la nuit venait, une nuit épaisse, qui non seulement était visible, mais qui était tangible aussi, car je la touchais réellement, cette nuit monstrueuse; je sentais ses ténèbres se coller à mes cheveux, s'agglutiner à mes doigts, s'enrouler autour de mon corps, en anneaux visqueux....

Mon cabinet donnait sur une cour, ou plutôt sur un petit jardin que décoraient deux grands platanes, et que limitait un mur, tapissé d'un treillage et couronné de lierre. Par delà ce mur, au fond d'un autre jardin, une façade de maison montait grise et très haute, dardant sur moi cinq rangées de fenêtres; au troisième étage, contre la croisée qui l'encadrait comme un vieux tableau, un vieux homme était assis. Il avait une calotte de velours noir, une robe de chambre à carreaux, et jamais il ne bougeait. Tassé sur lui-même, la tête inclinée sur la poitrine, il semblait dormir. De son visage, je ne voyais que des angles de chair jaune et ridée, des trous d'ombre et des mèches de barbe sale, pareilles aux végétations bizarres qui poussent sur les troncs des arbres morts. Parfois, un profil de femme se penchait sur lui, sinistrement; et ce profil avait l'air d'une chouette posée sur l'épaule du vieillard; je distinguais son bec recourbé et ses yeux ronds, cruels, avides, sanguinaires. Lorsque le soleil entrait dans le jardin, la croisée s'ouvrait, et j'entendais une voix aigre, pointue, colère, qui ne cessait de glapir des reproches. Alors, le vieux homme se tassait davantage, sa tête avait un léger mouvement d'oscillation, puis il redevenait immobile, un peu plus enfoui dans les plis de sa robe de chambre, un peu plus écroulé au fond de son fauteuil. Je restais des heures à regarder le malheureux, et j'imaginais des drames terribles, une intimité tragique, une existence noble, gâchée, perdue, broyée par cette femme à la face de chouette. Ce cadavre vivant, je me le représentais beau, jeune et fort.... C'était peut-être jadis un artiste, un savant, ou simplement un homme heureux et bon.... Et il marchait, la taille haute, les yeux pleins de confiance, il marchait vers la gloire ou vers le bonheur.... Un jour, il avait rencontré cette femme, chez un ami; et cette femme, elle aussi, avait une voilette parfumée, un petit manchon, une toque de loutre, un sourire céleste, un air d'angélique douceur.... Et tout de suite, il l'avait aimée.... Je le suivais pas à pas, dans sa passion, je comptais ses faiblesses, ses lâchetés, ses chutes de plus en plus profondes, jusqu'à l'effondrement dans ce fauteuil de gâteux et de paralytique....

Et ce que j'imaginais de lui, c'était ma vie à moi: c'étaient mes propres sensations, mes terreurs de l'avenir, mes angoisses.... Peu à peu, l'hallucination prenait un caractère seulement physique, et c'était moi, que je voyais, sous cette calotte de velours, dans cette robe de chambre, avec ce corps délabré, cette barbe sale, et Juliette qui se posait sur mon épaule, comme un hibou....

Juliette!... Elle rôdait dans le cabinet, le corps lassé, la figure toute barbouillée d'ennui, laissant échapper des bâillements et des soupirs. Elle ne savait qu'inventer pour se distraire. Le plus souvent, près de moi, elle installait une table de jeu et s'absorbait dans les combinaisons d'une patience compliquée; ou bien elle s'allongeait sur le divan, étalait sur elle une serviette, sur la serviette de menus instruments d'écaille, de microscopiques pots d'onguent, et brossait ses ongles avec acharnement, les limait, les obligeait à être plus brillants que de l'agate. Toutes les cinq minutes, elle les examinait, cherchant son image reflétée, comme en un miroir, sur les surfaces polies.

—Regarde, mon chéri!... sont beaux, pas? Et toi aussi, Spy, regarde les jolis nonongles à ta maîtresse.

Ce frottement léger de la brosse de peau, cet imperceptible craquement du divan, les réflexions de Juliette, ses conversations avec Spy, suffisaient à mettre en déroute le peu d'idées que je tentais de rassembler. Ma pensée revenait aussitôt aux préoccupations ordinaires, et je rêvais des rêves pénibles, je vivais des vies douloureuses ... Juliette!... L'aimais-je?... Bien des fois cette question se dressait devant moi, grosse d'un doute affreux? N'avais-je point été dupe d'un étonnement des sens?... Ce que j'avais pris pour de l'amour, n'était-ce point l'éphémère et fugitive révélation d'un plaisir non encore goûté?... Juliette!... Certes, je l'aimais.... Mais cette Juliette que j'aimais, n'était-ce point celle que j'avais créée, qui était née de mon imagination, sortie de mon cerveau, celle à qui j'avais donné une âme, une flamme de divinité, celle que j'avais pétrie impossiblement, avec la chair idéale des anges?... Et encore ne l'aimais-je point comme on aime un beau livre, un beau vers, une belle statue, comme la réalisation visible et palpable d'un rêve d'artiste!... Mais l'autre Juliette!... celle qui était là?... Ce joli animal inconscient, ce bibelot, ce bout d'étoffe, ce rien?... Je la considérais avec attention, tandis qu'elle lissait ses ongles!... Oh! j'aurais voulu déboîter ce crâne et en sonder le vide, ouvrir ce cœur et en mesurer le néant! Et je me disais: «Quelle existence sera la mienne avec cette femme qui n'a de goût que pour le plaisir, qui n'est heureuse que dans les chiffons, dont chaque désir coûte une fortune, qui, malgré son apparence chaste, va au vice instinctivement; qui, du soir au lendemain, sans un regret, sans un souvenir, a quitté ce misérable Malterre; qui me quittera demain, peut-être; cette femme qui est la négation vivante de mes aspirations, de mes admirations; qui jamais, jamais, n'entrera dans ma vie intellectuelle; cette femme enfin qui, déjà, pèse sur mon intelligence comme une folie, sur mon cœur comme un remords, sur tout moi comme un crime?...» J'avais des envies de fuir, de dire à Juliette: «Je sors, mais je serai revenu dans une heure,» et de ne pas rentrer dans cette maison où les plafonds m'étaient plus écrasants que des couvercles de cercueil, où l'air m'étouffait, où les choses elles-mêmes semblaient me dire: «Va-t'en.» Eh bien, non!... Je l'aimais! Et c'était cette Juliette que j'aimais, non l'autre, qui était allée où vont les chimères!... Je l'aimais de tout ce qui faisait ma souffrance, je l'aimais de son inconscience, de ses futilités, de ce que je soupçonnais en elle de perverti; je l'aimais de ce torturant amour des mères pour leur enfant malade, pour leur enfant bossu.... Avez-vous rencontré, par un jour glacé d'hiver, avez-vous rencontré, accroupi dans l'angle d'une porte, un pauvre être dont les lèvres sont gercées, dont les dents claquent, dont la peau tremble, sous les guenilles déchirées?... Et si vous l'avez rencontré, n'avez-vous pas été envahi par une pitié poignante, et n'avez-vous pas eu la pensée de le prendre, de le réchauffer contre vous, de lui donner à manger, de couvrir ses membres frissonnants de vêtements chauds? J'aimais Juliette ainsi; je l'aimais d'une pitié immense ... ah! ne riez pas!... d'une pitié maternelle, d'une pitié infinie!...

—Est-ce que nous n'allons pas sortir, mon chéri?... Ce serait si gentil de faire un tour de Bois.

Et jetant les yeux sur le papier blanc, où je n'avais pas écrit une ligne:

—C'est tout ça?... Vrai!... tu ne t'es pas foulé la rate.... Et moi qui suis restée pour te faire travailler!... Oh! d'abord, je sais que tu n'arriveras jamais à rien.... Tu es bien trop mou!...

Bientôt, tous les jours et tous les soirs nous sortîmes. Je ne résistais pas, presque heureux d'échapper aux mortels dégoûts, aux réflexions désespérées que me suggérait notre appartement, à la vision symbolique du vieil homme, à moi-même.... Ah! surtout à moi-même. Dans la foule, dans le bruit, dans cette hâte fiévreuse de l'existence de plaisir, j'espérais trouver un oubli, un engourdissement, dompter les révoltes de mon esprit, faire taire le passé dont j'entendais, au fond de mon être, la voix gémir et pleurer. Et, puisque j'étais dans l'impossibilité d'élever Juliette jusqu'à moi, j'allais m'abaisser jusqu'à elle. Les hauteurs sereines où trône le soleil, que j'avais gravies lentement, au prix de quels efforts! je les redescendrais d'un coup, d'une chute instantanée, irrémédiable, dussé-je, en bas, me fracasser la tête contre les pierres, ou disparaître dans la boue profonde. Il n'était plus question de m'enfuir. Si, par hasard, cette idée venait encore traverser les brumes de mon cerveau, si, dans l'égarement de ma volonté j'apercevais, toujours plus lointaine, une route de salut, où le devoir semblait m'appeler, pour me soustraire à l'idée, pour ne pas m'élancer sur cette route, je m'accrochais à de faux semblants d'honneur.... Pouvais-je quitter Juliette! moi qui avais exigé qu'elle quittât Malterre? Moi parti, que deviendrait-elle?... Mais non! mais non! je mentais.... Je ne voulais pas la quitter, parce que je l'aimais, parce que j'avais pitié d'elle, parce que.... N'était-ce point moi que j'aimais, de moi que j'avais pitié?... Ah! je ne sais plus! je ne sais plus!... Aussi ne croyez point que l'abîme où j'ai roulé m'ait surpris brusquement.... Ne le croyez pas! Je l'ai vu de loin, j'ai vu son trou noir et béant horriblement, et j'ai couru à lui.... Je me suis penché sur les bords pour respirer l'odeur infecte de sa fange, je me suis dit: «C'est là que tombent, que s'engouffrent les destinées perverties, les vies perdues; on n'en remonte jamais, jamais!» Et je m'y suis précipité....

Malgré les menaces du ciel chargé de nuages, la terrasse du café est grouillante de monde. Pas une table qui ne soit occupée; les cafés concerts, les cirques, les théâtres, ont vomi là «le gratin» de leur public. Partout des toilettes claires et des habits noirs; des demoiselles empanachées comme des chevaux de cortège, ennuyées, malsaines et blafardes; des gommeux ahuris, dont la tête se penche sur la boutonnière défleurie et qui mordillent le bout de leurs cannes, avec des gestes grimaçants de macaque. Quelques-uns, les jambes croisées, pour montrer leurs chaussettes de soie noire, brodées de fleurettes rouges, le chapeau renvoyé légèrement en arrière, sifflotent un air à la mode,—le refrain que, tout à l'heure, ils ont chanté aux Ambassadeurs, en s'accompagnant avec des assiettes, des verres et des carafes.... La dernière lumière s'est éteinte à la façade de l'Opéra. Mais tout autour, les fenêtres des cercles et des tripots flamboient, rouges, pareilles à des bouches d'enfer. Sur la place, acculées au bord du trottoir, des voitures de remise s'alignent, lamentables et rapiécées, sur une triple file. Les cochers dormaillent, couchés sur leurs sièges; d'autres, réunis en groupe, comiques sous des livrées de hasard, causent en mâchonnant des bouts de cigare et se racontent, avec de gros rires, les gaillardes histoires de leurs clientes. On entend sans cesse la voix criarde des vendeurs de journaux, qui passent et repassent, jetant, au milieu d'un boniment croustillant, le nom d'une femme connue, la nouvelle d'un scandale, tandis que des gamins crapuleux et sournois, glissant comme des chats entre les tables, offrent des photographies obscènes, qu'ils découvrent à demi, pour fouetter les désirs qui s'endorment, rallumer les curiosités qui s'éteignent. Et des petites filles, dont le vice précoce a déjà flétri les maigres visages d'enfant, viennent présenter des bouquets en souriant, d'un sourire équivoque, en mettant dans leurs œillades la savante et hideuse impureté des vieilles prostituées. A l'intérieur du café, toutes les tables sont prises.... Pas une place vide.... On boit du bout des lèvres un verre de champagne, on grignote une sandwich du bout des dents. Toutes les minutes, des curieux entrent, avant de monter au club ou d'aller se coucher, par habitude, ou par «chic» et pour voir aussi s'il n'y a pas «quelque chose à faire». Lentement, et se dandinant, ils font le tour des groupes, s'arrêtent pour causer avec des amis, envoient un rapide bonjour de la main, de-ci, de-là, se regardent dans les glaces, remettent en ordre la cravate blanche qui déborde le pardessus clair; puis s'en vont, l'esprit orné d'une nouvelle expression d'argot demi-mondain, plus riches d'un potin cueilli au passage et dont leur désœuvrement vivra pendant tout un jour. Les femmes, accoudées devant un soda-water, leur tête veule—que vergettent de petites hachures roses—appuyée sur la main long gantée, prennent des airs languissants, des mines souffrantes et rêveuses de poitrinaires. Elles échangent avec les tables voisines des clignements d'yeux maçonniques et d'imperceptibles sourires, tandis que le monsieur qui les accompagne, silencieux et béat, frappe, à petits coups de canne, la pointe de ses souliers. La réunion est brillante, tout enjolivée de fanfreluches et de dentelles, de passequilles et de pompons, de plumes teintées et de fleurs épanouies, de boucles blondes, de tresses brunes, et de lueurs de diamants. Et tous sont à leur poste de combat, les jeunes et les vieux, les débutants au visage imberbe, les chevronnés aux cheveux blanchis, les dupes naïves et les hardis écumeurs: irrégularités sociales, situations fausses, vices déréglés, basses cupidités, marchandages infâmes, toutes les fleurs corrompues qui naissent, se confondent, grandissent et s'engraissent à la chaleur du fumier parisien.

C'est dans cette atmosphère, chargée d'ennuis, d'inquiétude et de parfums lourds, que nous venions, tous les soirs, désormais. Dans la journée, les stations chez les couturières, le Bois, les Courses; la nuit, les restaurants, les théâtres, les réunions galantes. Partout où ce monde spécial s'étale, on était certain de nous voir apparaître; nous étions même très choyés à cause de la beauté de Juliette, dont on commençait à parler, et de ses robes qui excitaient l'envie, l'émulation des autres femmes. Nous ne dînions plus chez nous. Notre appartement ne nous servait plus guère que de cabinet de toilette. Quand Juliette s'habillait, elle devenait dure, presque féroce. Le pli de son front lui coupait la peau comme une cicatrice. Elle parlait par mots saccadés, se fâchait, semblait emportée vers des buts de destruction. Autour d'elle, le cabinet était au pillage: les tiroirs ouverts, des jupons gisant sur le tapis, des éventails sortis de leurs étuis, épars sur les chaises, des lorgnettes errant sur les meubles, des mousselines bouffant dans des coins, des fleurs tombées, des serviettes rougies de fard, des gants, des bas, des voilettes pendues aux branches des flambeaux.

Et, dans ce pêle-mêle, Célestine, agile, effrontée, cynique, évoluait, bondissait, glissait, s'agenouillait aux pieds de sa maîtresse, piquait ici des épingles, là rajustait des plis, nouait des cordons, ses mains, molles, flasques, faites pour tripoter de sales choses, se plaquaient sur le corps de Juliette avec amour. Elle était heureuse, ne répondait plus aux observations vives, aux reproches blessants, et ses yeux, allumés d'une flamme de vice canaille, s'attachaient sur moi, obstinément ironiques. Ce n'est qu'en public, à l'éclat des lumières, sous le feu croisé des regards d'homme, que Juliette retrouvait son sourire, et l'expression de joie un peu étonnée et candide qu'elle conservait jusque dans ces milieux répugnants de la débauche. Et nous venions, en ce cabaret, avec Gabrielle, avec Jesselin, avec des gens rencontrés on ne sait où, présentés on ne sait par qui, des imbéciles, des escrocs, des princes, toute une chiennerie internationale et boulevardière que nous traînions à nos trousses. On disait, généralement: «La bande Mintié.»

—Que faites-vous ce soir?

—Je vais avec la bande Mintié.

Jesselin nous donnait des renseignements sur le personnel de l'endroit; il n'ignorait rien des dessous de la vie galante; il en parlait, d'ailleurs, avec une sorte d'admiration, en dépit de tous les détails honteux ou tragiques qu'il nous révélait.

«Cet homme très entouré et qu'on écoute respectueusement?... Il avait été valet de chambre. Son maître le chassa, pour vol. Mais il se fit croupier, exploita tous les bouges clandestins, devint caissier de cercle, puis, habilement, pendant quelques années, disparut. Aujourd'hui, il possédait des intérêts dans des maisons de jeu, des parts dans des écuries de courses, du crédit chez les agents de change, des chevaux et un hôtel où il recevait. Il prêtait secrètement de l'argent, à cent pour cent, à des demoiselles dans l'embarras et dont il avait, au préalable, expertisé les talents et la rouerie. Généreux à ses heures, avec esclandre; achetant des tableaux très cher, il passait pour un homme honorable et un protecteur des arts Dans les journaux, on citait son nom, dévotieusement.

«Et cet autre, énorme, joufflu, dont le visage gras et plissé est éternellement fendu d'un rire d'idiot?... Un enfant!... Dix-huit ans, à peine. Il a une maîtresse retentissante, avec laquelle il se montre au Bois, le lundi, et un professeur-abbé qu'il conduit au lac, le mardi, dans la même voiture. Sa mère a ainsi compris l'éducation de ce fils, voulant qu'il menât de front les saintes croyances et les galantes aventures. Au demeurant, ivre tous les soirs, et cravachant sa vieille folle de mère. «Un vrai type!» résumait Jesselin.

«Un duc, celui-là, un duc porteur d'un grand nom de France!... Ah! le joli duc! Le roi des pique-assiettes! Il entre timidement, comme un chien peureux, regarde à travers son monocle, flaire un souper, s'installe et dévore du jambon et du pâté de foie gras. Il n'a peut-être pas dîné, le duc; il est sans doute revenu bredouille de ses quotidiennes tournées au café Anglais, à la Maison Dorée, chez Bignon, en quête d'un ami et d'un menu. Très bien avec les petites dames et les marchands de chevaux, il fait les commissions des unes, monte les bêtes des autres. Chargé de dire, partout où il va: «Ah! quelle femme charmante!... Ah! quelle admirable bête!» Il reçoit, en échange de ces services, quelques louis avec lesquels il paie son valet de chambre.

«Encore un grand nom, peu à peu et irrémédiablement tombé dans la pourriture des métiers abjects et des proxénétismes cachés. Celui-ci fut brillant, autrefois; il garde encore, malgré l'embonpoint qui est venu, malgré la bouffissure des chairs, une allure élégante, et un parfum de bonne compagnie. Dans les mauvais lieux et les sociétés bizarres où il opère, il joue le rôle rétribué que jouaient, il y a cinquante ans, les majors dans les tables d'hôte. Sa politesse et son éducation lui sont un capital qu'il exploite en perfection. Il sait tirer parti du déshonneur des autres, aussi habilement que du sien, car nul, mieux que lui, ne s'entend à mettre ses malheurs conjugaux en coupe réglée.

«Ce visage livide, encadré de favoris grisonnants, cette lèvre mince, cet œil éteint?... On ne savait pas!... Longtemps des bruits sinistres avaient couru sur ce personnage, des histoires de sang.... D'abord, on eut peur et on s'éloigna.... Un vieux souvenir, après tout!... D'ailleurs, il dépensait beaucoup d'argent.... Qu'importe quelques gouttes rouges qui roulent sur des piles d'or!... Les femmes en étaient folles....

«Ce jeune homme si joli, à la moustache si galamment retroussée? ... Un jour, n'ayant plus le sou, et sa famille lui coupant les vivres, il eut l'ingénieuse pensée de faire croire à son repentir, quitta avec fracas une vieille maîtresse qu'il avait, et s'en revint à la maison paternelle. Une jeune fille, compagne de son enfance, l'adorait. Elle était riche. Il l'épousa. Mais le soir même du mariage, il emportait la dot et retrouvait la vieille maîtresse. «Elle est bonne! ajoutait Jesselin, non là vrai!... Elle est très bonne!»

«Et les complaisants, et les chassés des clubs, et les expulsés des Courses, et les exécutés de la Bourse, et les étrangers venus, le diable sait d'où, qu'un scandale apporte et que remporte un autre scandale, et les vivants hors la loi et l'estime bourgeoise, qui s'adjugent des royautés parisiennes, devant lesquelles on s'incline! Tous ils grouillaient là, superbes, impunis et tarés!»

Juliette écoutait, amusée par ces récits, attirée par cette boue et par ce sang, flattée des hommages ignobles qu'elle sentait lui arriver des regards de ces crétins et de ces bandits. Mais elle gardait sa tenue décente, son charme de vierge, ses allures à la fois hautaines et abandonnées, pour lesquelles un jour, chez Lirat, je m'étais damné!...

Voilà que les figures pâlissent, les traits s'étirent ... la fatigue gonfle et rougit les paupières.... Un à un, ils quittent le cabaret, las et inquiets.... Savent-ils ce que demain leur réserve, ce qui les attend chez eux; quelle ruine les guette; au fond de quel gouffre de misère et d'infamie ils sombreront, les pauvres diables?... Quelquefois un coup de pistolet creuse un vide dans la bande.... Ne sera-ce pas leur tour, demain?... Demain!... Ne sera-ce pas mon tour aussi? Ah! demain!... toujours la menace de demain!... Et nous rentrions sans rien nous dire, hébétés, mornes.

Le boulevard était désert. Un grand silence s'appesantissait sur la ville. Seules, les fenêtres des tripots luisaient, pareilles à des yeux de bêtes géantes, tapies dans la nuit.

Sans connaître exactement ma situation de fortune, je sentais la ruine proche. J'avais payé des sommes considérables, les dettes s'accumulaient sur les dettes et, loin de diminuer, les fantaisies de Juliette devenaient plus nombreuses, plus extravagantes: l'or coulait de ses doigts, comme l'eau d'une fontaine, en un ruissellement continu. «Elle me croit sans doute plus riche que je ne le suis, pensais-je, voulant me tromper moi-même: je devrais l'avertir, peut-être se montrerait-elle plus réservée dans ses désirs.» La vérité est que j'écartais systématiquement toute idée de ce genre, que je redoutais les conséquences probables d'une pareille révélation, plus que n'importe quel malheur dans le monde. En mes rares instants de lucidité, de franchise avec moi-même, je comprenais que, sous son air de douceur, sous ses naïvetés d'enfant gâtée, sous la passion robuste et vibrante de sa chair, Juliette cachait une volonté terrible d'être belle toujours, adulée, courtisée, un effroyable égoïsme qui n'eût reculé devant aucune cruauté, devant aucun crime moral.... Je m'apercevais qu'elle m'aimait moins que le dernier de ses chiffons, qu'elle m'eût sacrifié pour un manteau, pour une cravate, pour une paire de gants.... Entraînée dans cette existence, elle ne s'arrêterait point.... Et alors?... Alors un grand froid me secouait de la tête aux pieds.... Qu'elle me quittât, non, non, voilà ce que je ne voulais pas!... Le moment le plus pénible pour moi, c'était le matin, au réveil. Les yeux fermés, ramenant les couvertures par-dessus ma tête, le corps tassé en boule, je réfléchissais à ma situation, avec d'épouvantables tortures.... Et plus elle me paraissait compromise, plus je me raccrochais à Juliette, désespérément. J'avais beau me dire que l'argent manquerait tout à coup, que le crédit avec lequel, malhonnêtement, je prolongerais une semaine, deux semaines, l'agonie de mes espérances, me serait retiré; je m'entêtais, je m'acharnais en d'impossibles combinaisons.... Je me voyais abattant des besognes formidables en huit jours.... Je rêvais de trouver des millions dans des fiacres.... Des héritages prodigieux me tombaient du ciel.... Le vol me hantait.... Peu à peu, toutes ces folies prenaient un corps dans mon cerveau détraqué.... Je donnais à Juliette des palais, des châteaux; je l'écrasais sous le poids des diamants et des perles; l'or, autour d'elle, coulait, flambait; et, par-dessus la terre, je la hissais sur des pourpres vertigineuses.... Puis, la réalité revenait brusquement.... Je m'enfonçais davantage dans le lit.... Je cherchais des néants au fond desquels j'aurais disparu ... je m'efforçais de dormir.... Et, tout d'un coup, haletant, la sueur au front, les yeux hagards, je me collais à Juliette, l'étreignais de toutes mes forces, sanglotant.

—Tu ne me quitteras jamais, ma Juliette!... dis, dis que tu ne me quitteras jamais.... Parce que, vois-tu, j'en mourrais ... j'en deviendrais fou ... je me tuerais!... Juliette, je te jure que je me tuerais!

—Mais, qu'est-ce qui te prend?... Pourquoi trembles-tu? Non, mon chéri, je ne te quitterai pas.... Ne sommes-nous pas heureux ainsi?... Et puis, je t'aime tant!... quand tu es bien gentil, comme maintenant!

—Oui, oui, je me tuerais!... je me tuerais!...

—Es-tu drôle, mon chéri!... Pourquoi me dis-tu cela?...

—Parce que....

J'allais tout lui révéler.... Je n'osai pas. Et je repris:

—Parce que je t'aime!... parce que je ne veux pas que tu me quittes ... parce que je ne veux pas!...

Il fallut bien, cependant, en arriver à cette confidence.... Juliette avait vu, à la vitrine d'un bijoutier de la rue de la Paix, un collier de perles dont elle parlait sans cesse. Un jour que nous nous trouvions dans le quartier:

—Viens voir le beau bijou, me dit-elle.

Et le nez contre la glace, les yeux luisants, longtemps elle contempla le collier qui arrondissait, sur le velours grenat de l'écrin, son triple rang de perles roses. Je sentais des frissons lui courir sur la peau.

—Pas, qu'il est beau?... Et pas cher du tout! J'ai demandé le prix ... cinquante mille francs.... C'est une occasion unique.

Je cherchai à l'entraîner plus loin. Mais, câline, se penchant à mon bras, elle me retint. Et elle soupira:

—Ah! comme il ferait bien sur le cou de ta petite femme!

Elle ajouta, avec un air de désolation profonde:

—C'est vrai, aussi!... Toutes les femmes ont des tas de bijoux.... Moi, je n'ai rien.... Si tu étais bien gentil, bien gentil!... tu le donnerais à ta pauvre petite Juliette... Voilà!

Je balbutiai:

—Certainement, je veux bien ... mais plus tard ... dans huit jours!...

Le visage de Juliette s'assombrit.

—Pourquoi dans huit jours?... Oh! je t'en prie, tout de suite, tout de suite!

—C'est que vois-tu, maintenant, je suis gêné ... très gêné....

—Comment? déjà?... Tu n'as plus le sou?... Ah bien, vrai!... Où ça passe-t-il donc, tout ton argent?... Tu n'as plus le sou?

—Mais si.... Mais si! seulement je suis gêné, momentanément.

—Eh bien, alors? qu'est-ce que ça fait?... J'ai demandé aussi pour le paiement.... On se contenterait de billets.... Cinq billets de dix mille francs.... Ce n'est pas une affaire d'État!

—Sans doute.... Plus tard! je te promets.... Viens!

—Ah! fit Juliette simplement.

Je la regardai, le pli de son front me terrifia; je vis passer en ses yeux une flamme sombre.... Et, dans l'espace d'une seconde, tout un monde de sensations extraordinaires, et non encore éprouvées, m'envahit. Très nettement, avec une lucidité parfaite, avec un implacable sang-froid, avec une concision de jugement foudroyante, je me posai cette double question: «Juliette et le déshonneur; Juliette et la prison?» Je n'hésitai pas.

—Entrons, dis-je.

Elle emporta le collier.

Le soir, parée de ses perles, elle s'assit sur mes genoux, radieuse, et, les bras noués autour de mon cou, elle resta longtemps à me bercer de sa douce voix.

—Ah! mon pauvre chéri, disait-elle.... Je n'ai pas toujours été sage!... Oui, je me rends compte ... je suis un peu folle quelquefois.... Mais c'est fini maintenant!... Je veux être une femme bonne, sérieuse.... Et puis, tu travailleras bien ... tu feras un beau roman, une belle pièce de théâtre.... Et puis nous serons riches, très riches.... Et puis, quand tu seras trop gêné, nous vendrons le beau collier!... Parce que les bijoux, c'est pas comme les robes; c'est de l'argent, les bijoux.... Embrasse-moi fort....

Ah! comme elle s'envola vite, cette nuit-là? Comme les heures s'enfuirent, effarées sans doute d'entendre hurler l'amour avec la voix maudite des damnés.

Les désastres se multipliaient, se précipitaient. Des billets, souscrits aux fournisseurs de Juliette, restèrent impayés, et c'est à peine si je pouvais, en empruntant partout, trouver l'argent nécessaire à notre existence quotidienne. Mon père avait laissé quelques créances à Saint-Michel. Généreux et bon, il aimait à obliger les petits cultivateurs dans l'embarras. Je lançai les huissiers, sans pitié, contre ces pauvres diables, faisant vendre leur masure, leur bout de champ, ce par quoi ils vivaient misérablement, en se privant de tout. Dans les maisons où je possédais encore du crédit, j'achetais des choses que je revendais aussitôt à vil prix. Je descendais jusque dans les brocantes les plus véreuses.... Des projets de chantage inouïs germaient en moi, et je lassais Jesselin de mes perpétuelles demandes d'argent. Enfin, une fois, j'allai chez Lirat. Il me fallait cinq cents francs pour le soir, et j'allai chez Lirat, délibérément, effrontément! Pourtant, en sa présence, dans cet atelier tout plein de souvenirs regrettés, mon assurance tomba, et j'eus une sorte de pudeur tardive.... Je tournai autour de Lirat, pendant un quart d'heure, sans parvenir à lui expliquer ce que j'attendais de son amitié.... De son amitié!... Et je me disposais à partir.

—Eh bien, au revoir, Lirat.

—Au revoir, mon ami.

—Ah! j'oubliais.... Ne pourriez-vous pas me prêter cinq cents francs? Je comptais sur mes fermages.... Ils sont en retard.

Et rapidement, j'ajoutai:

—Je vous les rendrai demain ... demain matin.

Lirat fixa un instant ses yeux sur moi.... Je revois encore ce regard.... En vérité, il était douloureux.

—Cinq cents francs!... me dit-il.... Où diable voulez-vous que je les prenne?... Est-ce que j'ai jamais eu cinq cents francs?

J'insistai, répétant:

—Je vous les rendrai demain ... demain matin.

—Mais je ne les ai pas, mon pauvre Mintié!... Il me reste deux cents francs.... Si cela peut vous être utile?

Je pensai que ces deux cents francs qu'il m'offrait, c'était le pain de tout un mois. Je répondis, le cœur déchiré:

—Eh bien, oui!... Tout de même!... Je vous les rendrai demain ... demain matin.

—C'est bon, c'est bon!...

J'aurais voulu, à ce moment, me jeter au cou de Lirat, lui demander pardon, lui crier: «Non, non, je ne veux pas de cet argent!» Et, comme un voleur, je l'emportai.

Mes propriétés, le Prieuré lui-même, la vieille et familiale demeure, couverts d'hypothèques, furent vendus!... Ah! le triste voyage que je fis à cette occasion!... Il y avait bien longtemps que je n'étais retourné à Saint-Michel! Et cependant, aux heures de dégoût et de lassitude, dans la fièvre mauvaise de Paris, la pensée de ce petit pays tranquille m'était une douceur, un apaisement. Les souffles purs qui me venaient de là-bas rafraîchissaient mon cerveau congestionné, calmaient ma poitrine, brûlée par les acides corrosifs que charrie l'air empesté des villes, et je m'étais promis souvent, quand je serais fatigué de toujours poursuivre des chimères, de me réfugier là, dans la paix, dans la sérénité des choses maternelles. Saint-Michel!... Jamais il ne m'avait été cher autant que depuis que je l'avais quitté; il me semblait contenir des beautés et des richesses dont je n'avais pas su jouir encore, et que je découvrais subitement.... J'aimais à en rappeler les souvenirs, j'aimais surtout à évoquer la forêt, la belle forêt où, tant de fois, enfant inquiet et rêveur, je m'étais perdu.... Délicieusement, humant l'arôme des puissantes sèves, l'oreille charmée par les harmonies du vent qui fait vibrer les taillis et les futaies, ainsi que des harpes et des violoncelles, je m'enfonçais dans les grandes allées aux voûtes tremblantes de feuillage, les grandes allées droites qui, très loin, là-bas, finissaient brusquement et s'ouvraient comme une baie d'église, sur la clarté d'un pan de ciel ogival et radieux.... Dans ces rêves, je voyais les branches des chênes tendrent vers moi leurs bouquets plus verts, heureuses de me retrouver; les jeunes baliveaux me saluaient, au passage, avec un bruissement joyeux; ils me disaient: «Regarde comme nous avons grandi, comme notre tronc est lisse et vigoureux, comme l'air est bon où nous étendons nos fines ramures balancées, comme la terre est charitable où nous poussons nos racines, sans cesse gorgées de sucs vivifiants.» Les mousses et les bruyères m'appelaient: «Nous t'avons fait un bon lit, petit, un bon lit parfumé, et tel qu'il n'y en a pas dans les maisons avares et dorées des grandes villes.... Allonge-toi, et roule-toi; si tu as trop chaud, la fougère agitera sur ta tête ses légers éventails; si tu as trop froid, les hêtres écarteront leurs branches pour laisser passer un rayon de soleil qui te réjouira.» Hélas! depuis que j'aimais Juliette, peu à peu ces voix s'étaient tues. Ces souvenirs ne revenaient plus, comme des anges gardiens, bercer mon sommeil, et secouer leurs ailes blanches, dans l'azur détruit de mes songes!... Le passé s'éloignait de moi, honteux de moi!...

Le train filait; il avait franchi les plaines de la Beauce, plus mélancoliques encore à regarder qu'aux jours poignants de la guerre.... Et je reconnaissais mes petits champs bossus, et leurs haies fourrées, mes pommiers vagabonds, mes vallées étroites, mes peupliers à la cîme penchée en forme de capuchon, qui ressemblent, dans la campagne, à d'étranges processions de pénitents bleus, mes fermes au toit haut et moussu, mes chemins de traverse encaissés et rocailleux, qui dévalent, bordés de trognes de charme, sous des verdures robustes; ma forêt là-bas, noire dans le soleil couchant.... Il faisait nuit quand j'arrivai à Saint-Michel. J'aimais mieux cela. Traverser la rue, en plein jour, sous les regards curieux de tous ces braves gens qui m'avaient vu enfant, cela m'eût été pénible.... Il me semblait qu'il y avait sur moi tant de hontes, qu'ils se seraient détournés avec horreur, comme d'un chien galeux.... Je hâtai le pas, relevant le collet de mon pardessus.... L'épicière, qu'on appelait Mme Henriette, et qui, jadis, me bourrait de gâteaux, était devant sa boutique, à causer avec des voisines. Je tremblai qu'elles ne parlassent de moi, je quittai le trottoir et pris la chaussée.... Heureusement qu'une charrette passa, dont le bruit couvrit les paroles de ces femmes.... Le presbytère ... la maison des sœurs ... l'église ... le Prieuré!... A cette heure, le Prieuré n'était rien qu'une masse noire, énorme, dans le ciel.... Et pourtant, le cœur me manqua.... Je dus m'appuyer contre un des piliers de la grille, reprendre haleine.... A quelques pas de moi, la forêt grondait, sa grosse voix s'enflait, colère, et pareille à la voix déchaînée des brisants....

Marie et Félix m'attendaient.... Marie, plus vieille, plus ridée; Félix, plus courbé, dodelinant de la tête davantage....

—Ah! monsieur Jean! monsieur Jean!

Et, tout de suite, Marie, s'emparant de ma valise:

—Vous devez avoir joliment faim, monsieur Jean!... Je vous ai fait une soupe, comme vous l'aimiez, et puis j'ai mis un bon poulet à la broche.

—Merci! dis-je.... Je ne dînerai pas.

J'aurais voulu les embrasser tous les deux, leur ouvrir mes bras, pleurer sur leurs vieilles faces parcheminées.... Eh bien, ma voix était dure, cassante. J'avais prononcé: «Je ne dînerai pas», sur un ton de menace. Ils m'examinaient, un peu effarés, ne cessaient de répéter:

—Ah! monsieur Jean!... Comme il y a longtemps!... Ah! monsieur Jean!... Comme vous êtes beau garçon!...

Alors Marie, pensant qu'elle m'intéresserait, commença de me débiter les nouvelles du pays.

—Ce pauvre monsieur le curé est mort, vous avez su cela!... Le nouveau ne prend point ici; c'est trop jeune, ça veut faire du zèle.... Baptiste a été tué par un arbre....

Je l'interrompis:

—Bien, bien, Marie.... Vous me conterez tout cela demain....

Elle me conduisit à ma chambre, et me demanda:

—Faudra-t-il vous porter votre bol de lait, monsieur Jean?

—Comme vous voudrez!

Et, la porte refermée, je m'abattis dans un fauteuil, et longtemps, longtemps, je sanglotai.

Le lendemain je me levai dès l'aube.... Le Prieuré n'avait pas changé; il y avait seulement un peu plus d'herbes dans les allées, de mousse sur le perron, et quelques arbres étaient morts. Je revis la grille, les pelouses teigneuses, les sorbiers chétifs, les marronniers vénérables; je revis le bassin où baignaient les arums, où le petit chat avait été tué, le rideau de sapins qui cachait les communs, l'étude abandonnée; je revis le parc, ses arbres tordus et ses bancs de pierre pareils à de vieilles tombes.... Dans le potager, Félix binait une plate-bande.... Ah! comme il était cassé, le pauvre homme!

Il me montra une épine blanche, et me dit:

—C'est là que vous veniez avec défunt vot' pauv' père, pour guetter le merle.... Vous rappelez-vous ben, monsieur Jean?

—Oui, oui, Félix.

—Et pis la grive, itou, dame!

—Oui, oui, Félix ...

Je m'éloignai. Je ne pouvais supporter la vue de ce vieillard, qui pensait mourir au Prieuré, et que j'allais chasser, et qui s'en irait où?... Il nous avait servis avec fidélité, il était presque de la famille, pauvre, incapable de gagner sa vie désormais.... Et j'allais le chasser!... Ah! comment ai-je fait cela?

Au déjeuner, Marie me parut nerveuse. Elle tournait autour de ma chaise avec une agitation inaccoutumée.

—Faites excuse, monsieur Jean, me dit-elle enfin.... Faut que j'en aie le cœur net.... C'est-y vrai que vous vendez le Prieuré?...

—Oui, Marie.

La vieille fille écarquilla les yeux, stupéfaite, et posant ses deux mains sur la table, elle répéta:

—Vous vendez le Prieuré?

—Oui, Marie.

—Le Prieuré où toute votre famille est née.... Le Prieuré où votre père et votre mère sont morts?... Le Prieuré, Seigneur Jésus!

—Oui, Marie.

Elle se recula comme effrayée:

—Mais vous êtes donc un méchant enfant, monsieur Jean?

Je ne répondis rien. Marie sortit de la salle à manger et ne m'adressa plus la parole.

Deux jours après, mes affaires terminées, les actes signés, je repartais.... De ma fortune, il me restait de quoi vivre un mois, à peine. C'était fini, bien fini!... Des dettes écrasantes, des dettes ignobles, et rien!... Ah! si le train avait pu m'emporter loin, toujours plus loin, n'arriver jamais! C'est à Paris que je m'aperçus seulement que je n'avais pas été m'agenouiller sur les tombes de mon père et de ma mère.

Juliette me reçut tendrement. Elle m'embrassait avec passion.

—Ah! mon chéri, mon chéri!... J'ai cru que tu ne reviendrais plus!... Cinq jours! pense donc! D'abord, si tu refais encore des voyages, je veux aller avec toi....

Elle se montrait si affectueuse, si véritablement émue, ses caresses me donnaient tant de confiance, et puis ce que j'avais de gros sur le cœur me semblait si lourd à porter, que je n'hésitai pas à lui tout avouer. Je la pris dans mes bras et l'assis sur mes genoux.

—Écoute-moi, ma Juliette, lui dis-je, écoute-moi bien.... Je suis perdu, ruiné ... ruiné, tu entends: ruiné!... Nous n'avons plus que quatre mille francs!...

—Pauvre mignon! soupira Juliette, en posant sa tête sur mon épaule, pauvre mignon!

J'éclatai en sanglots, et je m'écriai:

—Tu comprends qu'il faut que je te quitte.... Et j'en mourrai!

—Allons, tu es fou de parler ainsi.... Est-ce que tu crois que je pourrais vivre sans toi, mon chéri?... Voyons, ne pleure pas, ne te désole pas....

Elle essuya mes yeux humides, et continua de sa voix, à chaque instant plus douce:

—D'abord nous avons quatre mille francs ... nous pouvons vivre quatre mois avec cela ... Pendant ces quatre mois, tu travailleras.... Voyons, en quatre mois, si tu n'as pas le temps de faire un beau livre!... Mais ne pleure plus ... parce que si tu pleures, je ne te dirai pas un gros secret ... un gros, gros, gros secret.... Sais-tu ce qu'elle fait, ta petite femme qui se doutait bien un peu de cela?... le sais-tu?... Eh bien! depuis trois jours, elle va au manège, elle prend des leçons d'équitation ... et, l'année prochaine, comme elle sera très forte, Franconi l'engagera.... Sais-tu ce que gagne une écuyère de haute école?... Deux mille, trois mille francs par mois.... Ainsi, tu vois qu'il n'y a pas de quoi se désoler, pauvre mignon!

Toutes les déraisons, toutes les folies m'étaient bonnes. Je m'y accrochais désespérément, comme le marin perdu s'accroche aux épaves incertaines que la vague pousse. Pourvu qu'elles me soutinssent un instant, je ne me demandais pas vers quels plus dangereux récifs, vers quelles profondeurs plus noires, elles m'entraîneraient. Je conservais aussi cet espoir absurde du condamné à mort qui, jusque sur la sanglante plate-forme, jusque sous le couteau, attend un événement impossible, une révolution instantanée, une catastrophe planétaire, qui le délivreront de la mort. Je me laissai bercer par le joli ronron des paroles de Juliette!... Des résolutions de travail héroïque me venaient à l'esprit, me jetaient dans des enthousiasmes désordonnés.... J'entrevoyais des foules haletantes, penchées sur mes livres; des théâtres où des messieurs graves et maquillés s'avançaient, lançant mon nom aux admirations frénétiques du public. Vaincu par la fatigue, brisé par l'émotion, je m'endormis....

Nous finissons de dîner.... Juliette a été plus tendre encore qu'au moment de mon retour. Pourtant, je vois en elle une inquiétude, une préoccupation. Elle est triste et gaie, tout à la fois: qu'y a-t-il donc derrière ce front où des nuages passent? Malgré ses protestations, est-elle décidée à me quitter, et veut-elle rendre moins pénible notre séparation, en me prodiguant tous les trésors de ses caresses?...

—Que c'est donc ennuyeux, mon chéri! dit-elle.... Il faut que je sorte.

—Comment, il faut que tu sortes?... Maintenant?

—Mais oui, figure-toi.... Cette pauvre Gabrielle est très malade.... Elle est seule ... j'ai promis d'aller la voir. Oh! je ne serai pas longtemps.... Une heure à peine....

Juliette parle très naturellement.... Et je ne sais pas pourquoi, je pense qu'elle ment, qu'elle ne va pas chez Gabrielle ... et je suis mordu au cœur par un soupçon, vague, affreux.... Je lui dis:

—Ne pourrais-tu attendre demain?

—Oh! c'est impossible!... Tu comprends, j'ai promis!

—Je t'en prie!... demain....

—C'est impossible!... Cette pauvre Gabrielle!

—Eh bien!... Je vais avec toi.... Je resterai à la porte, je t'attendrai!

Sournoisement, je l'examine.... Son visage n'a pas frémi.... Non, en vérité, elle n'a pas eu la moindre surprise des nerfs. Elle répond avec douceur:

—Ça n'est pas raisonnable!... Tu es fatigué, mon chéri.... Couche-toi!

Déjà j'ai vu glisser, comme une couleuvre, la traîne de sa robe, derrière la portière retombée.... Juliette est dans son cabinet de toilette.... Et moi, les yeux obstinément fixés sur la nappe, où danse le reflet rouge d'une bouteille de vin, je réfléchis que, dans ces temps derniers, des femmes sont venues ici, des femmes grasses, louches, des femmes qui avaient l'air de chiennes, flairant des ordures.... J'ai demandé à Juliette: «Qui sont ces femmes?» Juliette m'a répondu, une fois: «C'est la corsetière», une autre fois: «C'est la brodeuse....» Et je l'ai cru!... Un jour, sur le tapis, j'ai ramasse une carte de visite qui traînait.... Madame Rabineau, 114, rue de Sèze.... «Qui ça, Mme Rabineau?» Juliette m'a répondu: «Ce n'est rien, donne....» Et elle a déchiré la carte.... Et moi, imbécile, je ne suis même pas allé rue de Sèze, pour savoir!... Je me souviens de tout cela.... Ah! comment n'ai-je pas compris?... Comment ne leur ai-je pas sauté à la gorge, à ces vilaines brocanteuses de viande humaine?... Et un grand voile se lève, par delà lequel je vois Juliette, le ventre sali, épuisée et hideuse, se prostituant à des boucs!... Juliette est là, devant moi, qui met ses gants, devant moi, en costume sombre ... avec une voilette épaisse qui lui cache la figure.... L'ombre de sa main court sur la nappe, elle s'allonge, s'élargit, se rétrécit, disparaît et revient.... Toujours je verrai cette ombre diabolique, toujours!...

—Embrasse-moi bien, mon chéri.

—Ne sors pas, Juliette; ne sors pas, je t'en conjure.

—Embrasse-moi ... bien fort ... plus fort encore.... Elle est triste.... A travers la voilette épaisse, je sens sur ma joue l'humidité d'une larme.

—Pourquoi pleures-tu, Juliette?... Juliette, par pitié, reste près de moi!

—Embrasse-moi.... Je t'adore, mon Jean.... Je t'adore!...

Elle est partie.... Des portes s'ouvrent, se referment.... Elle est partie.... Dehors, j'entends le bruit d'une voiture qui roule.... Le bruit s'éloigne, s'éloigne et meurt.... Elle est partie!...

Et me voilà dans la rue, moi aussi.... Un fiacre passe,

—114, rue de Sèze!

Ah! ma résolution a été vile prise.... J'ai réfléchi que j'avais le temps d'arriver avant elle.... Elle a bien compris que je n'étais pas dupe de la maladie de Gabrielle.... Ma tristesse, mon insistance lui ont sans doute inspiré la crainte d'être espionnée, suivie, et vraisemblablement, elle ne se sera pas dirigée, tout droit, là-bas.... Mais pourquoi cette abominable pensée est-elle tombée sur moi, tout à coup, comme la foudre?... Pourquoi cela, et pas autre chose? J'espère encore que mes pressentiments m'ont trompé, que Mme Rabineau «ce n'est rien», que Gabrielle est malade!...

Une sorte de petit hôtel étranglé entre deux hautes maisons; une porte étroite, creusée dans le mur, au-dessus de trois marches; une façade sombre, dont les fenêtres closes ne laissent filtrer aucune lumière.... C'est là!... C'est là qu'elle va venir, qu'elle est venue peut-être!... Et des rages me poussent vers cette porte, je voudrais mettre le feu à cette maison; je voudrais, dans une flambée infernale, faire hurler et se tordre toutes les chairs damnées qui sont là.... Tout à l'heure, une femme, les mains dans les poches de sa jaquette claire, les coudes écartés, est entrée en chantant et se dandinant.... Pourquoi ne lui ai-je pas craché à la figure?... Un vieillard est descendu de son coupé.... Il a passé près de moi, s'ébrouant, soufflant, soutenu aux aisselles par son valet de chambre.... Ses jambes tremblantes ne pouvaient le porter; entre ses paupières bouffies, molles, luisait une flamme de débauche sanguinaire.... Pourquoi n'ai-je pas balafré la face hideuse de ce vieux faune ataxique?... Il attend peut-être Juliette!... La porte d'enfer s'est refermée sur lui ... et, un instant, mes yeux ont plongé dans le gouffre.... Je croyais voir des flammes rouges, de la fumée, des enlacements abominables, des dégringolades d'êtres affreusement emmêlés.... Non, c'est un couloir triste, désert, éclairé par la clarté pâle d'une lampe, puis au fond quelque chose de noir, comme un trou d'ombre, où l'on sent grouiller des choses impures.... Et les voitures s'arrêtent, vomissant leur provision de fumier humain, dans cette sentine de l'amour.... Une petite fille, de dix ans à peine, me poursuit: «Les belles violettes!... les belles violettes!» Je lui donne une pièce d'or: «Va-t'en, petite, va-t'en!... Ne reste pas là. Ils te prendraient!...» Mon cerveau s'exalte, j'éprouve au cœur la douleur de mille crocs, de mille griffes qui le fouillent, le déchirent, s'acharnent... Des désirs de meurtre s'allument en moi et mettent dans mes bras les gestes de tuer.... Ah! me précipiter, le fouet en main, au milieu de ces priapées, et zébrer ces corps d'ineffaçables plaies, éparpiller des coulées de sang chaud, des morceaux de chair vive, sur les glaces, sur les tapis, les lits.... Et à la porte de la maison infâme, ainsi qu'une chouette aux portes des granges campagnardes, clouer la Rabineau, nue, éventrée, les entrailles pendantes!... Un fiacre s'est arrêté: une femme en sort; j'ai reconnu le chapeau, la voilette, la robe.

—Juliette!

En me voyant, elle pousse un cri.... Mais elle se remet vite.... Ses yeux me bravent:

—Laisse-moi, crie-t-elle.... que fais-tu là?... Laisse-moi!

Je lui broie les poignets, et d'une voix qui s'étrangle, qui râle:

—Écoute-moi.... Si tu fais un pas, si tu dis un mot ... je te renverse sur le trottoir et je t'écrase la tête sous le talon de mes souliers.

—Laisse-moi!

Lourdement, je plaque une main sur son visage, et de mes ongles, furieux, je laboure son front, ses joues, d'où le sang jaillit.

—Jean! oh! Jean!... Pitié, je t'en prie!... Jean, grâce! grâce!... Sois bon!... Tu me tues....

Je la conduis brutalement vers la voiture ... et nous rentrons.... Pliée en deux, elle est là, près de moi, qui sanglote.... Que vais-je faire?... Je n'en sais rien.... En vérité, je n'en sais rien.... Je ne me demande rien, je ne pense à rien.... Il me semble qu'une montagne de rochers s'est abattue sur moi.... J'ai cette sensation de blocs lourds sous lesquels mon crâne s'est aplati, ma chair s'est écrasée.... Pourquoi, dans le noir où je suis, pourquoi ces murs hauts et blafards fuient-ils dans le ciel? Pourquoi des oiseaux sombres volent-ils dans des clartés subites?... Pourquoi une chose, affaissée près de moi, pleure-t-elle?... Pourquoi? Je l'ignore....

VII

Je vais la tuer.... Elle est dans sa chambre, sans lumière, couchée.... Moi, dans le cabinet de toilette, je marche, je marche.... Je marche haletant, la tête en feu, les poings crispés, impatients de justice.... Je vais la tuer!... De temps en temps, je m'arrête près de la porte et j'écoute.... Elle pleure.... Et, tout à l'heure, j'entrerai.... J'entrerai et je l'arracherai du lit, je la traînerai par les cheveux, je m'acharnerai sur son ventre, je lui frapperai le crâne contre les angles de marbre de la cheminée.... Je veux que la chambre soit rouge de son sang.... Je veux que son corps ne soit plus qu'un paquet de chair pilée, que je jetterai aux ordures et que le tombereau, demain, ramassera.... Pleure, pleure!... Dans une minute, tu hurleras, ma mie!... Ai-je été stupide?... Penser à tout, excepté à cela!... Avoir peur de tout, excepté de cela!.... Me dire à chaque instant: «Elle me quittera,» et jamais, jamais: «Elle me trompera....» N'avoir pas deviné ce bouge, ce vieux, toute cette fange!... Non, en vérité, je n'y songeais pas, aveugle brute que j'étais.... Elle devait bien rire, quand je la suppliais de ne pas me quitter!... Me quitter, ah! oui, me quitter!... Elle ne le voulait pas.... Je comprends maintenant.... Je lui suis non pas une pudeur, non pas une honorabilité, mais bien une enseigne, une marque de fabrique.... une plus-value!... Oui, qu'on la voie à mon bras, et elle vaut davantage, elle peut se vendre plus cher que si, goule nocturne, elle s'en allait, rôdant sur les trottoirs et fouillant l'ombre obscène des rues.... Ma fortune, elle l'a dévorée d'un coup de dent.... Mon intelligence, ses lèvres, d'un trait, l'ont tarie.... Alors, elle spécule sur mon honneur, c'est logique.... Sur mon honneur!... Comment saurait-elle qu'il ne m'en reste plus?... Vais-je donc la tuer? Être mort, et puis, après, c'est fini!... On se découvre devant le cercueil d'un bandit, on salue le cadavre de la prostituée.... Dans les églises, les fidèles s'agenouillent et prient pour ceux-là qui ont souffert, pour ceux-là qui ont péché.... Dans les cimetières, le respect veille sur les tombes, et la croix les protège.... Mourir, c'est être pardonné!... Oui, la mort est belle, sainte, auguste!... La mort, c'est la grande clarté éternelle qui commence.... Oh! mourir!... s'allonger sur un matelas plus moelleux que la plus moelleuse mousse des nids.... Ne plus penser.... Ne plus entendre les bruits de la vie.... Sentir l'infinie volupté au néant!... Être une âme!... Je ne la tuerai pas.... Je ne la tuerai pas, parce qu'il faut qu'elle souffre, abominablement, toujours ... qu'elle souffre dans sa beauté, dans son orgueil, dans son sexe étalé de fille vendue!... Je ne la tuerai pas, mais je la marquerai d'une telle laideur, je la rendrai si repoussante que tous, à sa vue, s'enfuiront, épouvantés.... Et, le nez coupé, les yeux débordant les paupières ourlées de cicatrices, je l'obligerai, tous les jours, tous les soirs, à se montrer sans voile, dans la rue, au théâtre, partout!

Tout à coup, les sanglots m'étouffent.... Je me roule sur le divan, mordant les coussins, et je pleure, je pleure!... Les minutes s'envolent, les heures passent et je pleure!... Ah! Juliette, infâme Juliette! Pourquoi as-tu fait cela?... Pourquoi? Ne pouvais-tu me dire «Tu n'es plus riche, et c'est de l'argent que je veux de toi.... Va t'en!» Cela eût été atroce; j'en serais peut-être mort.... Qu'importe? Cela eût mieux valu.... Comment est-il possible que maintenant, je te regarde en face.... Que nos bouches jamais se rejoignent?... Nous avons, entre nous, l'épaisseur de cette maison maudite!... Ah! Juliette!... Malheureuse Juliette!...

Je me souviens, quand elle est partie.... Je me souviens de tout!... Je la revois, avec sa toilette, sa robe grise, l'ombre de sa main, qui dansait, bizarre, sur la nappe.... Je la revois aussi nettement, plus nettement même, que si elle était devant moi, en cette minute.... Elle était triste, elle pleurait.... Je n'ai pas rêvé ... elle pleurait ... puisque ses larmes ont mouillé ma joue!... Pleurait-elle sur moi, sur elle?... Ah! qui sait?... Je me souviens.... Je lui disais: «Ne sors pas, ma Juliette!». Elle me répondait: «Embrasse-moi fort, bien fort, plus fort!...» Et ses baisers avaient une étreinte plus douloureuse, une crispation, une peur, comme si elle eût voulu s'accrocher à moi; chercher, tremblante, une protection dans mes bras.... Je revois ses yeux, ses yeux suppliants.... Ils m'imploraient: «Quelque chose d'infernal me pousse.... Retiens-moi.... Je suis sur ton cœur.... Ne me laisse pas partir?...» Et, au lieu de la prendre, de l'emporter, de la cacher, de la tant aimer qu'elle en fût étourdie de bonheur, j'ai ouvert les bras et elle est partie!... Elle se réfugiait en mon amour, et mon amour l'a rejetée.... Elle m'a crié: «Je t'adore, je t'adore!...» Et je suis resté là, bête, aussi étonné que l'enfant à qui l'oiseau captif vient d'échapper, dans un bruit d'ailes imprévu.... A cette tristesse, à ces larmes, à ces baisers, à ces paroles plus tendres, à ces frissonnements, je n'ai rien compris.... Et c'est maintenant, seulement, que je l'entends, ce langage muet et si mélancolique: «Mon cher Jean, je suis une pauvre petite femme, un peu folle, et si faible!... Je n'ai pas la notion de grand-chose.... Qui donc m'eût appris ce que c'est que la pudeur, le devoir, la vertu!... Tout enfant, le spectacle du vice m'a salie, et le mal m'a été révélé par ceux-là mêmes qui avaient charge de veiller sur moi.... Je ne suis pas méchante, pourtant, et je t'aime.... Je t'aime plus encore que je ne t'ai jamais aimé!... Mon Jean adoré, tu es fort, toi; tu sais de belles choses que j'ignore.... Eh bien, défends-moi!... Un désir plus impérieux que ma volonté m'attire là-bas.... C'est que j'ai vu des bijoux, des robes, des riens charmants et très chers que tu ne peux plus me donner, et qu'on m'a promis tout cela!... J'ai l'instinct que c'est mal et que tu en auras de la peine.... Eh bien, dompte-moi!... Je ne demande pas mieux que d'être bonne et vertueuse.... Apprends-moi.... Si je te résiste ... bats-moi.» Pauvre Juliette!... Il me semble qu'elle est près de moi, agenouillée; les mains jointes.... Les larmes coulent de ses yeux, de ses grands yeux humiliés et doux, les larmes coulent sans cesse, comme, autrefois, elles coulaient des yeux de ma mère.... Et, à la pensée que j'ai voulu la tuer, que j'ai voulu, par des mutilations horribles, défigurer ce visage délicieux et repentant, des remords m'assaillent, la colère s'évanouit dans la pitié.... Elle, continue: «Pardonne-moi!... Oh! mon Jean, tu dois me pardonner.... Ce n'est pas de ma faute, je t'assure.... Réfléchis.... M'as-tu avertie, une seule fois?... Une seule fois, m'as-tu montré le chemin que je devais suivre.... Par mollesse, par crainte de me perdre, par une complaisance exagérée et criminelle, tu t'es courbé à tous mes caprices, même les plus mauvais.... Comment était-il possible que je comprisse que cela était mal, puisque tu ne me disais rien.... Au lieu de m'arrêter sur les bords de l'abîme où je courais, c'est toi-même qui m'as précipitée.... Quels exemples m'as-tu mis sous les yeux?... Où donc m'as-tu conduite?... M'as-tu, un jour, arrachée à ce milieu inquiétant de la débauche?... Pourquoi n'as-tu pas chassé de chez nous Jesselin, Gabrielle, tous ces êtres dépravés, dont la présence était un encouragement à mes folies?... Me souffler un peu de ton âme, faire pénétrer un peu de lumière dans la nuit de mon cerveau, voilà ce qu'il fallait!... Oui, il fallait me redonner la vie, me créer une seconde fois!... Je suis coupable, mon Jean!... Et j'ai tant de honte que je n'espère pas, par toute une existence de sacrifice et de repentir, racheter l'infamie de cette heure maudite.... Mais toi!... As-tu bien la conscience d'avoir rempli ton devoir? Je ne redoute pas l'expiation.... Je l'appelle au contraire, je la veux.... Mais toi?... Peux-tu t'ériger en justicier d'un crime qui est mien, oui, et qui est tien aussi, puisque tu n'as pas su l'empêcher!... Mon cher amour, écoute-moi.... Ce corps que j'ai tenté de souiller, il te fait horreur; tu ne pourrais le voir, désormais, sans colère et sans déchirement.... Eh bien, qu'il disparaisse!... Qu'il s'en aille pourrir dans l'oubli d'un cimetière!... Mon âme te restera, elle t'appartient, car elle ne t'a pas quitté, car elle t'aime.... Vois, elle est toute blanche....» Un couteau brille dans les mains de Juliette.... Elle va se frapper.... Alors, je tends les bras, je crie: «Non, non, Juliette, non je ne veux pas.... Je t'aime!... Non, non, je ne veux pas!...» Mes bras se referment et je n'étreins que l'espace.... Je regarde, épouvanté ... autour de moi, la pièce est vide!... Je regarde encore.... Le gaz brûle, plus jaune, aux appliques de la toilette ... sur le tapis, des jupons gisent affaissés, des bottines sont éparses. Et le jour, très pâle, glisse entre les lamelles des volets.... J'ai peur que Juliette, vraiment, ne se soit tuée, car pourquoi cette vision se serait-elle dressée devant moi?... Sur la pointe des pieds, doucement, je me dirige vers la porte, et j'écoute.... Un soupir faible m'arrive, puis une plainte, puis un sanglot.... Et, comme un fou, je me précipite dans la chambre.... Une voix me parle dans l'ombre, la voix de Juliette:

—Ah! mon Jean! mon pauvre petit Jean!

Et, sur son front, chastement, ainsi que le Christ baisa Magdeleine, je l'embrassai.

VIII

—Lirat!... Ah! enfin, c'est vous!... Depuis huit jours, je vous cherche, je vous écris, je vous appelle, je vous attends ... Lirat, mon cher Lirat, sauvez-moi!

—Hé! mon Dieu!... Qu'y a-t-il?

—Je veux me tuer.

—Vous tuer!... Je connais ça.... Allons, ça n'est pas dangereux.

—Je veux me tuer ... je veux me tuer!

Lirat me regarda, cligna de l'œil et marcha dans la bureau, à grands pas.

—Mon pauvre Mintié! dit-il, si vous étiez ministre, agent de change ..., je ne sais pas moi ... épicier, critique d'art, journaliste, je vous dirais: «Vous êtes malheureux et vous en avez assez de la vie, mon garçon!... Eh bien, tuez-vous!...» Et là-dessus je m'en irais.... Comment, vous avez cette chance rare d'être un artiste, vous possédez ce don divin de voir, de comprendre, de sentir ce que les autres ne voient, ne comprennent et ne sentent!... Il y a, dans la nature, des musiques qui ne sont faites que pour vous et que les autres n'entendront jamais.... Les seules joies de la vie, les nobles, les grandes, les pures, celles qui vous consolent des hommes et vous rendent presque pareils à Dieu, vous les avez toutes.... Et, parce qu'une femme vous a trompé, vous allez renoncer à tout cela?... Elle vous a trompé; c'est évident qu'elle vous a trompé.... Qu'est-ce que vous voulez qu'elle fasse?... Et vous, qu'est-ce que cela peut bien vous faire?

—Ne raillez point, je vous en prie!... Vous ne savez rien, Lirat.... Vous ne soupçonnez rien.... Je suis perdu, déshonoré!

—Déshonoré, mon ami?... En êtes-vous sûr?... Vous avez de sales dettes?... Vous les paierez!

—Il ne s'agit pas de cela!... Je suis déshonoré! déshonoré, comprenez-vous?... Tenez, il y a quatre mois que je n'ai donné d'argent à Juliette ... quatre mois!... Et je vis ici, j'y mange, j'y suis entretenu!... Tous les soirs ... avant le dîner ... tard ... Juliette rentre.... Elle est rompue, pâle, dépeignée.... De quels bouges, de quelles alcôves, de quels bras sort-elle? Sur quels oreillers sa tête s'est-elle roulée!... Quelquefois, je vois des raclures de drap danser, effrontées, à la pointe de ses cheveux.... Elle ne se gêne plus, ne prend même plus la peine de mentir ... on dirait que c'est affaire convenue entre nous.... Elle se déshabille, et je crois qu'elle éprouve une joie sinistre à me montrer ses jupons mal rattachés, son corset délacé, tout le désordre de sa toilette froissée, de ses dessous défaits qui tombent autour d'elle, s'étalent, emplissant la chambre de l'odeur des autres!... Des rages me secouent, et je voudrais la mordre; des colères s'allument, grondent, et je voudrais la tuer ... et je ne dis rien!... Souvent, même, je m'approche pour l'embrasser ... mais elle me repousse: «Non, laisse-moi, je suis éreintée!» Dans les commencements de cette abominable existence, je l'ai battue ... car il ne me manque rien, et toutes les hontes, Lirat, je les ai épuisées,—oui, je l'ai battue!... Elle courbait le dos ... à peine si elle se plaignait.... Un soir, je lui sautai à la gorge, je la renversai sous moi.... Oh! j'étais bien décidé à en finir.... Pendant que je lui serrais le cou, dans la crainte d'être attendri, je détournais la tête, fixais obstinément une fleur du tapis, et, pour ne rien entendre, ni une plainte, ni un râle, je hurlais des mots sans suite comme un possédé.... Combien de temps suis-je resté ainsi?... Bientôt elle ne se débattit plus ... ses muscles contractés se détendirent ... je sentis, sous mes doigts, sa vie s'étouffer ... encore quelques frissons ... puis rien ... elle ne bougeait plus ... et tout à coup, j'aperçus son visage violet, ses yeux convulsés, sa bouche ouverte, toute grande, son corps rigide, ses bras inertes.... Ainsi qu'un fou, je me précipitai dans toutes les pièces de l'appartement, appelant les domestiques, criant: «Venez, venez, j'ai tué Madame! J'ai tué Madame!» Je m'enfuis, dégringolant l'escalier, sans chapeau, j'entrai dans la loge du concierge: «Montez vite, j'ai tué Madame!» Et me voilà, dans la rue, éperdu.... Toute la nuit, j'ai couru, sans savoir où j'allais, enfilant d'interminables boulevards, traversant des ponts, m'échouant sur les bancs des squares, et revenant, toujours, machinalement, devant notre maison.... Il me semblait qu'à travers les volets fermés, des cierges tremblottaient; des soutanes de prêtres, des surplis, des viatiques, passaient, effarés; que des chants funèbres, que des bruits d'orgues, que des sifflements de cordes sur le bois d'un cercueil, m'arrivaient. Je me représentais Juliette, étendue sur son lit, parée d'une robe blanche, les mains jointes, un crucifix sur la poitrine, des fleurs tout autour d'elle.... Et je m'étonnais qu'il y n'eût point encore, à la porte, des draperies noires et, sous le vestibule, un catafalque avec des bouquets, des couronnes, des foules en deuil, se disputant l'aspergeoir.... Ah! Lirat, quelle nuit!... Comment je ne me suis pas jeté sous les voitures, fracassé la tête contre les maisons, élancé dans la Seine!... Je n'en sais rien!... Le jour parut.... J'eus l'idée de me livrer au commissaire de police; j'avais envie d'aller au-devant des sergents de ville et de leur dire: «J'ai tué Juliette....

Arrêtez-moi!...» Mais les pensées les plus extravagantes naissaient dans ma cervelle, s'y bousculaient, faisaient place à d'autres.... Et je courais, je courais, comme si une meute aboyante de chiens m'eût poursuivi.... C'était un dimanche, je me rappelle ... il y avait beaucoup de monde dans les rues ensoleillées.... J'étais convaincu que tous les regards s'attachaient sur moi, que tous ces gens, en me voyant courir, clamaient avec horreur: «C'est l'assassin de Juliette!» Vers le soir, exténué, prêt à m'abattre sur le trottoir, je rencontrai Jesselin: «Hé! dites donc, me cria-t-il, vous en faites de belles, vous!—Vous savez déjà?...» demandai-je, tremblant.... Jesselin riait, il répondit: «Si je le sais?... Mais tout Paris le sait, cher ami.... Tantôt, aux courses, Juliette nous montrait son cou, et les marques que vos doigts y ont laissées. Elle disait: «C'est Jean qui m'a fait cela....» Sapristi! vous allez bien, vous!...» Et, en me quittant, il ajouta: «D'ailleurs, elle n'a jamais été plus jolie.... Et un succès!...» Ainsi, je la croyais morte, et elle se pavanait aux courses!... J'étais parti, elle pouvait penser que, plus jamais, je ne reviendrais, et elle était aux courses ... plus jolie!...

Lirat, très grave, m'écoutait.... Il ne marchait plus, s'était assis et balançait la tête.... Il murmura:

—Qu'est-ce que vous voulez que je vous dise?... Il faut vous en aller....

—M'en aller? repartis-je ... m'en aller? Mais je ne veux pas!... Une glu, chaque jour plus épaisse, me retient à ces tapis; une chaîne, chaque jour plus pesante, me rive à ces murs.... Je ne peux pas!... Tenez, en ce moment, je rêve d'héroïsmes fous ... je voudrais, pour me laver de toutes ces lâchetés, je voudrais me précipiter contre les gueules embrasées de cent canons. Je me sens la force d'écraser, de mes seuls poings, des armées formidables.... Quand je me promène dans les rues, je cherche les chevaux emportés, les incendies, n'importe quoi de terrible où je puisse me dévouer ... il n'est pas une action dangereuse et surhumaine que je n'aie le courage d'accomplir.... Eh bien, ça!... je ne peux pas!... D'abord, je me suis donné les excuses les plus ridicules, les plus déraisonnables raisons.... Je me suis dit que si je m'en allais, Juliette tomberait plus bas encore, que mon amour était, en quelque sorte, sa dernière pudeur, que je finirais bien par la ramener, par la sauver de la boue où elle se vautre.... Vraiment, je me suis payé le luxe de la pitié et du sacrifice.... Mais je mentais!... Je ne peux pas!... Je ne peux pas, parce que je l'aime, parce que, plus elle est infâme, et plus je l'aime.... Parce que je la veux, entendez-vous, Lirat?... Et si vous saviez de quoi c'est fait, cet amour, de quelles rages, de quelles ignominies, de quelles tortures?... Si vous saviez au fond de quels enfers la passion peut descendre, vous seriez épouvanté!... Le soir, alors qu'elle est couchée, je rôde dans le cabinet de toilette, ouvrant les tiroirs, grattant les cendres de la cheminée, rassemblant les bouts de lettres déchirées, flairant le linge qu'elle vient de quitter, me livrant à des espionnages plus vils, à des examens plus ignobles!... Il ne me suffit pas de savoir, il faut que je voie!... Enfin, je ne suis plus un cerveau, plus un cœur, plus rien.... Je suis un sexe désordonné et frénétique, un sexe affamé qui réclame sa part de chair vive, comme les bêtes fauves qui hurlent dans l'ardeur des nuits sanglantes.

J'étais épuisé ... les paroles ne sortaient plus de ma gorge qu'en sons sifflants ... néanmoins, je poursuivis:

—Ah! c'est à n'y rien comprendre!... Parfois, il arrive à Juliette d'être malade ... ses membres, surmenés par le plaisir, refusent de la servir; son organisme, ébranlé par les secousses nerveuses, se révolte.... Elle s'alite.... Si vous la voyiez alors?... Une enfant, Lirat, une enfant attendrissante et douce! Elle ne rêve que de campagne, de petites rivières, de prairies vertes, de joies naïves: «Oh! mon chéri, s'écrie-t-elle, avec dix mille francs de rente, comme nous serions heureux!...» Elle forme des projets virgiliens et délicieux.... Nous devons nous en aller loin, bien loin, dans une petite maison entourée de grands arbres ... elle élèvera des poules qui pondront des œufs qu'elle-même dénichera, tous les matins; elle fera des fromages blancs et des confitures ... et elle fanera, et elle visitera les pauvres, et elle portera des tabliers comme ci, des chapeaux de paille comme ça, trottinera, le long des sentiers, sur un âne qu'elle appellera Joseph.... «Hue! Joseph, hue!... Ah! que ce serait gentil!» Moi, en l'écoutant, je sens l'espoir qui me revient, et je me laisse aller à ce rêve impossible d'une existence champêtre avec Juliette, déguisée en bergère. Des paysages calmes comme des refuges, enchantés comme des paradis, défilent devant nous.... Et nous nous exaltons, et nous nous extasions.... Juliette pleure: «Mon pauvre mignon, je t'ai causé bien de la peine, mais c'est fini, maintenant, va; je te le promets.... Et puis, j'aurai un mouton apprivoisé, pas!... Un beau mouton, tout gros, tout blanc, que je cravaterai d'un nœud rouge, pas!... Et qui me suivra partout, avec Spy, pas?...» Elle exige que je dîne, près de son lit, sur une petite table; et elle a pour moi des câlineries de nourrice, des attentions de mère ... elle me fait manger ainsi qu'un enfant, ne cessant de répéter d'une voix émue: «Pauvre mignon!... Pauvre mignon!...» A d'autres moments, elle devient songeuse et grave: «Mon chéri, je voudrais te demander une chose qui me tracasse depuis longtemps ... jure que tu la diras.—Je te le jure.—Eh bien?... quand on est mort, dans le cercueil, est-ce qu'on a les pieds appuyés contre la planche?—Quelle idée!... Pourquoi parler de cela?—Dis, dis, dis, je t'en prie!—

Mais je ne sais pas, ma petite Juliette.—Tu ne sais pas?... C'est vrai, aussi, tu ne sais jamais, quand je suis sérieuse ... parce que, vois-tu?... moi je ne veux pas que mes pieds soient appuyés contre la planche.... Lorsque je serai morte ... tu me mettras un coussin ... et puis une robe blanche ... tu sais ... avec des fleurs roses ... ma robe du Grand Prix!... Tu auras un gros chagrin, pauvre mignon?... Embrasse-moi ... viens là, tout près, plus près ... je t'adore!...» Et je souhaitais que Juliette fût malade, toujours!... Aussitôt rétablie, elle ne se souvient de rien; ses promesses, ses résolutions s'évanouissent, et la vie d'enfer recommence, plus emportée, plus acharnée.... Et moi, de ce petit coin de ciel où j'ai fait halte, je retombe, plus effroyablement écrasé, dans la boue et dans le sang de cet amour!... Ah! ce n'est pas tout, Lirat!... Je devrais rester, au fond de cet appartement, à cuver ma honte, n'est-ce pas!... Je devrais entasser sur moi tant d'ombre et tant d'oubli, qu'on pût me croire mort?... Ah! bien oui!... Allez au Bois, et vous m'y verrez tous les jours.... Au théâtre, moi encore, que vous apercevrez, dans une avant-scène, le frac correct, la boutonnière fleurie ... moi partout!... Juliette, elle, resplendit parmi les fleurs, les plumes, et les bijoux.... Elle est charmante, elle a une robe nouvelle qu'on admire, des sourires de plus en plus virginaux, et le collier de perles, que je n'ai pas payé, avec lequel, du bout de ses doigts, elle joue gracieusement et sans remords.... Et je n'ai pas un sou, pas un!... Et je suis à fin de dettes, de carottages, d'escroqueries!... Souvent, je frissonne.... C'est qu'il m'a semblé que la main lourde d'un gendarme s'appesantissait sur moi.... Déjà, j'entends des chuchotements pénibles, je saisis des regards obliques, chargés de mépris ... peu à peu, le vide s'élargit, se recule autour de moi, comme autour d'un pestiféré.... Des anciens amis passent, détournent la tête, m'évitent pour ne pas me saluer.... Et, malgré moi, je prends les allures sournoises et serviles des gens tarés qui vont, l'œil louche, l'échine craintive, en quête d'une main tendue!... Ce qui est horrible, voyez-vous, c'est que je me rends compte très nettement que, seule, la beauté de Juliette me protège. Ce sont les désirs qu'elle excite, c'est sa bouche, c'est le mystère dévoilé et profané de son corps qui, dans ce monde de joie, me couvrent d'une fausse estime, d'une apparence menteuse de considération.... Une poignée de main, un regard obligeant, cela veut dire: «J'ai couché avec ta Juliette, et je te dois bien cela.... Tu aimerais peut-être mieux de l'argent.... En veux-tu?...» Oui, que je quitte Juliette, et, d'un coup de pied, je serai rejeté hors de ce milieu même, de ce milieu facile, complaisant et perverti, et j'en serai réduit à l'amitié borgne des croupiers et des souteneurs!...»

J'éclatai en sanglots.... Lirat ne remua pas ... ne leva pas la tête sur moi.... Immobile, les mains croisées, il regardait je ne sais quoi ... rien sans doute.... Je continuai, après quelques minutes de silence:

—Mon bon Lirat, vous souvenez-vous, dans l'atelier, de nos causeries?... Je vous écoutais, et c'était si beau ce que vous me disiez!... Sans vous en douter peut-être, vous éveilliez en moi des désirs nobles, des enthousiasmes sublimes.... Vous me souffliez un peu des croyances, des ambitions, des élans hautains de votre âme ... vous m'appreniez à lire dans la nature, à en comprendre le langage passionné, à ressentir l'émotion éparse dans les choses ... vous me faisiez toucher du doigt la beauté immortelle ... vous me disiez: «L'amour, mais il est dans la cruche de terre, dans la guenille vermineuse que je peins.... Une sensibilité, une joie, une souffrance, une palpitation, une lumière, un frisson, n'importe quoi de fugitif qui ait été de la vie, et rendre cela, fixer cela avec des couleurs, des mots ou des sons, c'est aimer!... L'amour, c'est l'effort de l'homme vers la création!...» Et j'ai rêvé d'être un grand artiste!... Ah! mes rêves, mes ivresses de voir, mes doutes, mes saintes angoisses, vous les rappelez-vous?... Voilà donc ce que j'ai fait de tout cela!... J'ai voulu l'amour, et je suis allé à la femme, la tueuse d'amour.... J'étais parti, avec des ailes, ivre d'espace, d'azur, de clarté!... Et je ne suis plus qu'un porc immonde, allongé dans sa fange, le groin vorace, les flancs secoués de ruts impurs.... Vous voyez bien, Lirat, que je suis perdu, perdu, perdu!... et qu'il faut que je me tue!...

Alors, Lirat s'approcha de moi et posa ses deux mains sur mes épaules.

—Vous êtes perdu, dites-vous!... Allons donc, quand on est de votre race, est-ce qu'une vie d'homme est jamais perdue?... Il faut vous tuer?... Est-ce qu'un malade qui a la fièvre typhoïde crie: «Il faut me tuer....» Il dit: «Il faut me guérir....» Vous avez la fièvre typhoïde, mon pauvre enfant ... guérissez-vous.... Perdu!... mais il n'existe pas un crime, entendez-vous bien, un crime, si monstrueux et si bas soit-il, que le pardon ne puisse racheter ... non pas le pardon de Dieu, non pas le pardon des hommes, mais le pardon de soi-même, qui est autrement difficile et meilleur à obtenir.... Perdu!... Je vous écoutais, mon cher Mintié, et savez-vous à quoi je pensais?... Je pensais que vous avez l'âme la plus belle et la plus noble que je connaisse.... Non, non ... un homme qui s'accuse comme vous faites ... non, un homme qui met dans la confession de ses fautes les accents déchirants que vous y avez mis ... non, celui-là n'est pas un homme perdu.... Il se retrouve au contraire, et il est près de la rédemption.... L'amour a passé sur vous, et il y a laissé d'autant plus de boue que votre nature était plus généreuse et plus délicate.... Eh bien! il faut vous laver de cette boue ... et je sais où est l'eau qui l'efface.... Vous allez partir d'ici ... quitter Paris....

—Lirat! suppliai-je ... ne me demandez pas de partir! Vingt fois je l'ai tenté et je n'ai pas pu.

—Vous allez partir, répéta Lirat, dont le visage, tout à coup, s'assombrit.... Sinon, je me suis trompé, et vous êtes une canaille!

Il reprit:

—Il y a, au fond de la Bretagne, un village de pêcheurs qui s'appelle Le Ploc'h.... L'air y est pur, la nature superbe, l'homme rude et bon. C'est là que vous allez vivre ... trois mois, six mois, un an, s'il le faut.... Vous marcherez à travers les grèves, les landes, les bois de pin, les rochers; vous bêcherez la terre, vous pécherez le goémon, vous soulèverez des blocs, vous gueulerez dans le vent.... Enfin, mon ami, vous dompterez ce corps, empoisonné, affolé par l'amour.... Dans les commencements, cela vous sera pénible, et vous éprouverez, peut-être, des nostalgies, des révoltes, vous aurez des envies furieuses de retour.... Ne vous rebutez pas, je vous en supplie.... Aux jours pesants, marchez davantage ... passez des nuits en mer avec les braves gens de là-bas.... Et, si vous avez le cœur gros, pleurez, pleurez.... Surtout, pas de mollesse, pas de songeries, pas de lectures, pas de nom écrit sur les rocs et tracé sur le sable.... Ne pensez pas, ne pensez à rien!... En ces occasions-là, la littérature et l'art sont de mauvais conseillers, ils auraient vite fait de vous ramener à l'amour.... Une activité incessante des membres, des besognes de charretier, la chair brisée par l'écrasement des fatigues, le cerveau fouetté, étourdi par le vent, par la pluie, par les rafales.... Je vous le dis, vous reviendrez de là, non seulement guéri, mais plus fort que jamais, mieux armé pour la lutte.... Et vous aurez payé votre dette au monstre.... Vous l'aurez payée de votre fortune?... Qu'est-ce que c'est, cela?... Ah! tenez, je vous envie, et je voudrais bien aller avec vous.... Allons, mon cher Mintié, un peu de courage!... Venez!

—Oui, Lirat, vous avez raison ... il faut que je parte....

—Eh bien, venez!

—Je partirai demain, je vous le jure!

—Demain?... Ah! demain! Elle va rentrer, n'est-ce pas?... Et vous vous jetterez dans ses bras.... Non, venez!

—Laissez-moi lui écrire!... Je ne peux pourtant pas la quitter comme ça, sans un mot, sans un adieu.... Lirat, songez donc!... Malgré les souffrances, malgré les hontes, il y a des souvenirs heureux, des heures bénies.... Elle n'est pas méchante ... elle ne sait pas, voilà tout ... mais elle m'aime ... Je m'en irai, je vous promets que je m'en irai.... Accordez-moi un jour ... un seul jour!... Ce n'est pas beaucoup, un jour, puisque je ne la reverrai plus! Ah! un seul jour!

—Non, venez!

—Lirat!... mon bon Lirat!...

—Non!...

—Mais je n'ai pas d'argent!... Comment, voulez-vous que je parte, sans argent?

—Il m'en reste assez pour votre voyage.... Je vous en enverrai là-bas.... Venez!

—Que je fasse une valise au moins!

—J'ai des tricots de laine et des bérets ... ce qu'il vous faut.... Venez!

Il m'entraîna. Sans rien voir, presque sans comprendre, je traversai l'appartement, me butant aux meubles.... Je ne souffrais pas, car je n'avais conscience de rien; je marchais derrière Lirat de ce pas lourd, de cette allure passive des bêtes que l'on conduit à l'abattoir....

—Eh bien, et votre chapeau?

C'est vrai! je sortais sans chapeau.... Il ne me semblait pas que j'abandonnais, que je laissais derrière moi une partie de moi-même; que les choses que je voyais, au milieu desquelles j'avais vécu, mouraient l'une après l'autre, à mesure que je passais devant elles....

Le train partait à huit heures, le soir.... Lirat ne me quitta pas du reste de la journée. Voulant, sans doute, occuper mon esprit et tenir en haleine ma volonté, il me parlait en faisant de grands gestes; mais je n'entendais rien qu'un bruit confus, agaçant, qui bourdonnait à mes oreilles, comme un vol de mouches.... Nous dînâmes dans un restaurant, près de la gare Montparnasse. Lirat continuait de parler, m'abrutissant de gestes et de mots, traçant sur la table, avec son couteau, des lignes géographiques et bizarres.

—Vous voyez bien, c'est là!... Alors vous suivrez la côte, et....

Il me donnait, je crois bien, des explications relatives à mon voyage, à mon exil, là-bas ... citait des noms de village, de personnes.... Ce mot: la mer, revenait sans cesse, avec des froissements de galets que la vague remue.

—Vous vous rappellerez?

Et, sans savoir exactement de quoi il était question, je répondais:

—Oui, oui, je me rappellerai.

Ce n'est qu'à la gare, en cette vaste gare, emplie de bousculades, que j'eus véritablement conscience de ma situation.... Et j'éprouvai une affreuse douleur.... J'allais donc partir! C'était donc fini!... Plus jamais je ne reverrais Juliette, plus jamais!... En ce moment, j'oubliais les souffrances, les hontes, ma ruine, l'irréparable conduite de Juliette, pour ne me souvenir que des courts instants de bonheur, et je me révoltai contre l'injustice qui me séparait de ma bien-aimée.... Lirat disait:

—Et puis, si vous saviez, quelle douceur c'est de vivre parmi les petits ... d'étudier leur existence pauvre et digne, leur résignation de martyrs, leurs....

Je songeais à tromper sa surveillance, à m'enfuir tout à coup.... Une espérance folle me retint.... Je me répétais: «Célestine aura averti Juliette que Lirat est venu, qu'il m'a emmené de force ... elle devinera tout de suite qu'il se passe une chose horrible, que je suis dans cette gare, que je vais partir ... et elle accourra....» Sérieusement, je le croyais.... Je le croyais si bien que, par les larges baies ouvertes, j'examinais les gens qui entraient, fouillais les groupes, interrogeais les files pressées de voyageurs stationnant devant les guichets.... Et, si une femme élégante apparaissait, je tressaillais, prêta m'élancer vers elle... Lirat poursuivait:

—Et il y a des gens qui les ont traités de brutes, ces héros.... Ah! vous les verrez, ces brutes magnifiques, avec leurs mains calleuses, leurs yeux tout pleins d'infini, et leurs dos qui font pleurer....

Même sur le quai, j'espérais encore la venue de Juliette.... Certainement que, dans une seconde, elle serait là, pâle, défaite, suppliante, me tendant les bras: «Mon Jean, mon Jean, j'étais une mauvaise femme, pardonne-moi!... Ne m'en veux pas, ne m'abandonne pas.... Que veux-tu que je devienne sans toi?... Oh! reviens, mon Jean, ou emmène-moi!» Et des silhouettes s'effaraient, s'engouffraient dans les wagons ... des ombres fantastiques rampaient, se cassaient aux murs; de longues fumées s'échevelaient, blanchâtres, sous la voûte....

—Embrassez-moi, mon cher Mintié.... Embrassez-moi....

Lirat m'étreignit sur sa poitrine.... Il pleurait.

—Écrivez-moi, dès que vous serez arrivé.... Adieu!

Il me poussa dans un wagon, referma la portière....

—Adieu!...

Un sifflet, puis un roulement sourd ... puis des lumières qui se poursuivent, des choses qui fuient, puis plus rien, qu'une nuit noire ... Pourquoi Juliette n'est-elle pas venue?... Pourquoi?... et, distinctement, au milieu des jupons étalés sur les tapis, dans son cabinet de toilette, devant sa glace, les épaules nues, je l'aperçois qui secoue sur son visage une houppette de poudre de riz.... Célestine, de ses doigts mous et flasques, coud, au col d'un corsage, une bande de crêpe lisse, et un homme, que je ne connais pas, à demi couché sur le divan, les jambes croisées, regarde Juliette, avec des yeux où le désir luit.... Le gaz brûle, les bougies flambent, une botte de roses, qu'on vient d'apporter, mêle son parfum plus discret aux odeurs violentes de la toilette! Et Juliette prend une rose, en tord la tige, en redresse les feuilles et la pique à la boutonnière de l'homme, tendrement, en souriant.... Un petit chapeau, dont les brides pendent, se pavane au haut d'un candélabre.

Et le train marche, souffle, halète.... La nuit est toujours noire, et je m'enfonce dans le néant.

IX

A plat ventre sur la dune, les coudes dans le sable, la tête dans les mains, le regard perdu au loin, je rêve ... la mer est devant moi, immense et glauque, rayée de larges ombres violettes, labourée par des vagues profondes, dont les crêtes, balancées çà et là, blanchissent. Et les brisants de la Gamelle qui, de temps en temps, découvre les pointes sombres de ses rocs, m'envoient des bruits sourds de lointaine canonnade. Hier, la tempête était déchaînée; aujourd'hui, le vent a molli, mais la mer ne se résigne pas encore au calme. La houle s'avance, s'enfle, roule, monte, secoue ses crinières d'écume tordue, crève en bouillonnement et retombe écrasée, émiettée, sur les galets, avec un formidable cri de colère. Pourtant, le ciel est tranquille, l'azur se montre entre les déchirures des nuages vite emportés, et les goëlands volent très haut dans le ciel. Les chaloupes ont quitté le port, elles s'en vont, une à une, penchant leurs voiles: elles s'en vont, diminuent, se dispersent, s'effacent, disparaissent.... A ma droite, dominée par les dunes croulantes, la grève fuit jusqu'au Ploc'h, dont on aperçoit, derrière un repli du terrain, sur un fond de verdure triste, le toit des premières maisons, le clocher de pierre ajourée, puis la jetée, énorme remblai de granit, à l'extrémité duquel le phare se dresse.... Par delà la jetée, l'œil devine des espaces incertains, des plages roses, des criques argentées, des falaises d'un bleu doux, poudrées d'embrun, si légères qu'elles semblent des vapeurs, et la mer toujours, et toujours le ciel, qui se confondent, là-bas, dans un mystérieux et poignant évanouissement des choses.... A ma gauche, la dune, où les orobanches étalent leurs corymbes de fleurs pourprées, brusquement finit; le terrain s'élève, s'escarpe, et des roches s'entassent, dégringolent, ouvrent des gueules de gouffres mugissants, ou bien s'enfoncent dans la mer, la fendent violemment, comme des étraves de navires géants. Là, plus de grève; la mer resserrée contre la côte bat le flanc des rochers, s'acharne, bondit, sans cesse furieuse et blanche d'écume. Et la côte continue, déchiquetée, entaillée, minée par l'effort éternel des vagues, s'éboulant, ici, en un monstrueux chaos, là, se redressant et découpant sur le ciel des silhouettes inquiétantes. Au-dessus de moi volent des bandes de linots, et le vent m'apporte, par-dessus la colère des flots, la plainte des avrilleaux et des courlis.

C'est là que tous les jours je viens.... Qu'il vente, qu'il pleuve, que la mer hurle ou bien qu'elle chante, qu'elle soit claire ou sombre, je viens là.... Ce n'est pas cependant que ces spectacles m'attendrissent et qu'ils m'impressionnent, que je reçoive de cette nature horrible et charmante une consolation. Cette nature, je la hais; je hais la mer, je hais le ciel, le nuage qui passe, le vent qui souffle, l'oiseau qui tournoie dans l'air; je hais tout ce qui m'entoure, et tout ce que je vois, et tout ce que j'entends. Je viens là, par habitude, poussé par l'instinct des bêtes qui les ramène à l'endroit familier. Comme le lièvre, j'ai creusé mon gîte sur ce sable et j'y reviens.... Sur le sable ou sur la mousse, à l'ombre des forêts, au fond des trous, ou au grand soleil des grèves solitaires, il n'importe!... Où donc l'homme qui souffre pourrait-il trouver un abri?... Où donc est la voix qui apaise! Où donc la pitié qui sèche les yeux qui pleurent?... Ah! je les connais, les aubes chastes, les gais midis, les soirs pensifs et les nuits étoilées!... Les lointains où l'âme se dilate, où les douleurs se fondent. Ah! je les connais!... Au delà de cette ligne d'horizon, au delà de cette mer, n'y a-t-il pas des pays comme les autres!... N'y a-t-il pas des hommes, des arbres, des bruits?... Nulle part le repos, et nulle part le silence!... Mourir!... mais qui me dit que la pensée de Juliette ne viendra pas se mêler aux vers pour me dévorer?... Un jour de tempête, j'ai vu la mort, face à face, et je l'ai suppliée. Mais elle s'est détournée.... Elle m'a épargné, moi qui ne suis utile à rien ni à personne, moi à qui la vie est plus torturante que le carcan de fer du condamné et que le boulet du forçat, et elle est allée prendre un homme robuste, courageux et bon, que de pauvres êtres attendaient!... Oui, la mer, une fois, m'a saisi, elle m'a roulé dans ses vagues, et puis, elle m'a revomi, vivant, sur un coin de la plage, comme si j'étais indigne de disparaître en elle....

Les nuages s'émiettent, plus blancs; le soleil tombe en pluie brillante sur la mer, dont le vert changeant s'adoucit, se dore par places, par places s'opalise, et, près du rivage, au-dessus de la ligne bouillonnante, se nuance de tous les tons du rose et du blanc. Les reflets du ciel que la vague divise à l'infini, qu'elle coupe en une multitude de petits tronçons de lumière, miroitent sur la surface tourmentée.... Derrière le môle, la mâture fine d'un cotre, que des hommes remorquent en halant sur la bouline, glisse lentement, puis la coque se montre, les voiles hissées s'enflent, et peu à peu le bateau s'éloigne, dansant sur la lame.... Au long de la grève que le jusant découvre, un pêcheur de berniques se hâte, et des mousses arrivent, en courant, les jambes nues, barbotent dans les flaques, soulèvent les pierres tapissées de goémon, à la recherche des loches et des cancres.... Bientôt le cotre n'est plus qu'une tache grisâtre, à l'horizon, dont la ligne s'attendrit, s'enveloppe d'une brume nacrée.... On dirait que la mer s'apaise.

Et voilà deux mois que je suis là!... deux mois!... J'ai marché dans les chemins, dans les champs, dans les landes; tous les brins d'herbe, toutes les pierres, toutes les croix qui veillent aux carrefours des routes, je les connais.... Comme les vagabonds, j'ai dormi dans les fossés, les membres raidis par le froid, et je me suis tapi au fond des roches, sur des lits de feuilles humides; j'ai parcouru les grèves et les falaises, aveuglé par le sable, fouetté par l'embrun, étourdi par le vent; les mains saignantes, les genoux déchirés, j'ai gravi des rochers inaccessibles aux hommes, hantés des seuls cormorans; j'ai passé, en mer, des nuits tragiques et, dans l'épouvante de la mort, j'ai vu les marins se signer; j'ai roulé des blocs énormes, et, de l'eau jusqu'au ventre, dans les courants dangereux, j'ai péché le goémon; je me suis colleté avec les arbres, et j'ai remué la terre profondément, à coups de pioche. Les gens disaient que j'étais fou.... Mes bras sont rompus. Ma chair est toute meurtrie.... Et bien! pas une minute, pas une seconde, l'amour ne m'a quitté.... Non seulement, il ne m'a pas quitté, mais il me possède davantage.... Je le sens qui m'étrangle, qui m'écrase le cerveau, me broie la poitrine, me ronge le cœur, me brûle les veines.... Je suis ainsi que la bestiole, sur laquelle s'est jeté le putois; j'ai beau me rouler sur le sol, me débattre désespérément pour échapper à ses crocs, le putois me tient, et il ne me lâche pas.... Pourquoi suis-je parti?... Ne pouvais-je me cacher au fond d'une chambre d'hôtel meublé?... Juliette serait venue de temps en temps, personne n'aurait su que j'existais, et dans cette ombre, j'aurais goûté des joies abominables et divines.... Lirat m'a parlé d'honneur, de devoir, et je l'ai cru!... Il m'a dit: «La nature te consolera....» Et je l'ai cru!... Lirat a menti.... La nature est sans âme. Tout entière à son œuvre d'éternelle destruction, elle ne me souffle que des pensées de crime et de mort. Jamais elle ne s'est penchée sur mon front brûlant pour le rafraîchir, sur ma poitrine haletante pour la calmer.... Et l'infini m'a rapproché de la douleur!... Maintenant, je ne résiste plus, et vaincu, je m'abandonne à la souffrance, sans tenter désormais de la chasser.... Que le soleil se lève dans les aubes vermeilles, qu'il se couche dans la pourpre, que la mer déroule ses pierreries, que tout brille, chante et se parfume, je veux ne rien voir, ne rien entendre ... ne voir que Juliette dans la forme fugitive du nuage, n'entendre que Juliette dans la plainte errante du vent, et je veux me tuer à étreindre son image dans les choses!... Je la vois au Bois, souriante, heureuse de sa liberté; je la vois, paradant dans les avant-scènes des théâtres; je la vois surtout, la nuit, dans sa chambre. Les hommes entrent et sortent, d'autres viennent et s'en vont, tous gavés d'amour! A la lueur de la veilleuse, des ombres obscènes dansent et grimacent autour de son lit; des rires, des baisers, des spasmes sourds s'étouffent dans l'oreiller, et, les yeux pâmés, la bouche frémissante, elle offre à toutes les luxures son corps jamais lassé de plaisir. La tête en feu, enfonçant les ongles dans ma gorge, je crie: «Juliette! Juliette!» comme si cela était possible que Juliette m'entendît, à travers l'espace: «Juliette! Juliette!» Hélas! le cri des goëlands et la voix grondante des vagues qui brisent sur les rochers, seuls me répondent: «Juliette! Juliette!»

Et le soir vient.... Des brumes s'élèvent, toutes roses et légères, noyant la côte, le village, tandis que la jetée, presque noire, semble la coque d'un grand navire démâté; le soleil incline vers la mer son globe de cuivre enflammé qui trace, sur l'étendue immense, une route de lumière clapoteuse et sanglante. De chaque côté, l'eau s'assombrit, et des étincelles dansent à la pointe des flots. C'est l'heure mélancolique où je rentre par la campagne, rencontrant toujours les mêmes charrettes que traînent les bœufs enchemisés de lin gris, apercevant, courbées vers la terre ingrate, les mêmes silhouettes de paysans qui luttent, mornes, contre la lande et la pierre. Et sur les hauteurs de Saint-Jean, où les moulins tournent, dans la clarté du ciel, leurs ailes démentes, le même calvaire étend ses bras suppliciés....

J'habitais, à l'extrémité du village, chez la mère Le Gannec, une brave femme qui me soignait du mieux qu'elle pouvait. La maison, qui avait vue sur la rade, était propre, bien tenue, garnie de meubles luisants et neufs. La pauvre vieille s'ingéniait à me plaire, se tourmentait l'esprit pour inventer quelque chose qui déridât mon front, qui amenât un sourire sur mes lèvres. Elle était vraiment touchante. Lorsque, le matin, je descendais, je la trouvais, le ménage fait, en train de tricoter des bas ou de travailler à des filets, vive, alerte, presque jolie sous sa coiffe plate, son châle noir court, et son tablier de serge verte....

—Nostre Mintié, s'écriait-elle, j'vas vous fricasser de bonnes coquilles de Saint-Jacques, pour votre souper.... Si vous aimez mieux une bonne soupe au congre, je vous ferai une bonne soupe au congre....

—Comme vous voudrez, mère Le Gannec!

—Mais vous dites toujours la même chose.... Ah! bé, Jésus!... Nostre Lirat n'était point comme vous: «Mère Le Gannec, je veux des palourdes ... mère Le Gannec, je veux des bigorneaux....» Ah! dame, on lui en donnait des palourdes et des bigorneaux! Et puis, il n'était point triste comme vous êtes!... Ah! dame, non!

Et la mère Le Gannec me contait des histoires de Lirat, qui avait passé chez elle tout un automne....

—Et dégourdi! et intrépide!... Par la pluie, par le vent, il s'en allait «prendre des vues».... Ça ne lui faisait rien.... Il rentrait trempé jusqu'aux os, mais toujours gai, toujours chantant!... Fallait voir aussi comme il mangeait, lui! Il aurait dévoré la mer, le mâtin!

Parfois, pour me distraire, elle me faisait le récit de ses malheurs, simplement, sans se plaindre, répétant avec une sublime résignation:

—Ce que le bon Dieu veut, il faut bien le vouloir.... Quand on serait là, à pleurer tout le temps, ça n'avance point les affaires.

Et, de la voix chantante qu'ont les Bretonnes, elle disait:

—Le Gannec était le meilleur pêcheur du Ploc'h, et le plus intrépide marin de toute la côte. Aucun dont la chaloupe fût mieux armée, aucun qui connût comme lui les basses poissonneuses. Lorsque, par les gros temps, une chaloupe sortait, on pouvait être sûr que c'était la Marie-Joseph. Tout le monde l'estimait, non seulement parce qu'il avait du courage, mais parce que sa conduite était irréprochable et digne. Il fuyait le cabaret comme la peste, détestait les soûlauds, et c'était un honneur que d'être de son bord.... Faut vous dire aussi qu'il était patron du bateau de sauvetage.... Nous avions deux gars, nostre Mintié, forts, bien découplés, hardis, l'un de dix-huit ans, l'autre de vingt, que le père avait dressés à être, comme lui, de braves marins.... Ah! si vous les aviez vus, mes deux jolis gars, nostre Mintié!... Et ça marchait bien, les affaires, si bien, qu'avec les économies, nous avions bâti cette maison et acheté ce mobilier.... Enfin, nous étions contents!... Une nuit, il y a deux ans, le père et les gars ne rentrent point!... Je ne m'étonne pas.... Ça lui arrivait quelquefois d'aller loin, jusqu'au Croisic, aux Sables, à l'Herbaudière.... Dame! il suivait le poisson, n'est-ce pas?... Mais les jours passent, et personne!... Et voilà que les jours passent encore. Personne, tout de même!... Alors, chaque matin et chaque soir, j'allais sur le môle, et je regardais la mer.... Je demandais aux marins: «T'as point vu la Marie-Joseph, donc?—Non, la patronne.—Comment que ça se fait qu'elle n'est point rentrée?—Je ne sais pas.—N'y serait-il point arrivé un malheur?—Dame, ça se peut bien, la patronne!» Et en disant cela, ils se signaient.... Alors, j'ai brûlé trois cierges à la Notre-Dame du Bon-Voyage!... Enfin, un jour, ils revinrent, tous les trois, dans une grande charrette, noirs, gonflés, à moitié mangés par les cancres et les étoiles de mer.... Morts, quoi.... Morts, nostre Mintié, tous les trois, mon homme et mes deux jolis gars.... Le gardien du phare de Penmarc'h les avait trouvés roulés dans les rochers.

Je n'écoutais pas et pensais à Juliette.... Où est-elle?... Que fait-elle?... Éternelles questions!

La mère Le Gannec continuait:

—Je ne connais pas vos affaires, nostre Mintié, et je ne sais pas de quoi vous êtes malheureux!... Mais vous n'avez point perdu, d'un coup, votre homme et vos deux gars, vous!... Et si je ne pleure pas, nostre Mintié, ça ne m'empêche pas d'avoir du chagrin, allez!

Et si lèvent sifflait, si la mer, au loin, grondait, elle ajoutait, d'une voix grave:

—Sainte Vierge! ayez pitié de nos pauvres enfants, là-bas, sur la mer....

Moi, je songeais:

—Elle s'habille peut-être.... Peut-être dort-elle encore, lassée de sa nuit!

Je sortais, traversais le village, allais m'asseoir sur une borne de la route de Quimper, au bas d'une longue montée, attendant que le courrier arrivât. La route, creusée dans le roc, est bordée, d'un côté, par un haut talus, que couronnent des sapins et de maigres cépées de chêne; de l'autre côté, elle domine un petit bras de mer qui contourne la lande, rase et plate, au milieu de laquelle des flaques d'eau miroitent. Des cônes de pierre grise s'élèvent, de distance en distance, et quelques pins ouvrent dans le ciel brumeux leur bleu parasol. Les corbeaux passent, passent sans cesse, passent, en files interminables et noires, se hâtant vers on ne sait quelles carnassières ripailles, et le vent apporte le tintement triste des clochettes pendues au cou des vaches qui paissent, égaillées, l'herbe avare de la lande.... Sitôt que j'apercevais les deux petits chevaux blancs et la voiture à caisse jaune qui descendaient la côte, dans un bruit de ferraille et de grelots, mon cœur battait.... «Il y a peut-être une lettre d'elle, dans cette voiture!» me disais-je.... Et le vieux véhicule, disloqué, criant sur ses ressorts, me paraissait plus splendide que les voitures du sacre, et le conducteur, avec sa casquette à soufflet et sa trogne écarlate, me faisait l'effet d'un libérateur.... Comment Juliette aurait-elle pu m'écrire puisqu'elle ignorait où j'étais?... Mais j'espérais toujours en des miracles.... Je rentrais alors au village, d'un pas rapide, me persuadant, par une suite d'irréfutables raisonnements, que, ce jour-là, je recevrais une longue lettre, dans laquelle Juliette m'annoncerait sa venue au Ploc'h, et, par avance, je lisais les mots attendris, les phrases passionnées, les repentirs; je voyais, sur le papier, des traces encore humides de larmes, car, en ces moments-là, je me figurais que Juliette passait son temps à pleurer.... Hélas! rien: quelquefois une lettre de Lirat, admirable, paternelle, et qui m'ennuyait.... Le cœur gros, sentant davantage le poids écrasant de mon abandon, l'esprit sollicité par mille projets, plus fous les uns que les autres, je m'en retournais à ma dune.... De cette espérance courte, je retombais dans une douleur plus aiguë, et la journée s'écoulait à invoquer Juliette, à l'appeler, à la demander aux pâles fleurs des sables, à l'écume des vagues, à toute la nature insensible qui me la refusait et qui me renvoyait son image incomplète, effacée par les baisers de tous!

—Juliette! Juliette!

Un jour, sur la jetée, je rencontrai une jeune fille qu'un vieux monsieur accompagnait. Grande, svelte, elle semblait jolie sous le voile de gaze blanche qui lui couvrait le visage et dont les bouts, noués derrière le chapeau de feutre gris, flottaient dans le vent. Ses mouvements souples et gracieux rappelaient ceux de Juliette. Vraiment, dans le port de la tête, dans la courbure délicate de la taille, dans la tombée des bras, dans le balancement aérien de la robe, je retrouvais un peu de Juliette!... Je la regardai avec émotion, et deux larmes roulèrent sur ma joue.... Elle alla jusqu'à l'extrémité du môle; moi, je m'étais assis sur le parapet, suivant la silhouette de la jeune fille, pensif et charmé.... A mesure qu'elle s'éloignait, je m'attendrissais.... Pourquoi ne l'avais-je pas connue plus tôt, avant l'autre?... Je l'aurais aimée peut-être!... Une jeune fille qui, jamais, n'a senti souffler sur elle l'haleine empestée des hommes, dont les oreilles sont chastes, dont les lèvres ignorent les sales baisers; que ce serait délicieux de l'aimer, de l'aimer ainsi qu'aiment les anges!... Le voile blanc battait au-dessus d'elle, semblable aux ailes d'une mouette.... Et tout à coup, derrière le phare, elle disparut.... Au bas de la jetée, la mer remuait, comme un berceau d'enfant, qu'une nourrice, en chantant, bercerait, et le ciel était sans nuage; il s'épandait sur la surface immobile des flots, pareil à un grand voile traînant de mousseline claire.... La jeune fille ne tarda pas à revenir, passa si près de moi que sa robe me frôla presque. Elle était blonde; je l'eusse préférée brune, comme était Juliette.... Elle s'éloigna, quitta la jetée, prit le chemin du village, et, bientôt, je ne vis plus que le voile blanc qui me disait: «Adieu, adieu! ne sois plus triste, je reviendrai.»

Le soir, je m'informai auprès de la mère Le Gannec.

—C'est la demoiselle de Landudec, me répondit-elle.... Une bien brave enfant, et bien méritante, nostre Mintié. Le vieux monsieur, c'est son père.... Ils habitent ce grand château sur la route de Saint-Jean.... Vous savez, vous y avez été bien des fois....

—Comment se fait-il que je ne les aie jamais vus?

—Ah! Jésus!... C'est que le père est toujours malade, et que la demoiselle reste à le soigner, la pauvre petite! Sans doute qu'il va mieux aujourd'hui, et elle le promène un peu.

—Elle n'a plus sa mère?

—Non! voilà déjà bien longtemps qu'elle est morte.

—Ils sont riches?

—Riches!... Point tant, allez! Ça donne à tout le monde! Si seulement vous alliez le dimanche à la messe, nostre Mintié, vous la verriez, la bonne demoiselle.

Ce soir-là, je m'attardai à causer avec la mère Le Gannec.

Plusieurs fois je la revis, la bonne demoiselle, sur la jetée, et, ces jours-là, la pensée de Juliette me fut moins lourde. Je rôdai autour du château, qui me parut aussi désolé que le Prieuré; l'herbe poussait dans la cour, les pelouses étaient mal entretenues, les allées du parc défoncées par les charrettes pesantes de la ferme voisine. La façade de pierre grise, écaillée par le temps, verdie par la pluie, était aussi triste que les gros blocs de granit qu'on voit dans les landes.... Le dimanche suivant, j'allai à la messe, et j'aperçus la demoiselle de Landudec, parmi les paysans et les marins, qui priait.... Agenouillée sur son prie-Dieu, le corps mince incliné comme celui des vierges primitives, la tête penchée sur un livre, elle priait avec ferveur.... Qui sait?... Elle avait peut-être compris que j'étais malheureux, et, peut-être, me mêlait-elle à ses prières?... Et tandis que le prêtre chevrotait des oraisons, tandis que la nef de l'église s'emplissait du bruit des sabots sur les dalles et du chuchotement des lèvres pieuses, tandis que l'encens des encensoirs montait vers la voûte, avec la voix grêle des enfants de chœur, tandis que la jeune fille priait, comme eût prié Juliette, si Juliette avait prié, je rêvais.... J'étais dans un parc, et la jeune fille s'avançait vers moi, toute baignée de lune. Elle me prenait par la main, et nous marchions sur les pelouses, et sous les arbres qui chantaient.

—Jean, me disait-elle, vous souffrez et je viens à vous.... J'ai demandé à Dieu si je pouvais vous aimer, Dieu me l'a permis.... Je t'aime!

—Vous êtes trop belle, trop pure, trop sainte pour m'aimer!... Il ne faut pas m'aimer!

—Je t'aime!... Penche ton bras sur le mien.... Appuie ta tête sur mon épaule, et allons ainsi toujours!...

—Non, non! Est-ce que l'hirondelle peut aimer le hibou?... Est-ce que la colombe qui vole dans le ciel peut aimer le crapaud qui se cache dans la bourbe des eaux croupies?

—Tu n'es pas le hibou, et tu n'es pas le crapaud, puisque je t'ai choisi.... L'amour que Dieu permet efface tous les péchés et console de toutes les douleurs.... Viens avec moi et je te rendrai ta pureté.... Viens avec moi et je te donnerai le bonheur.

—Non! non!... mon cœur est grangrené, et mes lèvres ont bu le poison qui tue les âmes, le poison qui damne les vierges comme toi.... Ne t'approche pas ainsi, je te flétrirais; ne me regarde pas ainsi, mes yeux te saliraient, et tu serais pareille à Juliette!...

La messe était finie, la vision s'évanouit.... Il se fit, dans l'église, un grand bruit de chaises remuées et de pas lourds, et les enfants de chœur éteignirent les cierges de l'autel.... Toujours agenouillée, la jeune fille priait. De son visage, je ne distinguais qu'un profil perdu dans l'ombre douce de la voilette blanche.... Elle se leva, après s'être signée.... Je dus écarter ma chaise pour la laisser passer.... Elle passa.... Et j'éprouvai une véritable satisfaction, comme si, en refusant l'amour que la jeune fille m'offrait en rêve, je venais d'accomplir un grand devoir.

Elle m'occupa une semaine. J'avais recommencé mes courses acharnées, dans les landes, sur les grèves, et je voulais guérir. Pendant que je marchais, excité par le vent, emporté dans cette ivresse particulière que vous donne la pluie fouettante des rivages, j'imaginais des conversations romanesques avec la demoiselle de Landudec, des aventures nocturnes qui se déroulaient en des paysages féeriques et lunaires. Tous deux, comme des personnages d'opéra, nous luttions de pensées sublimes, de sacrifices héroïques, de dévouements prodigieux; nous reculions, sur des rythmes passionnés et des ritournelles émouvantes, les bornes de l'abnégation humaine. Un orchestre sanglotant se mêlait au déchirement de nos voix.

—Je t'aime! je t'aime!

—Non! non! il ne faut pas m'aimer!

Elle, en robe blanche très longue, les yeux égarés, les bras tendus.... Moi, sombre, fatal, les mollets houlant sous le maillot de soie violette, les cheveux en coup de vent....

-Je t'aime! je t'aime!

—Non! non! il ne faut pas m'aimer!

Et les violons avaient des plaintes inouïes, les hautbois gémissaient, tandis que les contrebasses et les tympanons grondaient comme des vents d'orage et des roulements de tonnerre.

O cabotinisme de la douleur!

Chose curieuse! la demoiselle de Landudec et Juliette ne faisaient plus qu'une; je ne les séparais plus, je les confondais dans le même rêve extravagant et mélodramatique. Elles étaient trop pures pour moi, toutes les deux.

—Non! non! je suis un lépreux, laissez-moi!

Elles s'acharnaient à baiser mes plaies, parlaient de mourir, criaient:

—Je t'aime! je t'aime!

Et vaincu, dompté, racheté par l'amour, je tombais à leurs pieds. Le vieux père, mourant, étendait les mains sur nous et nous bénissait tous les trois!

Cette folie dura peu, et, bientôt, je me retrouvai, sur la dune, face à face avec Juliette.

—Juliette! Juliette!

Il n'y avait plus de violons, plus de hautbois; il n'y avait qu'un hurlement de douleur et de révolte, le cri du fauve captif, qui réclame sa proie.

—Juliette! Juliette!

Un soir, plus énervé que jamais, je rentrai, le cerveau hanté de folies sombres, les bras et les mains en quelque sorte poussés par des rages de tuer, d'étouffer.... J'aurais voulu sentir, sous la pression de mes doigts, des existences se tordre, râler et mourir. La mère Le Gannec était sur le pas de la porte, inquiète, tricotant son éternelle paire de bas.... Elle me dit:

—Comme vous êtes en retard, nostre Mintié, aujourd'hui!... Je vous ai préparé une belle écrevisse de mer!

—Fichez-moi la paix, vieille radoteuse! criai-je.... Je n'en veux pas de votre écrevisse de mer, je ne veux rien, entendez-vous?

Et bredouillant des paroles colères, brutalement, je l'obligeai à se déranger, pour me laisser passer.... La pauvre bonne femme, stupéfaite, levait les bras au ciel, geignait:

—Ah! ma Doué! Ah bé Jésus!

Je gagnai ma chambre où je m'enfermai.... D'abord, je me roulai sur le lit, brisai deux chaises, me cognai le front contre les murs, et, tout d'un coup, je me mis à écrire à Juliette une lettre exaltée, folle, remplie de menaces terribles et d'humbles supplications; une lettre dans laquelle, en phrases incohérentes, je parlais de la tuer, de lui pardonner, je la suppliais de venir, avant que je ne mourusse, lui décrivant, avec des raffinements tragiques, un rocher d'où je me jetterais dans la mer.... Je la comparais à la dernière des filles de maison publique, deux lignes plus loin, à la Sainte Vierge. Plus de vingt fois, je recommençai la lettre, m'emportant, pleurant, tour à tour furieux jusqu'au délire, attendri jusqu'à la pâmoison.... A un moment, j'entendis un bruit derrière la porte, comme un grattement de souris. J'allai ouvrir.... La mère Le Gannec était là, tremblante, toute pâle, et qui me regardait de ses bons yeux effarés.

—Que faites-vous ici? m'écriai-je.... Pourquoi m'espionnez-vous?... Allez-vous-en!

—Nostre Mintié, gémit la sainte femme, nostre Mintié, ne vous fâchez pas!... Je vois bien que vous êtes malheureux, et je venais voir si je pouvais vous être utile à quelque chose.

—Eh bien, oui, je suis malheureux, là!... Est-ce que cela vous regarde? Tenez, portez cette lettre à la poste, et laissez-moi tranquille.

Pendant quatre jours, je ne sortis pas.... La mère Le Gannec venait dans ma chambre, pour faire mon lit et servir mes repas, humble, craintive, redoublant de soins, soupirant:

—Ah! quel malheur!... Ma Doué! quel malheur!

Je comprenais que j'avais mal agi envers elle, qui était si tendre pour moi, et j'aurais voulu lui demander pardon de mes brutalités.... Sa coiffe blanche, son châle noir, sa figure triste de vieille mère affligée, m'attendrissaient. Mais une sorte de fierté imbécile glaçait l'effusion prête à s'échapper.... Elle trottinait autour de moi, résignée, avec un air d'infinie, de maternelle commisération, et, de temps en temps, elle répétait:

—Ah! quel malheur!... Ma Doué! quel malheur!

Le jour finissait. Tandis que la mère Le Gannec, ayant enlevé le couvert, balayait la chambre, je m'étais accoudé à l'appui de la fenêtre ouverte. Le soleil avait disparu derrière la ligne d'horizon, ne laissant au ciel, de sa gloire irradiante, qu'une clarté rougeâtre, et la mer, tassée, lourde, sans un reflet, se plombait tristement. La nuit arrivait, silencieuse et lente, et l'air était si calme, qu'on percevait le bruit rythmique des avirons battant l'eau du port et le cri lointain des drisses au haut des mâts.... Je vis le phare s'allumer, son feu rouge tourner dans l'espace, comme un astre fou.... Et je me sentais bien malheureux!...

Juliette ne me répondait pas!... Juliette ne viendrait pas!... Ma lettre, sans doute, l'avait effrayée, elle s'était rappelé les scènes de colère, d'étranglement sauvage.... Elle avait eu peur, et elle ne viendrait pas!... Et puis, n'y avait-il pas des courses, des fêtes, des dîners, des files d'hommes impatients, à sa porte, qui l'attendaient, la réclamaient, qui avaient payé d'avance la nuit promise?... Pourquoi serait-elle venue, d'ailleurs?... Pas de Casino sur cette grève désolée; dans ce coin perdu de l'Océan, personne à qui elle pût vendre son corps?... Moi, elle m'avait tout pris, mon argent, mon cerveau, mon honneur, mon avenir, tout!... que pouvais-je lui donner encore?... Rien. Alors pourquoi viendrait-elle?... J'aurais dû lui dire qu'il me restait dix mille francs, et elle serait accourue!... A quoi bon?... Ah! qu'elle ne vienne pas!... qu'elle ne vienne pas!... Ma colère était calmée et un dégoût de moi-même la remplaçait, un dégoût épouvantable!... Comment cela était-il possible qu'en si peu de temps, un homme qui n'était pas méchant, dont les aspirations, autrefois, ne manquaient ni de fierté ni de noblesse, comment cela était-il possible que cet homme fût tombé si bas, dans une boue si épaisse, qu'aucune force humaine n'était capable de l'en retirer!... Ce dont je souffrais, à cette heure, ce n'était pas tant de mes folies, de mes bassesses, de mes crimes, que des malheurs que j'avais causés autour de moi.... La vieille Marie!... Le vieux Félix! Ah! les pauvres gens!... Où étaient-ils?... Que faisaient-ils?... Avaient-ils seulement de quoi manger?... Ne les avais-je pas obligés, en les chassant, à mendier leur pain, eux si vieux, si bons, si confiants, plus faibles et plus abandonnés que des chiens sans maître!... Je les voyais, courbés sur des bâtons, affreusement maigres, toussant, harassés, couchant le soir dans des gîtes de hasard! Et cette sainte mère Le Gannec, qui me soignait comme une mère son enfant, qui me berçait de ces tendresses réchauffantes qu'ont les petites gens!... Au lieu de m'agenouiller devant elle, de la remercier, ne l'avais-je pas brutalisée, presque battue!... Ah! non! qu'elle ne vienne pas!... qu'elle ne vienne pas!...

La mère Le Gannec allumait ma lampe, et je me disposais à refermer la fenêtre, quand j'entendis, dans le chemin, des grelots, puis le roulement d'une voiture.... Machinalement, je regardai.... Une voiture, en effet, montait la rampe très raide à cet endroit, une sorte d'omnibus qui me parut haut, et chargé de malles.... Un marin passait.... Le postillon l'interpella:

—Hé! la maison de Mme Le Gannec, s'il vous plaît?

—C'est là, en face toi, répondit le marin, qui indiqua la maison d'un geste de la main et continua sa route.

J'étais devenu tout pâle ... et je vis, éclairée par la lumière de la lanterne, une petite main gantée se poser sur le bouton de la portière.

—Juliette! Juliette! criai-je, éperdu ... mère Le Gannec, c'est Juliette!... vite, vite ... c'est Juliette!

Courant, dégringolant l'escalier, je me précipitai dans la rue.

—Juliette! ma Juliette!

Des bras m'enlacèrent, des lèvres se collèrent à ma joue, une voix soupira:

—Jean! mon petit Jean!

Et je défaillis dans les bras de Juliette.

Je ne tardai pas à revenir de mon évanouissement. On m'avait couché sur le lit, et Juliette, penchée sur moi, m'embrassait, m'appelait, pleurait:

—Ah! pauvre mignon!... Comme tu m'as fait peur!... Comme tu es blanc encore!... C'est fini, dis!... Parle-moi, mon Jean!

Sans rien dire, je la contemplais.... Il me semblait que tout mon être, inerte et glacé, détruit d'un coup, par une grande souffrance ou par un grand bonheur,—je ne savais,—refoulait dans mon regard la vie qui s'en allait, s'égouttait de mes membres, de mes veines, de mon cour, de mon cerveau.... Je la contemplais!... Elle était toujours belle, un peu plus pâle encore qu'autrefois, et je la retrouvais toute, avec ses yeux brillants et doux, sa bouche aimante, sa voix délicieusement enfantine, au timbre clair.... Je cherchais sur son visage, dans ses gestes, dans l'habitude de son corps, dans ses paroles, je cherchais des traces douloureuses de son existence inconnue, une flétrissure, une déformation, quelque chose de nouveau et de plus fané!... Non, en vérité, elle était un peu plus pâle, et voilà tout.... Et je fondis en larmes....

—Encore, que je te voie, ma petite Juliette!

Elle buvait mes larmes, pleurait aussi, me tenait embrassé.

—Mon Jean!... Ah! mon Jean adoré!

La mère Le Gannec vint frapper à la porte de la chambre.... Elle ne s'adressa pas à Juliette, affecta même de ne pas la regarder.

—Qu'est-ce qu'il faut faire des malles, nostre Mintié? demanda-t-elle.

—Il faut les faire monter, mère Le Gannec!

—On ne peut pas monter toutes ces malles ici, répliqua durement la vieille femme.

—Tu en as donc beaucoup, ma chérie?

—Beaucoup, mais non!... il y en a six.... Ces gens sont stupides!

—Eh bien, mère Le Gannec, dis-je, gardez-les en bas, pour ce soir.... Nous verrons demain....

Je m'étais levé, et Juliette furetait dans la chambre, s'exclamait à chaque instant:

—Mais c'est gentil ici.... C'est drôle tout plein, mon chéri.... Et puis, tu as un lit, un vrai lit.... Moi qui croyais qu'on couchait dans des armoires, en Bretagne.... Ah!... qu'est-ce que c'est que ça?... Ne bouge pas, Jean, ne bouge pas.

Elle avait pris sur la cheminée un gros coquillage, l'appliquait contre son oreille.

—Tiens! disait-elle désappointée.... Tiens! ça ne fait pas: chuuu! dans tes coquillages!... Pourquoi, dis?

Puis brusquement, elle se jetait dans mes bras, me couvrait de baisers.

—Ah! ta barbe!... Ah! tu laisses pousser ta barbe, vilain!... Et comme tes cheveux sont longs! Et comme tu as maigri! Est-ce que je suis changée, moi?... Est-ce que je suis belle autant?

Nouant ses mains autour de mon cou, penchant sa tête sur mon épaule:

—Raconte ce que tu fais ici, comment tu passes tes journées, à quoi tu penses.... Raconte à ta petite femme.... Et ne mens pas.... Dis-lui bien tout, tout, tout!...

Alors, je lui parlai de mes marches acharnées, de mes abattements sur la dune, de mes sanglots, d'elle que je voyais sans cesse, d'elle que j'appelais, comme un fou, dans le vent, dans la tempête....

—Pauvre petit! soupirait-elle.... Et je parie que tu n'as pas même un caoutchouc?...

—Et toi? et toi? ma Juliette, as-tu pensé à moi seulement?

—Ah! moi, quand je ne t'ai plus trouvé à la maison, j'ai cru que j'allais mourir.... Célestine m'avait dit qu'un homme était venu te prendre! J'ai tout de même attendu.... Il rentrera, il rentrera.... Et tu ne rentrais pas.... Et j'ai couru chez Lirat, le lendemain!... Ah! si tu savais comme il m'a reçue!... comme il m'a traitée!... Et je demandais à tout le monde: «Savez-vous où est Jean?» Et personne ne pouvait me répondre.... Oh! méchant! partir comme ça ... sans un mot!... Tu ne m'aimais donc plus?... Alors, tu comprends, j'ai voulu m'étourdir.... Je souffrais trop!...

Sa voix prit une intonation brève:

—Quant à Lirat!... sois tranquille, mon chéri, je me vengerai de lui.... Et tu verras!... Ça sera farce!... Quelle crapule que ton ami Lirat!... Mais tu verras, tu verras.

Une chose me tourmentait: combien de jours, de semaines Juliette passerait-elle avec moi?... Elle avait apporté six malles; donc, elle avait l'intention de demeurer au Ploc'h un mois au moins, peut-être davantage.... A la joie si grande de la posséder, sans trouble, sans crainte, se mêlait une vive inquiétude.... Je n'avais pas d'argent ... et je connaissais trop Juliette pour ne point ignorer qu'elle ne se résignerait pas à vivre comme moi, et je prévoyais des dépenses que je n'étais pas en état de supporter.... Or comment faire?... N'osant l'interroger directement, je répondis:

—Nous avons le temps de songer à cela, ma chérie, dans trois mois, quand nous rentrerons à Paris....

—Dans trois mois.... Mais, mon pauvre mignon, je repars dans huit jours.... Ça m'ennuie tant!

—Reste, ma petite Juliette, je t'en supplie, reste tout à fait ... plus longtemps ... quinze jours!

—C'est impossible, tu comprends.... Oh! ne sois pas triste, mon chéri.... Ne pleure pas ... parce que, si tu pleures, je ne te dirai pas une chose, une belle chose.

Elle se fit plus tendre encore, se pelotonna contre moi, et reprit:

—Écoute-moi bien, mon chéri.... Je n'ai qu'une pensée, une seule pensée, vivre avec toi!... Nous quitterons Paris, nous nous en irons dans une petite maison, si bien cachés, vois-tu, que personne ne saura plus si nous existons.... Seulement, il nous faut vingt mille francs de rente.

—Où donc veux-tu que je les prenne maintenant? m'écriai-je découragé.

—Écoute-moi donc! poursuivit Juliette.... Il nous faut vingt mille francs de rente.... Oh! j'ai tout calculé!... Eh bien, dans six mois, nous les aurons....

Juliette me regarda d'un air mystérieux ... elle répéta:

—Nous les aurons!...

—Je t'en supplie, ma chérie, ne parle pas ainsi.... Tu ne sais pas le mal que tu me fais....

Juliette éleva la voix; le pli de son front devint dur:

—Alors, tu aimes mieux que je sois à d'autres toujours?...

—Ah! tais-toi, Juliette!... tais-toi!... Ne parle jamais comme cela, jamais!...

—Es-tu drôle!... Allons, sois gentil, et embrasse-moi!...

Le lendemain, pendant qu'au milieu des malles ouvertes, des robes étalées partout, elle s'habillait, très déconcertée de l'absence de sa femme de chambre, elle forma une quantité de projets pour la journée.... Elle voulait se promener sur la jetée, monter au phare, pêcher, aller à la dune, et s'asseoir à la place où j'avais tant pleuré.... Elle se réjouissait d'apercevoir de jolies Bretonnes, en costume soutaché et brodé, comme au théâtre, de boire du lait, dans des fermes!

—Il y a des bateaux ici?

—Mais oui.

—Beaucoup?

—Mais oui.

—Ah! quelle chance, j'aime tant les bateaux! Puis elle me contait les nouvelles de Paris.... Gabrielle n'était plus avec Robert.... Malterre se mariait.... Jesselin voyageait.... Il y avait eu des duels.... Et des anecdotes sur tout le monde!... Toute cette mauvaise odeur de Paris me ramenait à des mélancolies, à des souvenirs poignants.... Me voyant triste, elle s'interrompait, m'embrassait, prenait des airs navrés:

—Ah! tu crois peut-être que cette existence me plaît! gémissait-elle ... que je ne songe qu'à m'amuser, à être coquette!... Si tu savais!... Tu comprends, il y a des choses que je ne peux pas te dire.... Mais si tu savais quel supplice c'est pour moi!... Tu es malheureux, toi!... Eh bien, moi?... Tiens, si je n'avais pas l'espoir de vivre avec mon Jean, souvent, j'ai tant de dégoût que je me tuerais.

Et, rêveuse, câline, elle revenait à ses bergeries, à ses petits sentiers de verdure, au calme de l'existence douce et cachée, avec des fleurs, des bêtes, et de l'amour.... Ah! de l'amour dévoué, soumis, de l'amour éternel, de l'amour qui nous illuminerait, jusqu'à la mort, ainsi qu'un chaud soleil.

Nous sortîmes après le déjeuner, que la mère Le Gannec nous servit sévèrement, sans desserrer les lèvres une seule fois. A peine dehors, comme la brise fraîchissait et lui défrisait les cheveux, Juliette désira rentrer.

—Ah! le vent, mon chéri!... Le vent, vois-tu, je ne peux pas supporter ça.... Il me décoiffe et me rend malade!...

Elle s'ennuya toute la journée, et nos baisers ne suffirent pas à en remplir le vide.... De même qu'autrefois, dans mon cabinet, elle étendit une serviette sur sa robe, sur la serviette posa de menues brosses et des limes et, grave, se mit à lisser ses ongles. Je souffrais cruellement, et la vision du vieux homme, à la fenêtre, m'obsédait.

Le jour suivant, Juliette me déclara qu'elle était obligée de partir le soir même.

—Ah! quel malheur, mon chéri!... J'avais oublié!... vite, vite, commande une voiture.... Oh! quel malheur!

Je n'essayai pas de la retenir.... Affalé sur une chaise, immobile, sombre, la tête dans les mains, j'assistai aux préparatifs du départ, sans prononcer une parole, sans laisser échapper une prière.... Juliette allait, venait, pliant ses robes, rangeant son nécessaire, refermant ses malles, et je n'entendais rien, je ne voyais rien, je ne savais rien.... Des hommes entrèrent, dont les pas pesants faisaient craquer le plancher.... Je compris qu'ils emportaient les malles. Juliette s'assit sur mes genoux.

—Mon pauvre chéri, pleurait-elle, cela te fait de la peine que je m'en aille ainsi.... Il le faut ... sois sage.... Et puis, bientôt, je reviendrai ... pour longtemps ... Ne sois pas ainsi.... Je reviendrai.... Je te le promets.... J'emmènerai Spy.... J'emmènerai un cheval aussi, pour me promener, tu veux, pas?... Tu verras comme ta petite femme monte bien.... Embrasse-moi donc, mon Jean!... Pourquoi ne m'embrasses-tu pas?... Jean voyons!... Adieu! Je t'adore!... Adieu!

Il faisait nuit quand la mère Le Gannec pénétra dans ma chambre. Elle alluma la lampe et, doucement, s'approcha de moi.

—Nostre Mintié! nostre Mintié!

Je levai les yeux vers elle, et elle était si triste, il y avait en elle tant de miséricordieuse pitié, que je me précipitai dans ses bras.

—Ah! mère Le Gannec! mère Le Gannec!... sanglotai-je. Et c'est de ça que je meurs.... De ça!

Et tendrement, la mère Le Gannec murmura:

—Nostre Mintié, pourquoi que vous ne priez pas le bon Dieu?... Ça vous soulagerait!

X

Voilà huit jours que je ne puis dormir. J'ai, sur le crâne, un casque de fer rougi. Mon sang bout, on dirait que mes artères tendues se rompent, et je sens de grandes flammes qui me lèchent les reins. Ce qui restait d'humain en moi, ce que la douleur morale avait laissé, sous les ordures entassées, de pudeur, de remords, de respect, d'espoirs vagues, ce qui me rattachait, par un lien, si faible fût-il, à la catégorie des êtres pensants, tout cela a été emporté par une folie de brute forcenée.... Je n'ai plus la notion du bien, du vrai, du juste, des lois inflexibles de la nature. Les répulsions sexuelles d'un règne à l'autre qui maintiennent les mondes en une harmonie constante, je n'en ai plus conscience: tout se meut, se confond en une fornication immense et stérile, et, dans le délire de mes sens, je ne rêve que d'impossibles embrassements.... Non seulement l'image de Juliette prostituée ne m'est plus une torture, elle m'exalte au contraire.... Et je la cherche, je la retiens, je tâche de la fixer par d'ineffaçables traits, je la mêle aux choses, aux bêtes, aux mythes monstrueux, et, moi-même, je la conduis à des débauches criminelles, fouettée par des verges de fer.... Juliette n'est plus la seule dont l'image me tente et me hante ... Gabrielle, la Rabineau, la mère Le Gannec, la demoiselle de Landudec défilent toujours, devant moi, dans des postures infâmes.... Ni la vertu, ni la bonté, ni le malheur, ni la vieillesse sainte ne m'arrêtent et, pour décors à ces épouvantables folies, je choisis de préférence les endroits sacrés et bénits, les autels des églises, les tombes des cimetières.... Je ne souffre plus dans mon âme, je ne souffre plus que dans ma chair.... Mon âme est morte dans le dernier baiser de Juliette, et je ne suis plus qu'un moule de chair immonde et sensible, dans lequel les démons s'acharnent à verser des coulées de fonte bouillonnante!... Ah! je n'avais pas prévu ce châtiment!

L'autre jour, sur la grève, j'ai rencontré une pêcheuse de palourdes.... Elle était noire, sale, puante, semblable à un tas de goémon pourrissant. Je me suis approché d'elle avec des gestes fous.... Et, subitement, je me suis enfui, car j'avais la tentation infernale de me ruer sur ce corps et de le renverser, parmi les galets et les flaques d'eau.... A travers la campagne, je marche, je marche, les narines au vent, flairant, comme un chien de chasse, des odeurs de femelles.... Une nuit, la gorge en feu, le cerveau affolé par des visions abominables, je m'engage dans les ruelles tortueuses du village, frappe à la porte d'une fille à matelots.... Et je suis entré dans ce bouge.... Mais sitôt que j'ai senti sur ma peau cette peau inconnue, j'ai poussé un cri de rage ... et j'ai voulu partir.... Elle me retenait.

—Laisse-moi! ai-je crié.

—Pourquoi t'en vas-tu?

—Laisse-moi.

—Reste.... Je t'aimerai.... Sur la côte, souvent, je t'ai suivi.... Souvent, près de la maison que tu habites, j'ai rôdé.... Je voulais de toi.... Reste!

—Mais laisse-moi donc! Tu ne vois pas que tu me dégoûtes!...

Et comme elle se penchait à mon cou, je l'ai battue.... Elle gémissait:

—Ah! ma Doué! il est fou!

Fou!... Oui, je suis fou!... Je me suis regardé dans la glace et j'ai eu peur de moi.... Mes yeux agrandis s'effarent au fond de l'orbite qui se creuse; les os pointent, trouant ma peau jaunie; ma bouche est pâle, tremblante, elle pend, pareille à celle des vieillards lubriques.... Mes gestes s'égarent, et mes doigts, sans cesse agités de secousses nerveuses, craquent, cherchant des proies, dans le vide....

Fou!... Oui, je suis fou!... Lorsque la mère Le Gannec tourne autour de moi, lorsque j'entends glisser ses chaussons sur le plancher, lorsque sa robe me frôle, des pensées de crime me viennent, m'obsèdent, me talonnent et je crie:

—Allez-vous-en!... mère Le Gannec, allez-vous-en! Fou!... Oui, je suis fou!... Souvent la nuit j'ai passé des heures à la porte de sa chambre, la main sur la clef de la serrure, prêt à me précipiter dans l'ombre.... Je ne sais ce qui m'a retenu.... La peur, sans doute; car je me disais: «Elle se débattra, criera, appellera, et je serai forcé de la tuer!...» Une fois, surprise par le bruit, elle s'est levée.... Me voyant en chemise, les jambes nues, elle est restée un moment stupéfaite.

—Comment!... c'est vous, nostre Mintié!... Qu'est-ce que vous faites ici?... Êtes-vous malade?

J'ai balbutié des mots incohérents, et je suis remonté....

Ah! que l'on me chasse, que l'on me traque, que l'on me poursuive avec des fourches, des pieux et des faux, comme on fait d'un chien enragé!... Est-ce que des hommes n'entreront pas, là, tout à l'heure, qui se jetteront sur moi, me bâillonneront, et m'emporteront dans l'éternelle nuit du cabanon!

Il faut que je parte!... Il faut que je retrouve Juliette!... Il faut que j'épuise sur elle cette rage maudite!...

Quand l'aube paraîtra, je descendrai, et je dirai à la mère Le Gannec:

—Mère Le Gannec, il faut que je parte!... Donnez-moi de l'argent.... Je vous le rendrai plus tard.... Donnez-moi de l'argent ... il faut que je parte!...

XI

Juliette m'avait choisi, dans le faubourg Saint-Honoré, tout près de la rue de Balzac, une chambre, au second étage d'un petit hôtel meublé. Les meubles étaient de guingois, les tapisseries, les tiroirs s'ouvraient en grinçant, une odeur aigre de bois suri, de poussière ancienne, imprégnait les rideaux des fenêtres et les draperies du lit; mais elle avait su donner, en plaçant çà et là quelques bibelots, un aspect plus intime à cette pièce banale et froide où tant d'existences inconnues avaient passé sans laisser de trace aucune. Juliette avait tenu aussi à ranger elle-même mes affaires, dans l'armoire, qu'elle bourrait de paquets d'iris.

—Tu vois, mon chéri ... ici les chaussettes ... là les chemises de nuit ... j'ai mis tes cravates dans le tiroir ... tes mouchoirs sont là.... J'espère qu'elle a de l'ordre, ta petite femme.... Et puis, tous les jours, je te porterai une fleur qui sent bon.... Allons ne sois pas triste.... Dis-toi bien que je t'aime, que je n'aime que toi, que je viendrai souvent.... Ah! tes caleçons que j'ai oubliés!... Je te les enverrai par Célestine, avec ma photographie dans le beau cadre en peluche rouge.... Ne t'ennuie pas, pauvre mignon!... Tu sais, si ce soir, à minuit et demi, je ne suis pas là, ne m'attends pas.... Couche-toi.... Dors bien.... Tu me promets?

Et jetant un dernier coup d'œil sur la chambre, elle était partie.

Tous les jours, en effet, Juliette revenait, en allant au Bois, et en rentrant chez elle, avant le dîner. Elle ne restait que deux minutes, fiévreuse, agitée par une hâte d'être dehors; le temps de m'embrasser, le temps d'ouvrir l'armoire, pour se rendre compte si les choses étaient dans le même ordre.

—Allons! je m'en vais.... Ne sois pas triste ... je vois que tu as encore pleuré.... Ça n'est pas gentil! Pourquoi me faire de la peine?

—Juliette! te verrai-je ce soir?... Oh! je t'en prie, ce soir!

—Ce soir?

Elle réfléchissait un instant.

—Ce soir, oui, mon chéri.... Enfin, ne m'attends pas trop.... Couche-toi.... Dors bien.... Surtout, ne pleure pas.... Tu me désespères!... Vraiment, on ne sait comment être avec toi!

Et je vivais là, vautré sur le canapé, ne sortant presque jamais, comptant les minutes qui, lentement, lentement, goutte à goutte, tombaient dans l'éternité de l'attente.

A l'exaltation furieuse de mes sens avait succédé un grand accablement.... Je demeurais des après-midi entiers, sans bouger, la chair battue, les membres pesants, le cerveau engourdi, comme au lendemain d'une ivresse. Ma vie ressemblait à un sommeil lourd, que traversent des rêves pénibles, coupés par de brusques réveils, plus pénibles encore que les rêves, et dans l'anéantissement de ma volonté, dans l'effacement de mon intelligence, je ressentais plus vive encore l'horreur de ma déchéance morale. Avec cela, la vie de Juliette me jetait en des angoisses perpétuelles.... Comme autrefois, sur la dune du Ploc'h, il ne m'était pas possible de chasser l'image de boue, qui grandissait, devenait plus nette, et revêtait des formes plus cruelles.... Perdre un être qu'on aime, un être de qui toutes vos joies vous sont venues, dont le souvenir ne se mêle qu'à des souvenirs de bonheur, cela vous est une douleur déchirante.... Mais où il y a une douleur, il y a aussi une consolation, et la souffrance s'endort en quelque sorte bercée par sa tendresse même.... Moi, je perdais Juliette, je la perdais, chaque jour, chaque heure, chaque minute, et à ces morts successives, à ces morts impénitentes, je ne pouvais rattacher que des souvenirs suppliciants et des souillures.... J'avais beau chercher, sur la vase remuée de nos deux cœurs, une fleur, une toute petite fleur dont il eût été si bon de respirer le parfum, je ne la trouvais pas.... Et cependant, je ne concevais rien sans Juliette. Toutes mes pensées avaient Juliette pour point de départ, Juliette pour aboutissement; et plus elle m'échappait, plus je m'acharnais dans l'idée absurde de la reconquérir. Je n'espérais pas, emportée, comme elle l'était, dans cette existence de plaisirs mauvais, qu'elle s'arrêtât jamais; pourtant, malgré moi, malgré elle, je formais des projets d'avenir meilleur. Je me disais «Il n'est pas possible qu'un jour le dégoût ne la prenne qu'un jour la douleur n'éveille en son âme un remords, une pitié; et elle me reviendra. Alors, nous nous en irons dans un appartement d'ouvrier, et moi, comme un forçat, je travaillerai ... J'entrerai dans le journalisme, je publierai des romans, j'implorerai des besognes de copiste.... Hélas! je m'efforçais de croire à tout cela, afin d'atténuer l'état d'abjection où j'étais descendu. Avec le produit de la vente des deux études de Lirat, des quelques bijoux que je possédais, de mes livres, j'avais réalisé une somme de quatre mille francs que je gardais précieusement, pour cette chimérique éventualité.... Une fois que Juliette était songeuse et plus tendre qu'à l'ordinaire, j'osai lui communiquer ce projet admirable.... Elle battit des mains.

—Oui! oui!... Ah! ce serait si amusant!... Un tout petit appartement, tout petit, tout petit!... Je ferais le ménage, j'aurais de jolis bonnets, un joli tablier!... Mais c'est impossible avec toi! Quel dommage!... C'est impossible!

—Pourquoi donc est-ce impossible?

—Mais parce que tu ne travailleras pas, et que nous mourrons de faim ... C'est ta nature, comme ça!... As-tu travaillé au Ploc'h!... Travailleras-tu maintenant?... Jamais tu n'as travaillé!...

—Le puis-je? ... Tu ne sais donc pas que ta pensée ne me quitte pas un seul instant?... C'est tout l'inconnu de ta vie, c'est la douleur atroce de ce que je sens, de ce que je devine de toi, qui me ronge, qui me dévore, qui me vide les moelles!... Quand tu n'es pas là, j'ignore où tu es, et pourtant je suis là, où tu es, toujours!... Ah! si tu voulais!... Te savoir près de moi, aimante et tranquille, loin de ce qui salit et de ce qui torture.... Mais j'aurais la force d'un Dieu!... De l'argent!... De l'argent! mais je t'en gagnerais par pelletées, par tombereaux!... Ah! Juliette, si tu voulais! si tu voulais!...

Elle me regardait, excitée par ce grand bruit d'or que mes paroles faisaient tinter à ses oreilles.

—Eh bien, gagnes-en tout de suite, mon chéri.... Oui, beaucoup, des tas!... Et ne pense pas à ces vilaines choses qui te font du mal.... Les hommes, est-ce drôle!... Ça ne veut pas comprendre!

Tendrement, elle s'assit sur mes genoux.

—Puisque je t'adore, mon cher mignon!... Puisque les autres, je les déteste, et qu'ils n'ont rien de moi, tu entends, rien.... Puisque je suis bien malheureuse!...

Les yeux pleins de larmes, elle cherchait à se faire toute petite contre moi, et répétait: «Oui, bien, bien malheureuse!...» J'en avais horreur et pitié....

—Ah! il croit que c'est par plaisir! s'écria-t-elle en sanglotant, il croit cela!... Mais si je n'avais pas mon Jean pour me consoler, mon Jean pour me bercer, mon Jean pour me donner du courage, je ne pourrais plus ... je ne pourrais plus.... J'aimerais mieux mourir.

Brusquement, changeant d'idée, et d'une voix où il me sembla entendre les regrets gémir:

—D'abord, pour ça ... pour le petit appartement... il faudrait de l'argent, et tu n'en as pas!

—Mais si, ma chérie.... Mais si, clamai-je triomphalement, j'ai de l'argent!... Nous avons de quoi vivre deux mois, trois mois, en attendant que je conquière une fortune!

—Tu as de l'argent?... Fais voir.

J'étalai devant elle les quatre billets de mille francs. Juliette les saisit dans sa main, un à un, âprement, les compta, les examina. Ses yeux luisaient, étonnés et charmés.

—Quatre mille francs, mon chéri!... Comment, tu as quatre mille francs?...Mais tu es riche!... Alors....

Elle se pendit à mon cou, caressante.

—Alors, reprit-elle, puisque tu es très riche.... J'ai envie d'un petit nécessaire de voyage que j'ai vu, rue de la Paix!... Tu veux me l'acheter, mon chéri; tu veux, pas?

Je reçus au cœur un coup si douloureux que je faillis tomber sur le plancher; et un flot de larmes m'aveugla. Pourtant, j'eus le courage de demander:

—Qu'est-ce qu'il vaut, ton nécessaire?

—Deux mille francs, mon chéri.

—C'est bien!... Prends deux mille francs.... Tu l'achèteras toi-même.

Juliette me baisa au front, prit deux billets qu'elle enfouit précipitamment dans la poche de son manteau, et son regard attaché sur les deux qui restaient et qu'elle regrettait sans doute de ne pas m'avoir demandés, elle dit:

—Vrai?... Tu veux bien?... Ah! c'est gentil!... Cela fait que si tu retournes au Ploc'h, j'irai te voir avec mon nécessaire tout neuf.

Quand elle fut partie, je m'abandonnai à une violente colère contre elle, contre moi surtout, et, la colère apaisée, tout d'un coup, je m'étonnai de ne plus souffrir.... Oui, en vérité, je respirais plus librement, j'étendais les bras avec des gestes forts, j'avais dans les jarrets une élasticité nouvelle; enfin, on eût dit que quelqu'un venait de m'enlever le poids écrasant que je portais depuis si longtemps sur les épaules.... J'éprouvais une joie très vive à détendre mes membres, à faire jouer mes articulations, à étirer mes nerfs, ainsi qu'il arrive, le matin, au saut du lit.... Ne me réveillais-je pas, en effet, d'un sommeil aussi pesant que la mort? Ne sortais-je pas d'une sorte de catalepsie, où tout mon être engourdi avait connu les cauchemars horribles du néant?... J'étais comme un enseveli qui retrouve la lumière, comme un affamé à qui on donne un morceau de pain, comme un condamné à mort qui reçoit sa grâce.... J'allai à la fenêtre et regardai dans la rue. Le soleil coupait d'un angle doré les maisons en face de moi; sur le trottoir, des gens passaient vite, affairés, avec des figures heureuses; des voitures se croisaient sur la chaussée, joyeusement.... Le mouvement, l'activité, le bruit de la vie me grisaient, m'enthousiasmaient, m'attendrissaient, et je m'écriai:

—Je ne l'aime plus! Je ne l'aime plus!

Dans l'espace d'une seconde, j'eus la vision très nette d'une existence nouvelle de travail et de bonheur. Me laver de cette boue, reprendre le rêve interrompu, j'en avais hâte; non seulement je voulais racheter mon honneur, mais je voulais conquérir la gloire, et la conquérir si grande, si incontestée, si universelle, que Juliette crevât de dépit d'avoir perdu un homme tel que moi. Je me voyais déjà, dans la postérité, en bronze, en marbre, hissé sur des colonnes et des piédestaux symboliques, emplissant les siècles futurs de mon image immortalisée. Et ce qui me réjouissait surtout, c'était de penser que Juliette n'aurait pas une parcelle de gloire, et que je la repousserais impitoyablement, hors de mon soleil.

Je descendis et, pour la première fois depuis plus de deux ans, je ressentis un plaisir délicieux à me trouver dans la rue.... Je marchais rapidement, les reins souples, l'allure victorieuse, intéressé par les spectacles les plus simples qui me semblèrent nouveaux. Et je me demandais avec stupeur comment j'avais pu être malheureux aussi longtemps, comment mes yeux ne s'étaient pas ouverts plus vite à la vérité.... Ah! la méprisable Juliette!... Comme elle avait dû rire de mes soumissions, de mes aveuglements, de mes pitiés, de mes inconcevables folies!... Sans doute, elle racontait à ses amants de hasard mes douleurs imbéciles, et ils s'excitaient à l'amour en se moquant de moi!... Mais j'aurais ma revanche, et cette revanche serait terrible!... Bientôt Juliette se roulerait à mes pieds, suppliante; elle implorerait son pardon.

—Non, non, misérable, jamais!... Quand j'ai pleuré, m'as-tu consolé?... M'as-tu épargné une souffrance, une seule?... Un seul instant, as-tu consenti à accepter ma misère, à vivre de ma vie?... Tu n'es pas digne de partager ma gloire.... Non ... va-t'en!

Et pour lui marquer mon mépris irrémédiablement, je lui jetterai des millions à la figure.

—Tiens des millions!... En veux-tu des millions?... Tiens, encore!

Juliette se tordra les bras de désespoir; elle criera:

—Pitié, Jean!... pitié!... Oh! de l'argent, je n'en veux pas!... Ce que je veux, c'est vivre cachée, toute petite, dans ton ombre, heureuse si un seul des rayons de la lumière qui t'entoure vient, un jour, se poser sur ta pauvre Juliette.... Pitié!

—As-tu eu pitié de moi, quand je t'ai demandé grâce!... Non!... Les filles comme toi, on les assomme à coups d'or!... Tiens! en voilà encore!... Tiens! en voilà toujours!

Je marchais à grandes enjambées, parlant tout haut, faisant avec la main le geste de jeter des millions à travers l'espace.

—Tiens, misérable; tiens!

Pourtant, mon impassibilité devant la pensée de Juliette n'était point si farouche, que la moindre femme aperçue ne me donnât une inquiétude, et que je ne sondasse, d'un coup d'œil impatient, l'intérieur des voitures qui, sans cesse, passaient dans la rue.... Sur le boulevard, mon assurance tomba, et l'angoisse me ressaisit tout entier. De nouveau, je sentis une pesanteur intolérable sur mes épaules, et la bête dévorante, un instant chassée, s'abattit sur moi, plus féroce, enfonçant plus profondément ses griffes dans ma chair.... Il avait suffi pour cela que je visse des théâtres, des restaurants, ces endroits maudits, pleins du mystère de la vie de Juliette.... Les théâtres me disaient: «Cette nuit elle était là, ta Juliette; pendant que tu gémissais, l'appelant, l'attendant, elle se pavanait dans une loge, des fleurs au corsage, heureuse, sans une pensée pour toi.» Les restaurants me disaient: «Cette nuit elle était là, ta Juliette ... les yeux ivres de débauche, elle s'est vautrée sur nos divans disloqués, et des hommes qui puaient le vin et le cigare, l'ont possédée....» Et tous les jeunes gens que je rencontrais, fringuants, superbes, me disaient aussi: «Ta Juliette, nous la connaissons.... Est-ce qu'elle t'apporte un peu de l'argent qu'elle nous coûte?» Chaque maison, chaque objet, chaque manifestation de la vie, tout me criait avec d'affreux ricanements: «Juliette! Juliette!» La vue des roses, chez les fleuristes, m'était une torture, et j'éprouvais des rages, rien qu'à regarder les boutiques et leurs étalages de choses provocantes. Il me semblait que Paris ne dépensait toute sa force, n'usait toute sa séduction que pour me ravir Juliette, et je souhaitais de le voir disparaître dans une catastrophe, et je regrettais les temps justiciers de la Commune, où l'on versait dans les rues le pétrole et la mort! Je rentrai....

—Il n'est venu personne? demandai-je au concierge.

—Personne, monsieur Mintié.

—Pas de lettre, non plus?

—Non, monsieur Mintié.

—Vous êtes sûr qu'on n'est pas monté chez moi, pendant mon absence?

—La clef n'a pas bougé de là, monsieur Mintié.

Je griffonnai, sur ma carte, ces mots au crayon: «Je veux te voir.»

—Portez cela rue de Balzac....

J'attendis dans la rue, impatient, nerveux; le concierge ne tarda pas à reparaître.

—La bonne m'a dit que Madame n'était pas encore rentrée.

Il était sept heures.... Je gagnai ma chambre et je m'allongeai sur le canapé.

—Elle ne viendra pas.... Où est-elle?... Que fait-elle?

Je n'avais pas allumé de bougies.... Les fenêtres, éclairées par les lumières de la rue, glissaient dans la pièce un jour sombre, projetaient sur le plafond une clarté jaune, où l'ombre des rideaux se dessinait et tremblait.... Et les heures s'écoulèrent, lentes, infinies, si infinies et si lentes qu'on eût dit que le temps, subitement, avait cessé de marcher.

—Elle ne viendra pas!

De la rue, m'arrivait le bruit ininterrompu des voitures; les omnibus roulaient lourdement, les fiacres fatigués ferraillaient, les coupés passaient, plus légers et plus rapides.... Quand l'un d'eux rasait le trottoir ou ralentissait son allure, je me précipitais à la fenêtre, que j'avais laissée entr'ouverte, et je me penchais vers la rue.... Aucun ne s'arrêtait.

—Elle ne viendra pas!

Et, tout en disant: «Elle ne viendra pas!» j'espérais bien que Juliette serait là dans quelques minutes.... Que de fois je m'étais roulé sur le canapé, en criant: «Elle ne viendra pas!» et Juliette était venue!... Toujours, au moment où je désespérais le plus, j'entendais une voiture s'arrêter, puis des pas dans l'escalier, puis un craquement dans le couloir, et Juliette apparaissait souriante, empanachée, emplissant la chambre d'un parfum violent, et d'un froufrou de soie remuée.

—Allons, prends ton chapeau, mon chéri.

Irrité par ce sourire, par ces toilettes, par ce parfum, exaspéré par l'attente, souvent, je la traitais durement.

—Où as-tu été? dans quels bouges t'es-tu traînée?... Dis, dans quels bouges?

—Oh! si c'est une scène, merci!... Je m'en vais.... Bonsoir!... Moi qui ai eu toutes les peines du monde à me rendre libre, pour te retrouver?

Alors, tendant les poings, tous les muscles crispés, je hurlais:

—Eh bien, va-t'en!... Va-t'en au diable!... Et ne reviens jamais, jamais!

La porte à peine refermée sur Juliette, je courais après elle.

—Juliette! Juliette!

Elle descendait l'escalier.

—Juliette!... remonte, je t'en prie!... Juliette ... attends, je vais avec toi.

Elle descendait toujours sans détourner la tête. Je la rattrapais.

Près d'elle, près de cette robe, de ces plumes, de ces fleurs, de ces bijoux, la fureur me reprenait.

—Allons, remonte, ou je te casse la tête sur ces marches.

Et, dans la chambre, je tombais à ses pieds.

—Oui, ma petite Juliette, j'ai tort, j'ai tort.... Mais je souffre tant!... Aie un peu pitié de moi!... Si tu savais dans quel enfer je vis!... Si tu pouvais, avec tes mains, écarter les cloisons de ma poitrine et voir ce qu'il y a dans mon cœur!...

Juliette!... Ah! je ne peux plus, je ne peux plus vivre comme ça!... Une bête aurait pitié de moi, je t'assure.... Oui, une pauvre bête aurait pitié!

Je lui pressais les mains, j'embrassais sa robe....

—Ma Juliette!... je ne t'ai pas tuée ... j'en avais le droit pourtant, je te le jure ... je ne t'ai pas tuée!... Tu devrais me tenir compte de cela.... C'est de l'héroïsme, car tu ignores, toi, ce qu'un homme qui souffre et qui est seul, toujours, peut concevoir de choses terribles et vengeresses.... Je ne t'ai pas tuée!... J'espérais, j'espère encore!... Reviens à moi ... j'oublierai tout, j'effacerai tout, mes douleurs et nos hontes ... tu seras pour moi la plus pure, la plus radieuse des vierges.... Nous nous en irons très loin ... où tu voudras.... Je t'épouserai!... Tu ne veux pas?... Ce que je te dis, tu crois que c'est pour t'avoir à moi, davantage? Jure que tu changeras d'existence, et je me tue là, devant toi!... Écoute, je t'ai tout sacrifié, moi!... Je ne parle pas de ma fortune ... mais ce qui faisait autrefois la fierté de ma vie, mon honneur d'homme, mes rêves d'artiste, j'ai tout abandonné, sans un regret, pour toi.... Tu peux bien me sacrifier quelque chose à ton tour.... Et qu'est-ce que je te demande? Rien ... la joie d'être honnête et bonne.... Se dévouer, ma Juliette, se dévouer, mais, c'est si grand, si noble!... Ah! si tu connaissais la volupté du sacrifice?... Tiens!... Malterre, il est riche, lui.... C'est un brave garçon, meilleur que les autres, il t'a aimée!... J'irai chez lui, je lui dirai: «Vous seul pouvez sauver Juliette, la retirer du monde où elle vit.... Revenez à elle ... et ne craignez rien de moi ... je partirai....» Veux-tu?...

Juliette me regardait, étonnée prodigieusement. Un sourire inquiet errait sur ses lèvres.... Elle murmura:

—Allons, mon chéri, tu dis des bêtises.... Ne pleure pas, viens!

M'en allant, je continuais de gémir:

—Une bête aurait pitié!... Oui, une bête....

D'autres fois, elle envoyait Célestine pour me chercher, et je la trouvais couchée dans son lit, fraîche, triste et lasse. Je comprenais que quelqu'un était là, tout à l'heure, qui venait de partir; je le comprenais au regard plus tendre de Juliette, à tout ce qui m'entourait, au lit qui avait été refait, à la toilette rangée avec un soin trop méticuleux, à toutes les traces effacées, et que je voyais reparaître dans leur réalité horrible et douloureuse. Je m'attardais dans le cabinet de toilette, fouillant les tiroirs, interrogeant les objets, descendant à un examen ignoble des choses familières.... De temps en temps, de la chambre, Juliette m'appelait:

—Viens donc, mon chéri! ... qu'est-ce que tu fais?

Oh! reconstituer son image, percevoir une odeur de lui!... Je humais l'air, dilatant mes narines, croyant saisir des senteurs fortes de mâle, et il me semblait que l'ombre de torses puissants s'allongeait sur les tentures, que je distinguais des carrures d'athlète, des bras héroïques, des cuisses nerveuses et velues, aux muscles bombants.

—Viens-tu?... disait Juliette....

Ces nuits-là, Juliette ne parlait que d'âme, que de ciel, que d'oiseaux; elle avait un besoin d'idéal, de rêveries célestes.... Toute petite dans mes bras, chaste comme une enfant, elle soupirait.

—Oh! qu'on est bien ainsi!... Dis-moi de belles choses, mon Jean, des choses douces ainsi que dans les vers.... J'aime tant ta voix.... elle a des sons d'harmonium ... parle-moi longtemps.... Tu es si bon, tu me consoles si bien!... Je voudrais vivre ainsi, toujours dans tes bras, ne pas bouger, et t'entendre!... Sais-tu aussi ce que je voudrais?... Ah! j'en rêve!... Avoir de toi une petite fille qui serait comme un chérubin, toute rose et blonde!... Je la nourrirais ... et tu lui chanterais des chansons très jolies, pour l'endormir!... Mon Jean, quand je serai morte, tu trouveras dans ma caisse à bijoux un petit cahier rose, avec des dorures.... C'est pour toi ... tu le prendras.... J'ai écrit là mes pensées, et tu verras si je t'aimais bien!... tu verras!... Ah! il faudra se lever demain, sortir, quel ennui!... Berce-moi, parle-moi, dis-moi que tu aimes mon âme ... mon âme!...

Et elle s'endormait; et elle était si blanche, si pure, que les rideaux du lit lui faisaient comme deux ailes.

La nuit s'avançait; le faubourg redevenait calme.... De loin en loin, des voitures attardées rentraient, et, sur le trottoir, deux sergents de ville marchaient d'un pas lourd et traînant, toujours pareil!... Plusieurs fois, la porte de l'hôtel s'était ouverte et refermée; j'avais entendu des craquements, des glissements de robe, des voix chuchotantes dans le couloir.... Mais ce n'était pas Juliette!.... Et, depuis longtemps, l'hôtel silencieux semblait dormir.... Je quittai le canapé, allumai une bougie, regardai la pendule; elle marquait trois heures.

—Elle ne viendra pas!... Maintenant, c'est fini ... elle ne viendra pas!

Je me mis à la fenêtre.... La rue était déserte, le ciel, au-dessus, tout sombre, pesait sur les maisons, comme un couvercle de plomb.... Là-bas, dans la direction du boulevard Haussmann, de grosses voitures descendaient, ébranlant la nuit de leurs cahots sonores.... Un rat courut d'un trottoir à l'autre, et disparut par un caniveau.... Je vis un pauvre chien, tête basse, la queue entre les jambes, passer, s'arrêter aux portes, flairer le ruisseau, s'en aller, l'échine dolente.... J'avais la fièvre, mon cerveau brûlait, mes mains étaient moites, et je ressentais, dans la poitrine, comme un étouffement.

—Elle ne viendra pas!... Où est-elle?... Est-elle rentrée?... Ou bien dans quel coin de cette grande ombre impure se vautre-t-elle?

Ce qui m'indignait surtout, c'est qu'elle ne m'eût pas averti.... Elle avait reçu ma carte ... elle savait qu'elle ne viendrait pas ... et elle ne m'avait pas envoyé un seul mot!... J'avais pleuré, je l'avais suppliée, je m'étais traîné à ses genoux ... et pas un mot!... Quelles larmes, quel sang fallait-il donc verser pour attendrir cette âme de pierre?... Comment pouvait-elle courir au plaisir, les oreilles encore pleines du bruit de mes sanglots, la bouche encore humide de mes prières?... Les filles les plus perdues, les créatures les plus damnées ont parfois des arrêts dans leur existence de débauche et de proie; il y a des moments où elles laissent le soleil pénétrer leur cœur refroidi, où, les yeux tournés vers le ciel, elles implorent l'amour qui pardonne et qui rachète!... Juliette! jamais!... quelque chose de plus insensible que le destin, de plus impitoyable que la mort, la poussait, l'emportait, la roulait éternellement, sans un répit, sans une halte, des amours fangeuses aux amours sanglantes, de ce qui déshonore à ce qui tue!... Plus les jours s'écoulaient, plus la débauche marquait sa chair de flétrissures. A sa passion, jadis robuste et saine, se mêlaient aujourd'hui des curiosités abominables, et cet inassouvissement farouche, cet alcoolisme de l'amour inextinguible, que donnent les plaisirs irréguliers et stériles. Hormis les nuits où l'épuisement revêtait les formes imprévues de l'idéal le plus pur, on sentait sur elle l'empreinte de mille corruptions différentes et raffinées, de mille fantaisies perverses de blasés et de vieillards. Il lui échappait des paroles, des cris, qui ouvraient sur sa vie, brusquement, des horizons de fange enflammée; et, bien qu'elle m'eût communiqué l'ardeur dévorante de ses dépravations, bien que j'y goûtasse une sorte de volupté infernale, criminelle, je ne pouvais, souvent, regarder Juliette sans frissonner de terreur!... En sortant de ses bras, honteux, dégoûté, j'avais ce besoin qu'ont les réprouvés de contempler des spectacles tranquilles, reposants, et j'enviais, avec quels cuisants regrets! j'enviais les êtres supérieurs qui ont fait de la vertu et de la pureté les lois inflexibles de leur vie!... Je rêvais de couvents où l'on prie, d'hôpitaux où l'on se dévoue.... Un désir fou s'emparait de moi d'entrer dans les bouges afin d'évangéliser les malheureuses créatures qui croupissent dans le vice, sans une bonne parole; je me promettais de suivre, la nuit, les prostituées dans l'ombre des carrefours, et de les consoler, et de leur parler de vertu, avec une telle passion, avec des accents si touchants, qu'elles en seraient émues, pleureraient et me diraient: «Oui, oui, sauvez-nous....» J'aimais à rester des heures entières, dans le parc Monceau, regardant jouer les enfants, découvrant des paradis de bonheur, en l'œil des jeunes mères; je m'attendrissais à reconstituer ces existences, si lointaines de la mienne; à revivre, près d'elles, ces joies saintes, à jamais perdues pour moi.... Le dimanche j'errais dans les gares, au milieu des foules joyeuses, parmi les petits employés et les ouvriers qui s'en allaient, en famille, chercher un peu d'air pur, pour leurs pauvres poumons encrassés, prendre un peu de force pour supporter les fatigues de la semaine. Et je m'attachais aux pas d'un ouvrier dont la physionomie m'intéressait; j'aurais voulu avoir son dos résigné, ses mains déformées, noircies par le travail rude, son allure gourde, ses yeux confiants de bon dogue.... Hélas! j'aurais voulu avoir tout ce que je n'avais pas; être tout ce que je n'étais pas!... Ces promenades, qui me rendaient plus pénible encore la constatation de mon abaissement, me faisaient pourtant du bien, et j'en revenais, chaque fois, avec des résolutions courageuses.... Mais, le soir, je revoyais Juliette, et Juliette, c'était l'oubli de l'honneur et du devoir....

Au-dessus des maisons, le ciel s'éclairait d'une faible lueur, annonçant l'aube prochaine; et, j'aperçus, au bout de la rue, dans l'ombre, deux points brillants, deux lanternes de voiture qui vacillaient, se balançaient, s'avançaient, pareilles à deux becs de gaz errants.... J'eus un espoir, un instant d'espoir ... la voiture approchait, dansant sur les pavés, les lumières grandissaient, le bruit s'accélérait.... Il me sembla que je reconnaissais le roulement familier du coupé de Juliette!... Mais non!... Tout à coup, la voiture obliqua sur sa gauche, disparut.... Et, dans une heure, ce serait le jour!

—Elle ne viendra pas!... Cette fois, c'est bien fini, elle ne viendra pas!

Je fermai la fenêtre et me recouchai sur le canapé, les tempes battantes, tous les membres endoloris.... En vain, j'essayai de dormir.... Je ne pus que pleurer, sangloter, crier:

—Oh! Juliette! Juliette!

Ma poitrine était en feu, j'avais dans la tête comme un bouillonnement de lave.... Mes idées s'égaraient, tournaient en hallucinations.... Le long des murs de ma chambre, des belettes se poursuivaient, bondissaient, se livraient à des jeux obscènes.... Et j'espérai que la fièvre m'abattrait, me coucherait dans mon lit, m'emporterait.... Être malade!... Oh! oui, être malade, longtemps, toujours!... Juliette s'installait près de moi, elle me veillait, me soulevait la tête pour me faire boire des remèdes, elle reconduisait le médecin en disant des choses à voix basse; et le médecin avait un air grave:

—Mais non! mais non! Madame, tout n'est pas désespéré.... Calmez-vous.

—Ah! docteur, sauvez-le, sauvez mon Jean!

—C'est vous seule qui pouvez le sauver, puisque c'est de vous qu'il meurt!

—Ah! que puis-je faire?... Dites, docteur, dites!

—Il faut l'aimer, être bonne....

Et Juliette se jetait dans les bras du médecin....

—Non! C'est toi que j'aime ... viens!

Elle l'entraînait, pendue à ses lèvres ... et, dans la chambre, ils cabriolaient, sautaient au plafond et retombaient sur mon lit, enlacés.

—Meurs, mon Jean, meurs, je t'en prie!... Ah! pourquoi tardes-tu tant à mourir?...

Je m'étais assoupi.... Quand je me réveillai, il faisait grand jour.... Les omnibus, de nouveau, roulaient dans la rue; les marchands ambulants glapissaient leurs ritournelles matinales; contre ma porte, dans le couloir où des gens marchaient, j'entendais le grattement d'un balai.

Je sortis, et je me dirigeai vers la rue de Balzac.... Vraiment, je n'avais pas d'autres projets que de voir la maison de Juliette, de regarder ses fenêtres et peut-être de rencontrer Célestine ou la mère Sochard.... Sur le trottoir, en face, plus de vingt fois, je passai et repassai.... Les fenêtres de la salle à manger étaient ouvertes, et je distinguais les cuivres du lustre qui luisaient dans l'ombre.... Au balcon, un tapis pendait.... Les fenêtres de la chambre étaient fermées.... Qu'y avait-il derrière les volets clos, derrière ce pan de mur blanc, impénétrable?... Un lit pillé, saccagé, des odeurs lourdes d'amour, et deux corps vautrés qui dormaient.... Le corps de Juliette ... et l'autre?... Le corps de tout le monde. Le corps que Juliette avait ramassé, au hasard, sous une table de cabaret, dans la rue!... Ils dormaient, saoulés de luxures!... La concierge vint secouer des tapis sur le trottoir; je m'éloignai, car depuis que j'avais quitté l'appartement j'évitais le regard ironique de cette vieille femme, je rougissais chaque fois que mes yeux se croisaient avec ses deux petits yeux bouffis et méchants qui avaient l'air de se moquer de mes malheurs.... Quand elle eut fini, je retournai sur mes pas, et je restai longtemps à m'irriter contre ce mur derrière lequel une chose épouvantable se passait et qui gardait la cruelle impassibilité d'un sphinx accroupi dans le ciel.... Subitement, comme si la foudre était tombée sur moi, une colère folle me remua de la tête aux pieds, et sans raisonner ce que j'allais faire, sans le savoir même, j'entrai dans la maison, montai l'escalier, sonnai à la porte de Juliette.... Ce fut la mère Sochard qui m'ouvrit.

—Dites à Madame, criai-je, dites à Madame que je veux la voir, tout de suite, lui parler.... Dites-lui aussi que si elle ne vient pas, c'est moi qui irai la trouver, qui l'arracherai du lit, entendez-vous!... Dites-lui....

La mère Sochard, toute pâle, tremblante, balbutiait:

—Mais, mon pauvre monsieur Mintié, Madame n'est pas là.... Madame n'est pas rentrée....

—Prenez garde, vieille sorcière!... Ne vous foutez pas de moi, hein!... et faites ce que je commande.... Ou, sinon, Juliette, vous, les meubles, la maison, je casse tout, je tue tout....

La vieille domestique levait les bras au plafond, d'un geste effaré....

—En vérité du bon Dieu! s'exclama-t-elle.... Puisque je vous dis que Madame n'est pas rentrée, monsieur Mintié!... Allez dans sa chambre, vous verrez bien!... puisque je vous le dis!

En deux bonds, je me précipitai dans la chambre ... la chambre était vide ... le lit n'avait pas été défait. La mère Sochard me suivait pas à pas, répétant:

—Voyons, monsieur Mintié!... Voyons!... Puisque vous n'êtes plus ensemble, à c't'heure!...

Je passai dans le cabinet de toilette.... Tout y était en ordre, comme lorsque nous rentrions, le soir, tard.... Les affaires de Juliette rangées sur le divan, la bouillotte pleine d'eau, posée sur le fourneau à gaz....

—Et où est-elle? demandai-je.

—Ah! Monsieur! répondit la mère Sochard.... Est-ce qu'on sait où va Madame?... Il est venu, ce matin, une espèce de valet de chambre qui a causé à Célestine, et puis Célestine est partie avec une robe de rechange pour Madame.... Voilà tout ce que je sais!

En rôdant, dans le cabinet, je trouvai la carte que, la veille, je lui avais envoyée.

—Est-ce que Madame a lu ça?

—Probablement que non, allez!...

—Et vous ne savez pas où elle est?

—Ah! dame, non! ben sûr.... Madame ne me conte point ses affaires!

Je rentrai dans la chambre, m'assis sur la chaise longue.

—C'est bien, mère Sochard.... Je vais l'attendre.... Et je vous avertis que ça va être drôle!... Ha! ha!... A la fin, voyez-vous, mère Sochard, il faut que ça éclate!... J'ai eu de la patience ... j'ai eu ... Eh bien! en voilà assez!...

Je brandissais mes poings dans le vide.

—Et ça va être drôle, mère Sochard!... et vous pourrez vous vanter d'avoir assisté à un spectacle drôle, que vous n'oublierez jamais, jamais!... Et la nuit vous en rêverez, avec épouvante, nom de Dieu!

—Ah! monsieur Mintié!... monsieur Mintié!... supplia la vieille femme. Pour l'amour du bon Dieu, calmez-vous.... Allez-vous-en!... Vous commettrez un malheur, c'est sûr!... Et qu'est-ce que vous ferez, monsieur Mintié?... Qu'est-ce que vous ferez?...

En ce moment, Spy, sorti de sa niche, s'avançait vers moi, bombant le dos, dansant sur ses pattes grêles d'araignée.... Et je regardai Spy, obstinément.... Et je pensai que Spy était le seul être qu'aimât Juliette, que tuer Spy serait la plus grande douleur qu'on pût infliger à Juliette.... Le chien allongeait ses pattes vers moi, essayait de grimper sur mes genoux. Il semblait me dire:

—Si tu souffres tant, je n'en suis pas la cause.... Te venger sur moi, si petit, si faible, si confiant, ce serait lâche.... Et puis, tu crois qu'elle m'aime tant que ça!... Je l'amuse comme un joujou, je lui suis une distraction d'une minute et voilà tout.... Si tu me tues, ce soir, elle aura un autre petit chien comme moi, qu'elle appellera Spy comme moi, qu'elle comblera de caresses comme moi, et il n'y aura rien de changé!

Je n'écoutais pas Spy, de même que je n'écoutais jamais aucune des voix qui me parlaient, lorsque le crime me poussait à quelque mauvaise action.... Brutalement, férocement, je saisis le petit chien par les pattes de derrière.

—Ce que je ferai, mère Sochard! m'écriai-je.... Tenez!...

Et faisant tournoyer Spy dans l'air, de toutes mes forces, je lui écrasai la tête contre l'angle de la cheminée. Du sang jaillit sur la glace et sur les tentures, des morceaux de cervelle coulèrent sur les flambeaux, un œil arraché tomba sur le tapis....

—Ce que je ferai, mère Sochard?... répétai-je en lançant le chien au milieu du lit, sur lequel une mare rouge s'étala.... Ce que je ferai?... Ha, ha!... Vous voyez ce sang, cet œil, cette cervelle, ce cadavre, ce lit!... Ha, ha!... Eh bien, mère Sochard, voilà ce que je ferai de Juliette!... de Juliette, entendez-vous, vieille pocharde!...

—Oh! de ma vie! bégaya la mère Sochard terrifiée!... De ma vie du bon Dieu, je....

Elle n'acheva pas.... Les yeux tout grands, la bouche ouverte démesurément, dans une horrible grimace, elle fixait le cadavre du chien, noir sur le lit, et le sang que les draps pompaient, et dont la tache pourprée s'élargissait....

XII

Quand la raison me revint, le meurtre de Spy me parut une action monstrueuse, et j'en eus horreur, comme si j'avais assassiné un enfant. De toutes les lâchetés commises, je jugeai celle-là la plus lâche et la plus odieuse!... Tuer Juliette!... C'eût été un crime, assurément, mais peut-être était-il possible de trouver, dans la révolte de mes souffrances, sinon une excuse, du moins une explication à ce crime.... Tuer Spy!... Un chien ... une pauvre bête inoffensive!... Pourquoi?... Ah! oui, pourquoi?... A moins d'être une brute, d'avoir en soi l'instinct sauvage et irrésistible du meurtre!... Pendant la guerre, j'avais tué un homme, bon, jeune et fort; je l'avais tué au moment précis où, les yeux charmés, le cœur ému, il s'attendrissait à regarder le soleil levant!... Je l'avais tué, caché derrière un arbre, protégé par l'ombre, lâchement!... C'était un Prussien?... Qu'importe!... C'était un homme aussi, un homme comme moi, meilleur que moi.... De son existence dépendaient des existences faibles de femmes et d'enfants; quelque part des créatures angoissées priaient pour lui, l'attendaient; il y avait peut-être en cette puissante jeunesse, dans ces reins robustes, des germes de vies supérieures que l'humanité espérait! Et d'un coup de fusil imbécile et peureux, j'avais détruit tout cela.... Maintenant, voilà que je tuais un chien!... et que je le tuais alors qu'il venait à moi, et qu'il essayait, avec ses petites pattes, de grimper sur mes genoux!... J'étais donc véritablement un assassin!... Ce petit cadavre me poursuivait; toujours je voyais cette tête hideusement écrasée, le sang giclant sur les étoffes claires de la chambre, et le lit, taché de sang ineffaçablement!...

Ce qui me tourmentait aussi, c'était de penser que Juliette ne me pardonnerait jamais la perte de Spy. Elle devait avoir horreur de moi.... Je lui écrivis des lettres repentantes, l'assurant que désormais j'accepterais d'elle tout ce qu'elle voudrait, que je ne me plaindrais pas, que je ne lui adresserais plus de reproches sur sa conduite; des lettres si humiliées, si basses, d'une soumission si vile, qu'une autre que Juliette eût eu, en les lisant, le cœur soulevé de dégoût.... Je les faisais porter par un commissionnaire dont je guettais le retour, anxieux, au coin de la rue de Balzac.

—Il n'y a pas de réponse!

—Vous ne vous êtes pas trompé?... C'est bien au premier que vous avez remis la lettre?

—Oui, Monsieur.... Même que la bonne m'a dit: «Il n'y a pas de réponse!»

Je me présentai chez elle. La porte ne s'ouvrit que de la longueur d'une chaîne de sûreté, que Juliette, par peur de moi, avait fait poser, dès le soir de l'horrible scène ... et, dans l'entrebâillement, j'aperçus le visage railleur et cynique de Célestine.

—Madame n'y est pas!

—Célestine, ma bonne Célestine, laissez-moi entrer!

—Madame n'y est pas!

—Célestine!... Ma chère petite Célestine.... Laissez-moi l'attendre.... Et je vous donnerai beaucoup d'argent!...

—Madame n'y est pas!

—Célestine, je vous en prie!... Allez dire à Madame que je suis là ... que je suis bien calme ... que je suis très malade ... que je vais mourir!... Et vous aurez cent francs, Célestine ... deux cents francs!

Célestine m'examinait en dessous, d'un air narquois, heureuse de me voir souffrir, heureuse surtout de voir un homme se ravaler jusqu'à elle, l'implorer servilement.

—Une toute petite minute, Célestine ... que je la voie seulement, et je partirai!

—Non, non, Monsieur!... je serais grondée....

La sonnette d'un timbre retentit; j'entendis ses drins drins se précipiter.

—Vous voyez, Monsieur, on m'appelle!

—Eh bien!... Célestine, dites-lui que si, à six heures, elle n'est pas venue chez moi; si elle ne m'a pas écrit à six heures, dites-lui que je me tue!... A six heures, Célestine!... N'oubliez pas ... dites-lui que je me tue!

—Bien, Monsieur!

Et la porte se referma sur moi, avec un bruit de chaîne balancée.

L'idée me vint d'aller voir Gabrielle Bernier, de lui conter mes malheurs, de lui demander conseil, de l'employer à une réconciliation. Gabrielle finissait de déjeuner avec une amie, petite femme maigre, noire, à museau pointu de rongeur et qui, quand elle parlait, semblait toujours grignoter des noisettes. En matinée de foulard blanc, sale et fripée, les cheveux retenus sur le haut de la tête par un peigne mis de travers, les coudes sur la table, Gabrielle fumait une cigarette et sirotait un verre de chartreuse.

—Tiens, Jean!... Vous êtes donc revenu?

Elle me fit passer dans son cabinet de toilette, très en désordre. Aux premiers mots que je dis de Juliette, Gabrielle s'écria:

—Comment!... Vous ne savez pas?... Mais nous sommes fâchées depuis un mois ... depuis qu'elle m'a chipé un consul, mon cher, un consul d'Amérique, qui me donnait cinq mille par mois!... Oui, elle me l'a chipé, cette peau-là!... Eh bien, et vous?... Vous l'avez lâchée d'un cran, j'espère?

—Oh! moi! fis-je ... je suis bien malheureux!... Ainsi, c'est un consul qui est son amant, aujourd'hui?

Gabrielle ralluma sa cigarette éteinte, haussa les épaules.

—Son amant!... Est-ce que ça peut garder un amant, des femmes comme ça?... Elle aurait le bon Dieu, mon cher, que le bon Dieu lui-même n'y tiendrait pas!... Ah! les hommes, ça ne pose pas longtemps chez elle, c'est moi qui vous le dis!... Ça vient un jour, et puis le lendemain, ça fiche le camp!... Ah bien! merci!... C'est bon de les plumer, mais encore faut-il mettre des gants, hein?... Et vous êtes toujours amoureux d'elle, pauvre garçon?

—Toujours, plus que jamais!... J'ai fait tout pour me guérir de cette passion honteuse, qui me rend le plus vil des hommes, qui me tue ... et je n'ai pas pu!... Alors, elle mène une abominable conduite, n'est-ce pas?

—Ah! bien, vrai!... s'exclama Gabrielle, en lançant un jet de fumée en l'air.... Vous savez, je ne suis pas bégueule, moi ... je rigole comme tout le monde ... mais là, parole d'honneur!... sur la tête de ma mère, je rougirais de faire ce qu'elle fait!

La tête renversée, elle poussait des ronds de fumée qui montaient en vibrant, vers le plafond.... Et pour accentuer ce qu'elle venait de dire:

—Ah! bien, vrai! répéta-t-elle.

Quoique je souffrisse cruellement, quoique chacune des paroles de Gabrielle me frappât au cœur, ainsi qu'un coup de couteau, je pris un air câlin, m'approchai d'elle.

—Voyons, ma petite Gabrielle, suppliai-je ... racontez-moi.

—Vous raconter!... vous raconter!... Tenez!... vous connaissez les deux Borgsheim?... ces deux sales Allemands!... Eh bien, Juliette était avec eux en même temps!... Ça, vous savez, je l'ai vu!... En même temps, mon cher!... Un soir, elle disait à l'un: «Ah! bien, c'est toi que j'aime.» Et elle l'emmenait. Le lendemain, elle disait à l'autre: «Non, décidément, c'est toi!...» Et elle l'emmenait.... Et si vous aviez vu ça!... Deux ignobles Prussiens qui chipotaient toujours sur les additions!... Et puis un tas de choses.... Mais je ne veux rien vous dire, parce que je vois que je vous fais de la peine!

—Non, criai-je ... non, Gabrielle ... racontez ... parce que, vous comprenez, à la fin, le dégoût ... le dégoût....

Je suffoquais.... J'éclatai en sanglots.

Gabrielle me consolait:

—Allons! allons.... Ne pleurez donc pas, pauvre Jean!... Est-ce qu'elle mérite que vous vous retourniez les sangs de cette façon?... Un gentil garçon comme vous!... Si c'est possible?... Je lui disais toujours: «Tu ne le comprends pas, ma chère, tu ne l'as jamais compris ... c'est une perle, un homme comme ça!...» Ah! j'en connais des femmes qui seraient joliment heureuses d'avoir un petit homme comme vous ... et qui vous aimeraient bien, allez!...

Elle s'assit sur mes genoux, voulut essuyer mes yeux tout humides. Sa voix était devenue caressante, et son regard luisait:

—Ayez donc un peu de courage.... Lâchez-la!... prenez-en une autre ... une bonne, une douce, une qui vous comprendrait.... Tiens!...

Et subitement, elle m'entoura de ses bras, colla sa bouche sur la mienne.... Son sein, qui sortit nu hors des dentelles du peignoir, s'écrasa sur ma poitrine. Ce baiser, cette chair étalée, me firent horreur. Je me dégageai de son étreinte, brutalement je repoussai Gabrielle, qui se redressa un peu déconcertée, répara le désordre de sa toilette, et me dit:

—Oui, je comprends!... J'ai éprouvé ça aussi.... Mais tu sais, mon petit.... Quand tu voudras.... Viens me voir....

Je m'en allai.... Mes jambes étaient molles, j'avais, autour de ma tête, comme des cercles de plomb; une sueur froide m'inondait le visage, roulait en gouttes chatouillantes le long de mes reins.... Afin de pouvoir marcher, je dus m'appuyer aux murs des maisons.... Comme j'étais près de défaillir, j'entrai dans un café, avalai quelques gorgées de rhum, avidement.... Je ne puis dire que je souffrisse beaucoup.... C'était une stupeur qui m'alourdissait les membres, un anéantissement physique et moral, où la pensée de Juliette glissait, de temps en temps, une douleur aiguë, lancinante.... Et dans mon esprit égaré, Juliette s'impersonnalisait; ce n'était plus une femme ayant son existence particulière, c'était la Prostitution elle-même, vautrée, toute grande, sur le monde; l'Idole impure, éternellement souillée, vers laquelle couraient des foules haletantes, à travers des nuits tragiques, éclairées par les torches de baphomets monstrueux.... Longtemps, je restai là, les coudes sur la table, la tête dans les mains, les yeux fixés, entre deux glaces, sur un panneau où des fleurs étaient peintes.... Je quittai enfin le café, et je marchai devant moi, sans savoir où j'allais, je marchai, je marchai.... Après une course longue, sans que j'eusse projeté de venir là, je me trouvai dans l'avenue du Bois-de-Boulogne, près de l'Arc de Triomphe.... Le jour commençait de baisser.... Au-dessus des coteaux de Saint-Cloud qui se violaçaient, le ciel s'empourprait glorieusement, et de petits nuages roses erraient dans l'espace d'un bleu très pâle.... Le bois se tassait, plus sombre: une poussière fine, rouge des reflets du soleil mourant, s'élevait de l'avenue, noire de voitures.... Et les voitures compactes, serrées en files interminables, passaient sans cesse, traînant les filles de proie aux nocturnes carnages.... Étendues sur leurs coussins, indolentes et dédaigneuses, le masque abêti, les chairs flasques, nourries d'ordures, toutes, elles étaient là, si pareilles, que je reconnaissais Juliette en chacune d'elles.... Le défilé me parut plus lugubre que jamais.... En regardant ces chevaux, ces panaches, ce soleil sanglant, qui faisait reluire les panneaux des voitures comme des cuirasses, toute cette mêlée ardente d'étoffes rouges, jaunes, bleues, toutes ces plumes qui frémissaient dans le vent, j'eus l'impression que je voyais des régiments ennemis, des régiments de la conquête s'abattre, ivres de pillage, sur Paris vaincu.... Et, sincèrement, je m'indignai de ne pas entendre tonner les canons, de ne pas entendre les mitrailleuses cracher la mort et balayer l'avenue.... Un ouvrier, qui s'en revenait du travail, s'était arrêté au bord du trottoir.... Ses outils sur l'épaule, le dos rond, il contemplait ce spectacle.... Non seulement, il n'y avait pas de haine dans ses yeux, mais on y sentait une sorte d'extase.... La colère me prit.... J'avais envie d'aller à lui, de le saisir au collet, de lui crier:

—Que fais-tu là, imbécile? Pourquoi regardes-tu ces femmes, ainsi?... Ces femmes qui sont une insulte à ton bourgeron déchiré, à tes bras brisés de fatigue, à tout ton pauvre corps broyé par les souffrances quotidiennes.... Aux jours de révolution, tu crois te venger de la société qui t'écrase, en tuant des soldats et des prêtres, des humbles et des souffrants comme toi?... Et jamais tu n'as songé à dresser des échafauds pour ces créatures infâmes, pour ces bêtes féroces qui te volent de ton pain, de ton soleil.... Regarde donc!... La société qui s'acharne sur toi, qui s'efforce de rendre toujours plus lourdes les chaînes qui te rivent à la misère éternelle, la société les protège, les enrichit; les gouttes de ton sang, elle les transmute en or pour en couvrir les seins avachis de ces misérables.... C'est pour qu'elles habitent des palais que tu t'épuises, que tu crèves de faim, ou qu'on te casse la tête sur les barricades.... Regarde donc!... Lorsque, dans la rue, tu vas réclamant du pain, les sergents de ville t'assomment, toi, pauvre diable!... Vois, comme ils font la route libre à leurs cochers et à leurs chevaux! Regarde donc!... Ah! les belles vendanges pourtant!... Ah! les belles cuvées de sang!... Et comme le bon blé pousserait, haut et nourricier, dans la terre où elles pourriraient!...

Tout à coup, j'aperçus Juliette.... Je l'aperçus, une seconde, de profil.... Elle avait un chapeau rose, était fraîche, souriante, semblait heureuse, répondait, par de légères inclinaisons de tête, aux saluts qu'on lui adressait.... Juliette ne me vit pas.... Elle passa.

—Elle va chez moi!... Elle s'est rappelée.... Elle va chez moi.

Je n'en doutais pas.... Un fiacre revenait à vide.... Je montai dedans.... Juliette avait déjà disparu....

—Pourvu que j'arrive en même temps qu'elle!... Car elle va chez moi!... Vite, cocher, vite donc!

Aucune voiture devant la porte de l'hôtel.... Juliette était déjà partie! Je me précipitai dans la loge du concierge.

—On est venu me demander à l'instant? Une dame?... Mme Juliette Roux?

—Mais non, monsieur Mintié.

—Alors, j'ai une lettre?

—Rien, monsieur Mintié.

Je pensai:

—Tout à l'heure elle sera là!

Et j'attendis, marchant fiévreusement sur le trottoir, répétant à haute voix, pour me rassurer:

—Tout à l'heure elle sera là!

J'attendis.... Personne!... J'attendis encore.... Personne!... Le temps fuyait.... Personne toujours.

—La misérable!... Et elle souriait!... Et son visage était gai!... Et elle savait que je devais me tuer à six heures!

Je courus rue de Balzac.... Célestine m'assura que Madame venait de sortir.

—Écoutez-moi, Célestine ... vous êtes une brave fille.... Je vous aime bien.... Vous savez où elle est?... Allez la trouver, et dites-lui que je veux la voir.

—Mais je ne sais pas où est Madame.

—Si, Célestine, si, vous le savez.... Je vous en supplie.... Allez! Je souffre trop!

—Parole d'honneur!... Monsieur, je ne sais pas.

J'insistai.

—Elle est peut-être chez son amant?... au restaurant?... Oh! dites-le-moi!

—Puisque je ne sais pas!

L'impatience me gagnait.

—Célestine ... je vous dis des choses gentilles.... Ne m'irritez pas ... parce que....

Célestine se croisa les bras, balança la tête, et d'une voix traînante de voyou:

—Parce que quoi?... Ah! vous commencez par m'embêter, espèce de panné!... Et si vous ne décanillez pas, à la fin, je vais appeler la police, vous entendez?...

Et me poussant vers la porte, rudement, elle ajouta:

—Ah! bien, vrai!... Ces saligauds-là, c'est pire que des chiens!

J'eus assez de raison pour ne pas engager une dispute avec Célestine et, tout honteux, je redescendis l'escalier.

Il était minuit quand je revins rue de Balzac.... J'avais rôdé autour des restaurants, cherchant Juliette du regard, à travers les glaces, entre les fentes des rideaux.... J'étais entré dans plusieurs théâtres.... A l'Hippodrome, où elle allait, les jours d'abonnement, j'avais fait le tour des loges.... Ce grand espace, ces lumières aveuglantes, cet orchestre surtout, qui jouait un air languissant et triste, tout cela avait détendu mes nerfs, et j'avais pleuré!... Je m'étais rapproché des groupes d'hommes, pensant qu'ils parleraient de Juliette, que je saurais quelque chose. Et de tous les élégants en habit je disais:

—C'est peut-être celui-là, son amant!

Que faisais-je ici?... Il semblait que ma destinée fût de courir, partout, toujours, de vivre sur les trottoirs, à la porte des mauvais lieux, d'y attendre la venue de Juliette!... Épuisé de fatigue, la tête bourdonnante, ne trouvant Juliette nulle part, je m'étais échoué, de nouveau, dans la rue. Et j'attendais!... Quoi?... En vérité je l'ignorais.... J'attendais tout et je n'attendais rien.... J'étais là pour me sacrifier, une fois de plus encore, ou pour commettre un crime.... J'espérais que Juliette rentrerait seule ... Alors, j'irais à elle, je l'attendrirais.... Je craignais aussi de la voir avec un homme.... Alors, je la tuerais peut-être.... Je ne préméditais rien.... J'étais venu, voilà tout!... Pour la mieux surprendre, je me dissimulai dans l'angle de la porte de la maison voisine de la sienne.

De là, je pourrais tout observer, sans être aperçu, s'il me convenait de ne pas me montrer.... L'attente ne fut pas longue. Un fiacre, débouchant du faubourg Saint-Honoré, s'engagea dans la rue de Balzac, obliqua de mon côté et, rasant le trottoir, il s'arrêta devant la maison de Juliette!... Je haletais.... Tout mon corps tremblait, secoué par un frisson.... Juliette descendit d'abord.... Je la reconnus.... Elle traversa le trottoir en courant, et je l'entendis qui tirait le bouton de la sonnette.... Puis un homme descendit à son tour, il me sembla que je reconnaissais cet homme aussi.... Il s'était approché de la lanterne, fouillait dans son porte-monnaie, en retirait des pièces d'argent, maladroitement, qu'il examinait à la lumière, le coude levé.... Et son ombre, sur le sol, s'étalait anguleuse et bête!... Je voulus me précipiter.... Une lourdeur me retenait cloué à ma place.... Je voulus crier.... Le son s'étrangla dans ma gorge.... En même temps, un froid me monta du cœur au cerveau.... J'eus la sensation que la vie m'abandonnait.... Je fis un effort surhumain, et, chancelant, je m'avançai vers l'homme.... La porte s'était ouverte et Juliette avait disparu, en disant:

—Allons!... Venez-vous?

L'homme fouillait toujours dans son porte-monnaie....

C'était Lirat!... Les maisons, le ciel me seraient tombés sur la tête, que je n'aurais pas été plus stupéfait!... Lirat rentrant avec Juliette!... Cela ne se pouvait pas!... J'étais fou.... J'avançai encore.

—Lirat!... criai-je, Lirat! ...

Il avait fini de payer le cocher et me regardait terrifié!... Immobile, la bouche béante, les jambes écartées, il me regardait, sans mot dire....

—Lirat!... Est-ce vous?... Ce n'est pas possible.... Ce n'est pas vous, n'est-ce pas?... Vous ressemblez à Lirat, mais vous n'êtes pas Lirat!...

Lirat se taisait....

—Voyons, Lirat!... Vous ne ferez pas cela ... ou alors je dirai que vous m'avez envoyé au Ploc'h pour me voler Juliette!... Vous, ici, avec elle!... Mais c'est de la folie!... Lirat! rappelez-vous ce que vous m'avez dit d'elle ... rappelez-vous les belles choses dont vous aviez nourri mon esprit ... les belles choses que vous aviez mises dans mon cœur!... Cette misérable fille!... C'est bon pour moi, qui suis perdu.... Mais vous!... Vous êtes généreux, vous êtes un grand artiste!... Est-ce pour vous venger de moi?... Un homme comme vous ne se venge pas de la sorte.... Il ne se salit pas!... Si je n'ai pas été vous voir, Lirat, c'était parce que je n'osais pas, pour ne pas encourir votre colère!... Voyons, parlez-moi, Lirat.... Répondez-moi!...

Lirat se taisait. Juliette dans le corridor, l'appelait:

—Allons, venez-vous?...

Je saisis les mains de Lirat.

—Tenez, Lirat ... elle se moque de vous.... Vous ne comprenez donc pas?... Un jour, elle m'a dit: «Je me vengerai de Lirat, de ses mépris, de ses rigueurs hautaines ... et ce sera farce!» Elle se venge ... vous allez entrer chez elle, n'est-ce pas?... et demain, ce soir, tout à l'heure, elle vous chassera honteusement!... Oui, c'est cela qu'elle veut, je vous le jure!... Ah! je me rends compte!... Elle vous a poursuivi.... Si bête, si effroyablement stupide, si lointaine de vous qu'elle soit ... elle vous a affolé.... Elle a le génie du mal, et vous, vous êtes un chaste!... Elle a versé le poison dans vos veines.... Mais vous êtes fort!... Après ce qui s'est passé entre nous, vous ne pouvez pas!... Ou vous êtes un mauvais homme, ou vous êtes un sale cochon, vous que j'admire!... Un sale cochon, vous!... Allons donc.

Lirat brusquement se dégagea de mon étreinte, et m'écartant de ses deux poings crispés:

—Eh bien, oui! s'écria-t-il, je suis un sale cochon!... Laissez-moi!

Il se fit un bruit sourd qui résonna dans la nuit comme un coup de tonnerre.... C'était la porte qui se refermait sur Lirat.... Les maisons, le ciel, les lumières de la rue, tournèrent, tournèrent.... Et je ne vis plus rien. J'étendis les bras en avant, et je m'abattis sur le trottoir.... Alors, au milieu des champs apaisés, j'aperçus une route, toute blanche, sur laquelle un homme bien las, cheminait.... L'homme ne cessait de contempler les belles moissons qui mûrissaient au soleil, les grands prés que les troupeaux réjouis paissaient, le mufle enfoui dans l'herbe.... Les pommiers tendaient vers lui leurs branches chargées de fruits pourprés, et les sources chantaient au fond de leurs niches moussues.... Il s'assit sur la berge, fleurie à cet endroit de petites fleurs parfumées, et délicieusement il écouta la musique divine des choses.... De toutes parts, des voix qui montaient de la terre, des voix qui tombaient du ciel, des voix très douces, murmuraient: «Viens à nous, toi qui as souffert, toi qui as péché.... Nous sommes les consolatrices qui rendons aux pauvres gens le repos de la vie et la paix de la conscience.... Viens à nous, toi qui veux vivre!...» Et l'homme, les bras au ciel, supplia: «Oui, je veux vivre!... Que faut-il que je fasse pour ne plus souffrir? Que faut-il que je fasse pour ne plus pécher?» Les arbres s'agitèrent, les blés froissèrent leurs chaumes: un bruissement sortit de chaque brin d'herbe; les fleurettes balancèrent, au bout de leurs tiges, leurs corolles menues, et de toutes les choses une voix unique s'éleva: «Nous aimer!» dit la voix.... L'homme reprit sa route.... Autour de lui les oiseaux tourbillonnaient....

Le lendemain, j'achetai un vêtement d'ouvrier....

—Alors, Monsieur s'en va?... me dit le garçon de l'hôtel, à qui je venais de donner mes vieilles hardes.

—Oui, mon ami!

—Et où Monsieur s'en va-t-il?

—Je ne sais pas....

Dans la rue, les hommes me firent l'effet de spectres fous, de squelettes très vieux qui se démantibulaient, dont les ossements, mal rattachés par des bouts de ficelle, tombaient sur le pavé, avec d'étranges résonnances. Je voyais les crânes osciller, au haut des colonnes vertébrales rompues, pendre sur les clavicules disjointes, les bras quitter les troncs, les troncs abandonner leurs rangées de côtes.... Et tous ces lambeaux de corps humains, décharnés par la mort, se ruaient l'un sur l'autre, toujours emportés par la fièvre homicide, toujours fouettés par le plaisir, et ils se disputaient d'immondes charognes....

Noirmoutier, novembre 1886.

Milton Keynes UK
Ingram Content Group UK Ltd.
UKHW050718181023
430840UK00009B/317

9 791041 838721